Demandez à vos guides

Demandez à vos guides

Traduit de l'anglais par
Diane Thivierge

Copyright © 2006 Sonia Choquette
Titre original anglais : Ask Your Guides
Copyright © 2016 Éditions AdA Inc. pour la traduction française
Cette publication est publiée avec l'accord de Hay House, Inc.
Tous droits réservés. Aucune partie de ce livre ne peut être reproduite sous quelle que forme que ce soit sans la permission écrite de l'éditeur, sauf dans le cas d'une critique littéraire.

Syntonisez Radio Hay House à www.hayhouseradio.com

Éditeur: François Doucet
Traduction : Diane Thivierge
Révision linguistique: Nicole Demers et André St-Hilaire
Révision: Féminin pluriel
Correction d'épreuves : Nancy Coulombe, Féminin pluriel
Images de la couverture : © Thinkstock
Conception de la couverture : Matthieu Fortin
Mise en page : Catherine Bélisle

ISBN papier : 978-2-89767-298-0
ISBN numérique : 978-2-89767-299-7
ISBN ePub : 978-2-89767-300-0
Première impression : 2016
Dépôt légal : 2016
Bibliothèque et Archives nationales du Québec
Bibliothèque et Archives Canada

Éditions AdA Inc.
1385, boul. Lionel-Boulet,
Varennes (Québec) J3X 1P7, Canada
Téléphone : 450 929-0296
Télécopieur : 450 929-0220
www.ada-inc.com
info@ada-inc.com

Diffusion
Canada:Éditions AdA Inc.
France:D.G. Diffusion
Rue Max Planck, B. P. 734
31683 Labege Cedex
Téléphone: 05.61.00.09.99
Suisse:Transat – 23.42.77.40
Belgique:D.G. Diffusion – 05.61.00.09.99

Imprimé en Chine

Participation de la SODEC.

Nous reconnaissons l'aide financière du gouvernement du Canada par l'entremise du Programme d'aide au développement de l'industrie de l'édition (PADIÉ) pour nos activités d'édition.
Gouvernement du Québec — Programme de crédit d'impôt pour l'édition de livres — Gestion SODEC.

Catalogage avant publication de Bibliothèque et Archives nationales du Québec et Bibliothèque et Archives Canada

Choquette, Sonia

[Ask your guides. Français]
Demandez à vos guides
Traduction de : Ask your guides.
ISBN 978-2-89767-298-0

1. Maîtres (Occultisme). 2. Anges gardiens. I. Titre. II. Titre : Ask your guides. Français.

BF1275.G85C4814 2016133.9C2016-940649-0

À mes merveilleux guides Joachim,
les Émissaires du troisième rayon, Rose, Joseph,
les Trois Évêques, les Sœurs de la Pléiade, Dot, Charlie,
Dr Tully et à tous mes autres aides célestes.
Sans oublier mes précieux guides terrestres et tout
particulièrement ma mère, mon père et ma sœur, Cuky ;
mon mari, Patrick ; et mes chères filles, Sonia et Sabrina.

TABLE DES MATIÈRES

Préface

Une journée typique . . . .*xiv*

Introduction

Ce qu'ils peuvent faire pour vous 1

Comment utiliser ce livre 9

ॐ

PREMIÈRE PARTIE
Bienvenue dans le monde des esprits

Chapitre 1

Faire d'abord connaissance avec votre esprit 17

Chapitre 2

Pénétrer dans le vaste monde des esprits 27

፠

DEUXIÈME PARTIE
Les anges : les tout premiers esprits à vous accompagner

Chapitre 3
Les anges gardiens —
vos gardes du corps personnels. 37

Chapitre4
Les archanges. 55

Chapitre 5
Le ministère des Anges. 67

Chapitre 6
Vivre sous l'influence des anges 75

፠

TROISIÈME PARTIE
Comment aborder vos esprits guides

Chapitre 7
Les esprits guides : un premier tour d'horizon. 85

Chapitre 8
Vous préparer à rencontrer vos esprits guides. 95

Chapitre 9

Le premier contact avec vos guides 107

Chapitre 10

L'étape suivante : écrire à vos guides 115

Chapitre 11

Apprendre à voir vos guides 125

80

QUATRIÈME PARTIE
La présentation de vos guides spirituels

Chapitre 12

Les esprits guides de la nature 137

Chapitre 13

Les guides coursiers 149

Chapitre 14

Les guides auxiliaires 159

Chapitre 15

Les guides guérisseurs 173

Chapitre 16

Les guides enseignants 189

Chapitre 17

Les guides animaux 201

Chapitre 18
Les gardiens de la joie 213

Chapitre 19
Les êtres de lumière 223

Chapitre 20
Les entités négatives. 231

ജ

CINQUIÈME PARTIE
Travailler directement avec vos esprits guides

Chapitre 21
Vos esprits guides sont plus proches
que vous ne le pensez. 243

Chapitre 22
Les guides se servent aussi de messagers. 251

Chapitre 23
Le langage des guides. 257

Chapitre 24
Comment s'appelle-t-il ? 265

Chapitre 25
Les guides vous aident — ils ne font pas
le travail à votre place 271

Chapitre 26
*Entrer en contact avec vos guides à l'aide
des oracles* 281

Chapitre 27
Les cartes divinatoires 289

☙

SIXIÈME PARTIE
Vivre guidé par les esprits

Chapitre 28
Votre Moi supérieur, le plus grand des guides 301

Chapitre 29
Suivre l'avis de vos guides : pas toujours facile !. 311

Chapitre 30
*Choisir entre les bonnes nouvelles et les conseils
de vos guides.* 315

Chapitre 31
Trouver une oreille attentive 323

Épilogue
Remercier vos guides 327

Remerciements 333

À propos de l'auteure. 335

PRÉFACE

Une journée typique

La semaine dernière, après cinq jours au lit en raison d'une vilaine grippe, j'ai eu envie de bouger. J'ai donc décidé d'aller chercher ma fille chez son tuteur, ce qui, ma foi, était très ambitieux étant donné l'état de grande faiblesse dans lequel je me trouvais encore.

J'avais à peine quitté mon domicile lorsque le ciel soudain s'assombrit et déversa sur la ville une pluie torrentielle accompagnée d'éclairs et de coups de tonnerre, phénomène rare en hiver. En pleine heure de pointe et sans prévenir, ma voiture se mit à hoqueter et, à ma grande consternation, elle rendit l'âme. Après avoir réussi à sortir de la circulation et à rejoindre l'accotement, je mis la clé dans le contact dans l'espoir qu'elle redémarre, mais en vain. Après quelques tentatives, je dus me rendre à l'évidence que le moteur était bel et bien mort.

— Zut de zut ! m'écriai-je, frustrée.

Déjà affaiblie par un restant de fièvre, je n'avais certainement pas besoin de ça. Pour couronner le tout, ma fille comptait sur moi pour la ramener à la maison à temps pour son rendez-vous suivant avec un autre tuteur.

Saisissant mon cellulaire, j'appelai mon mari, Patrick, qui m'informa qu'il ne pouvait pas se libérer avant une heure, car il était coincé dans le même embouteillage que moi, mais à l'autre bout de la ville. Lorsque je raccrochai, je n'eus plus qu'une envie : m'apitoyer sur mon sort. Sans compter l'inquiétude que j'éprouvais pour ma fille qui m'attendait sous la pluie. Alors, j'ai prié. J'ai demandé à mes guides si l'un d'entre eux connaissait un mécanicien automobile dans le monde des esprits et, le cas échéant, si celui-ci pouvait réparer immédiatement ma voiture. Je restai assise bien sagement et je pris le temps de me calmer, d'abandonner mes peurs et d'ouvrir mon cœur.

— *Je sais que vous avez le pouvoir de m'aider, je vous en serais si reconnaissante ; dites-moi simplement quoi faire,* psalmodiai-je.

J'eus soudain envie de me frotter les mains comme pour générer de la chaleur et je les posai sur le tableau de bord.

— *Donne ton énergie à ta voiture,* entendis-je par voie télépathique. *Ne t'inquiète pas si tu te sens faible. Mets les mains sur le tableau de bord et laisse ton cœur redonner vie au moteur.*

Comme je fais entièrement confiance à mes guides et que je ne remets jamais en question leurs conseils, j'ai fait ce qu'ils m'ont demandé et j'ai imaginé l'énergie couler de mon cœur, parcourir mon corps et se déverser dans ma voiture.

— *Voilà, c'est fait,* entendis-je.

J'avais en effet senti quelque chose. Je plaçai donc une main sur le volant, pris une grande respiration et, de l'autre main, tournai la clé dans le contact. Le moteur hoqueta puis, comme par magie, se remit en marche ! Voilà que ma voiture était ressuscitée et fonctionnait de nouveau. Je riais toute seule en remerciant mes guides encore et encore.

— *Vous êtes formidables !* m'écriai-je. *Je savais que je pouvais compter sur vous.*

Je restai là quelques minutes à écouter le bruit du moteur pour m'assurer qu'il tournait normalement et repris ma route.

La pluie s'arrêta cinq minutes plus tard et, alors que je me garais devant le domicile du tuteur, ma fille Sabrina sortit en courant et s'engouffra dans la voiture en s'excusant d'être en retard. À bout de souffle, elle m'expliqua que la séance avait duré quelques minutes de plus que d'ordinaire.

— Ne t'en fais pas, répliquai-je en souriant, j'arrive à l'instant.

Nous prîmes alors le chemin du retour, sauvées de nouveau par les esprits qui viennent à mon secours lorsque je les invoque. C'est là une journée typique dans la vie du médium que je suis. J'évolue entourée de guides, d'anges et d'aides qui, depuis l'Au-delà, m'accompagnent à chaque instant pour me faciliter la vie.

INTRODUCTION

Ce qu'ils peuvent faire pour vous

'ai grandi dans une maison remplie d'esprits guides de toutes sortes. J'ai commencé très jeune à prendre conscience de leur existence, et ce, grâce à ma mère, qui parlait fréquemment à ses propres guides ainsi qu'aux miens. C'est elle qui, la première, m'a dit que je n'étais jamais seule au monde, des guides avaient pour mission de s'occuper de moi, de me protéger, de m'aider et de m'éduquer tout au long de ma vie.

Elle conversait régulièrement avec ses propres guides et ce sont eux, et non elle, qui souvent prenaient les décisions qui nous concernaient tous à la maison. Elle les appelait « mes esprits », car c'est bien ce qu'ils étaient : des êtres spirituels dépourvus de corps. Elle les consultait en toutes circonstances, aussi bien pour trouver du stationnement que pour choisir le menu d'une réception, et certains étaient affectés à des tâches particulières. Il y avait, par exemple, les esprits des emplettes, qui aidaient ma mère à dénicher les aubaines lui permettant de faire vivre notre famille de sept enfants à même le salaire de mon père, simple commerçant. Il y avait les esprits de la couture, qui l'aidaient à trouver du tissu et à dessiner des patrons, ainsi que les esprits de la guérison, qui nous aidaient, nous, les enfants, lorsque nous attrapions les oreillons. Certains esprits, lors de nos pique-niques en famille, nous aidaient à dénicher l'endroit, sur la montagne, qui convenait le mieux à nos activités bucoliques du dimanche. D'autres aidaient mon père à augmenter ses ventes et d'autres encore étaient invoqués lorsque ma mère se livrait à son passe-temps favori : la peinture à l'huile. Sans oublier les esprits roumains et français de parents décédés qui venaient la saluer en passant.

Tous ces esprits guides avaient leur place à table et participaient aux conversations. Nous les consultions à tout propos, aussi bien pour des vétilles que pour des « affaires d'État » et, lorsqu'il y avait dissension, c'étaient souvent eux qui tranchaient. Grâce à eux, notre maison était toujours pleine d'énergie, d'opinions et d'idées de toutes sortes, mais surtout remplie d'amour et d'un profond sentiment de sécurité provenant de la certitude de n'être jamais seuls.

Mes propres guides m'ont personnellement aidée à surmonter mes maladies d'enfance, mes chamailleries avec ma famille et mes problèmes à l'école ; ils m'ont accompagnée à chaque étape de ma vie, faisant en sorte que des miracles se produisent encore et encore, repoussant les limites de mes rêves les plus fous. Du plus loin que je me souvienne, ils m'ont toujours soutenue. Je me sentais protégée, bénéficiais de leurs conseils pratiques et m'émerveillais de leurs généreux cadeaux.

En dehors du giron familial, c'est à l'école catholique que je fréquentais dans le secteur ouest de Denver que le monde des esprits était le plus souvent évoqué. Là, on nous parlait des anges et des saints (un pour chaque jour de l'année), ainsi que du saint qui portait notre prénom ou de celui qui s'en rapprochait le plus. Qui plus est, nous avions Marie, Jésus et le plus grand esprit de tous, l'Esprit saint.

Lorsque j'étais enfant, mes camarades et moi allions à la messe tous les matins. Nous allumions des cierges pour attirer l'attention de nos guides et leur parlions du fond du cœur pour qu'ils intercèdent en notre faveur dans toutes sortes de domaines, y compris pour réussir un examen, trouver une place à la cantine de l'école et, bien sûr, gagner au volley-ball et au basket-ball.

En ce qui me concerne, les esprits guides m'exauçaient : je réussissais effectivement mes examens, j'avais une chance peu commune pour dénicher une place à la cantine, et mon équipe remportait souvent les compétitions de volley-ball et de basket-ball. Quand j'y repense, je dois dire qu'il n'y avait rien d'étonnant à cela ; en effet, non seulement priais-je mes aides et mes guides pour qu'ils m'épaulent, mais aussi croyais-je véritablement qu'ils allaient me répondre et sentais-je leur aide et leur présence. Aussi, quelle ne fut pas ma surprise lorsqu'en troisième année ma meilleure amie Susie, à qui j'avais conseillé d'implorer ses guides pour que sa mère change d'avis et lui permette de dormir chez moi, m'informa ne pas du tout savoir de quoi je parlais. Mes explications ne firent qu'envenimer les choses : voilà qu'elle me traitait de « bizarre » !

Piquée au vif, je lui demandai pourquoi elle allait à la messe et priait tous les matins, et elle m'informa que c'était pour obéir aux religieuses et non parce qu'elle y croyait.

Je lui répondis que les esprits existaient réellement et que, si elle faisait le calme à l'intérieur d'elle-même et qu'elle fermait les yeux à demi, elle pourrait même les voir.

— Ils ne ressemblent pas toujours à des êtres humains, lui expliquai-je. On dirait parfois des étincelles décrivant des volutes ou encore de la lumière blanche qui jaillit tel un flash d'appareil photo. Il arrive qu'on ne les voie pas du tout, mais qu'on les sente comme si l'air était un peu plus dense ou un peu plus frais en certains endroits. Parfois, on les sent uniquement dans son cœur et on sait simplement qu'ils sont là.

Susie a roulé les yeux en sifflant et m'a de nouveau traitée d'illu-minée, alors vous comprendrez que je ne lui ai pas parlé de Rose, ma guide préférée. Rose vivait au-dessus de mon placard et ressemblait à sainte Thérèse. Je n'ai pas non plus soufflé mot à mon amie de l'exis-tence de Joseph, un essénien qui me suivait toujours à l'école. Je ne lui ai rien dit non plus du guide qui m'est apparu sous les traits d'une très vieille Amérindienne enveloppée d'une rêche couverture rouge et blanche et qui me souriait depuis un coin de la chambre, un soir que j'étais allée dormir chez elle. Il n'était pas question que je lui parle de tout cela, alors qu'elle me trouvait bizarre de seulement croire en mes guides : je n'ose imaginer de quoi d'autre elle m'aurait traitée ! Soucieuse de maintenir mon rang, déjà peu élevé, dans l'échelle qui régissait nos rapports sociaux à l'école, je lui proposai d'aller dormir chez elle à la place.

Ce soir-là, je compris que le monde des esprits qui enrichissait tant ma vie était inconnu du plus grand nombre. Cela m'attristait de penser que mes échanges bilatéraux avec mes guides étaient le plus souvent unilatéraux pour les autres. Je ne comprenais pas vraiment comment ces gens avaient pu perdre le contact avec leurs guides, mais j'étais persuadée d'une chose : ils ne s'en trouvaient pas mieux pour autant !

À l'âge adulte, j'ai compris que c'était une maladie de l'âme qui causait, en Occident, la scission d'avec le monde des esprits. L'indus-trialisation et l'intellectualisme ont délogé le centre de notre conscience qui se trouvait dans notre cœur — là où nous rencontrons l'Esprit et communions avec lui — pour le planter dans notre cerveau, où notre ego règne en maître sur notre vie et fait planer sur nous des menaces d'isolement et d'anéantissement. Il est réconfortant par ailleurs de penser que nous pouvons, si nous le souhaitons et que nous ne nous laissons pas complètement prendre en otage par nos cerveaux, réunir le centre de notre conscience et notre cœur. Il suffit d'un minimum de collaboration et d'efforts de notre part pour que nos esprits guides s'empressent de nous indiquer le chemin.

Quelles sont vos attentes ?

Il est important, dès le départ, de savoir exactement ce que vous pouvez attendre du contact avec vos esprits guides. Voyez-vous, le monde des esprits est formé de nombreux « paliers » de guides, d'entités non physiques et d'énergies vibrant à des fréquences différentes, un peu comme des stations de radio émettant simultanément des signaux distincts. Non seulement chaque guide possède-t-il sa propre fréquence, mais aussi chaque personne habitant sur notre planète a-t-elle son propre taux vibratoire.

Ceux d'entre nous qui vivent près du cœur possèdent une vibration élevée, assez proche des fréquences spirituelles de ceux qui peuplent le monde non matériel. La connexion avec les esprits guides s'en trouve facilitée. Chez ceux qui ont oublié qu'ils sont des êtres spirituels et qui s'identifient uniquement à leur mental, le corps émet des vibrations plus basses, donc plus éloignées de la fréquence à laquelle vibrent les esprits guides, ce qui rend la connexion plus difficile. C'est ce qui explique que certaines personnes soient davantage conscientes que d'autres de l'existence de leurs guides.

À bien y penser, tout dans l'Univers est esprit et vibre à différentes fréquences. Tout le monde sait, par exemple, que les particules atomiques vibrent à des fréquences particulières, de même que les ondes lumineuses. Les vagues dans l'océan ont leur propre fréquence vibratoire. On n'a qu'à songer au rythme cardiaque ! L'univers entier est une mer de vibrations en mouvement. Il est donc normal qu'en notre qualité d'êtres spirituels nous soyons capables de nous relier aux fréquences d'autres entités spirituelles. À partir du moment où nous assumons notre identité spirituelle, nous devenons plus enclins à reconnaître l'existence d'êtres habitant le monde immatériel.

Le monde des esprits est tout aussi peuplé que le nôtre. Des myriades de guides émettant diverses fréquences y sont toujours à l'œuvre. On peut donc faire appel à toutes sortes de guides pour nous éclairer : des guides qui ont déjà vécu dans notre monde matériel ; des membres de notre famille qui ont traversé de l'autre côté ; des guides que nous avons eus comme compagnons dans une vie antérieure ; des maîtres spirituels aptes à éclairer notre chemin ; des guérisseurs qui peuvent nous aider à prendre soin de notre santé physique et émotive ; des aides qui nous facilitent la vie au jour le jour ; des esprits de la nature et des élémentals qui nous relient à la terre ; des esprits animaux qui nous guident dans notre évolution ; et même des guides porteurs de joie qui nous remontent le moral en cas d'épreuves. Il y a des anges, des saints, des devas, des maîtres et Dieu lui-même. Il existe même de faux guides dont les vibrations ne sont pas du tout élevées : ce sont des fauteurs de troubles dont il faut se méfier (j'y reviendrai plus tard).

J'ai été peinée de constater que la plupart des gens qui m'entourent ne sont aucunement familiers avec ce qui constitue, chez moi, une seconde nature et qui consiste à vivre en étant consciente de l'existence de mes guides et à travailler avec eux. Ce qui me désole, c'est que de nombreuses personnes en proie à la peur et au désespoir soient inconscientes de l'existence des plans spirituels. Entièrement déconnectées de leurs guides, elles se sentent seules et abandonnées dans la lutte qu'elles mènent au quotidien et ne profitent pas du soutien spirituel et de l'amour toujours à leur disposition.

Parce que j'ai eu la chance de savoir dès mon plus jeune âge que je pouvais compter sur l'aide de mes guides, je me suis donné pour mission d'aider les autres à prendre conscience de l'existence de leurs propres guides. De la même façon qu'on m'a aidée, moi, je voudrais que vous sachiez que, vous aussi, vous pouvez recevoir de l'aide. Je ne suis pas différente des autres. Nous sommes tous les enfants divins de l'Univers. Nous sommes égaux et disposons chacun d'un réseau de soutien spirituel qui nous facilite la tâche et nous aide à réussir notre vie dès notre premier souffle, jusqu'à ce que nous quittions notre enveloppe physique pour regagner le monde des esprits. L'ignorance de cette réalité constitue, je le crains, un handicap.

L'Univers est conçu pour prendre soin de toutes ses créatures et il s'assure de les guider : les oiseaux possèdent un radar, les chauves-souris un sonar, et nous, nous avons des guides. Lorsque nous éveillons notre sixième sens et que nous apprenons à entrer en contact avec nos guides angéliques, notre vie suit tout naturellement son cours, permettant à notre âme de s'élever et à notre mission de vie de se réaliser. Notre séjour sur terre revêt ainsi un intérêt de tous les instants.

Vous trouverez dans le présent ouvrage des conseils tout simples pouvant vous aider à entrer en contact avec vos esprits guides afin que vous puissiez connaître la joie, l'abondance et l'amour infinis que vous méritez.

Nous sommes tous des enfants confiés à la vie par la Bienveillante Mère et Dieu le Père. À ce titre, nous avons droit à une existence bénie des dieux. Pour recevoir de tels cadeaux, cependant, nous devons accepter le fait que nous n'y arriverons pas seuls. Nous devons ouvrir nos cœurs et nos esprits à l'amour et au soutien qui s'offrent à chacun d'entre nous. En acceptant de vivre cette aventure, nous obtiendrons plus de soutien, de succès et de bienfaits que nous ne l'aurions jamais cru possible. Alors, commençons dès maintenant !

Comment utiliser ce livre

e présent ouvrage est conçu pour vous apprendre à communiquer directement avec votre réseau de soutien spirituel par l'intermédiaire des nombreux aides célestes mis à votre disposition pour toute la durée du séjour de votre âme sur la terre. Je vais vous les présenter, vous apprendre d'où ils viennent et comment ils souhaitent vous aider. De plus, je vous enseignerai des moyens faciles d'entrer en contact avec eux et de comprendre comment ils s'adressent à vous.

Vous deviendrez de plus en plus à l'aise avec le monde des esprits et, peu à peu, développerez tout naturellement une sensibilité qui vous permettra de mieux le comprendre et le capter. Chaque chapitre porte sur un type de guides en particulier. J'en donne une description détaillée, suivie de différentes anecdotes, personnelles et autres, illustrant l'aide qu'il peut apporter. En terminant, j'explique comment vous pouvez, chaque jour, renforcer votre propre connexion à vos guides par des exercices pratiques et concrets.

Les types de guides sont présentés séparément afin que vous puissiez vous habituer à sentir l'énergie qui leur est propre et l'influence qu'ils peuvent avoir sur votre vie. Je vous propose ensuite d'essayer diverses techniques intuitives pour vous connecter à eux. Vous apprendrez ainsi à penser comme une personne qui, consciente du monde des esprits, fait appel à son sixième sens, et vos esprits guides pourront vous aider à vous libérer du stress et de la peur.

La structure du livre

Divisé en six thèmes, cet ouvrage s'ouvre sur la présentation des outils de base qui permettent d'entrer en contact avec le monde des esprits. Vous y apprendrez à préparer votre corps à capter l'énergie subtile et vous serez graduellement amené à faire connaissance avec d'autres sources plus élevées et plus subtiles d'assistance spirituelle. Je vais vous enseigner à vous connecter à vos guides et à travailler avec eux, pour qu'ils vous éclairent dans la poursuite de votre chemin.

Abordez ce livre comme si c'était un cours ou une formation. Imaginez, par exemple, que c'est un cours d'appréciation de la musique. Au début, vous apprenez les notes du royaume des esprits, puis les mélodies de l'aide spirituelle ; vous passez ensuite à la composition et à l'orchestration, qui toutes deux mènent à une vie féconde et inspirée par le sixième sens, sous l'égide du Divin. En choisissant d'être ainsi guidé, vous entrez dans le courant de la vie et commencez à évoluer dans la magie de ce magnifique Univers.

Imprégnez-vous de ce livre à votre propre rythme et franchissez une étape à la fois. Au besoin, lisez chaque chapitre plusieurs fois, puis faites pendant quelques jours les exercices proposés à la fin, et voyez les résultats. L'ordre des chapitres obéit à une logique. Vous apprendrez d'abord les fondements qui permettent de reconnaître l'intervention des esprits et serez amené à faire de plus en plus confiance à vos guides, en toutes circonstances.

Imaginez que nous partons ensemble explorer le monde des esprits et que je suis votre guide. Je connais intimement ce monde et m'y sens tout à fait à l'aise puisque j'ai vécu toute ma vie entourée de mes guides et que, depuis plus de 30 ans, j'enseigne à d'autres comment se connecter aux leurs. Je souhaite maintenant vous transmettre les connaissances que j'ai acquises tout au long de ma vie.

Lorsqu'on commence à travailler avec les esprits guides, on modifie les règles qui gouvernent sa vie et on accepte que tout devienne plus facile. Les exercices proposés vous éveilleront au soutien que l'Univers vous destine. Tout le monde a le potentiel nécessaire pour être guidé, mais il ne suffit pas de le vouloir, comme il ne suffit pas de regarder une cassette vidéo d'exercices pour se faire des abdominaux d'acier. La connaissance et le désir ne peuvent à eux seuls ouvrir grand la porte à l'intervention de vos guides. Au mieux, ils l'entrebâilleront. Si vous ne vous efforcez pas, chaque jour, d'inviter vos guides à vous aider, vous bloquerez le précieux soutien intuitif qu'ils sont en mesure de vous offrir.

Au début, vous trouverez peut-être étrange d'accorder tant d'importance à l'autre monde, mais si vous persistez, vous y prendrez bientôt goût. Après tout, les guides sont amusants et ils possèdent un solide sens de l'humour. N'hésitez jamais à leur demander quoi que ce soit : ils sont là pour ça.

Soyez sensible à tous les indices, aussi subtils soient-ils, et ne vous attendez pas à voir apparaître l'équivalent spirituel d'Elvis. Il vous appartient de cultiver suffisamment votre sensibilité pour être en mesure de reconnaître et d'accepter la main qui vous est tendue. Si vous vous exercez régulièrement à entrer en contact avec vos guides, vous aurez bientôt la preuve qu'ils travaillent activement pour vous, car la magie colorera peu à peu votre existence.

Le plus difficile sera d'apprendre à accepter l'aide qui vous est offerte, car nous avons tous été conditionnés à lutter et même à encenser ce combat tout au long de notre vie. Or, lorsque nous laissons les esprits nous aider, nous pouvons baisser les armes. Alors, avant d'entreprendre ce périple, posez-vous la question suivante : « Combien de bienfaits suis-je capable d'accueillir ? ». Toute personne éveillée au sixième sens et ouverte à l'intervention de ses esprits répondrait normalement « Autant que possible » et vous aussi pourrez bientôt jouir des bienfaits et du soutien auxquels vous avez droit. Si vous faites preuve de sincérité et d'ouverture, les guides répondront à vos invitations. Et lorsqu'ils verront à quel point votre vie est enchanteresse, les gens autour de vous se mettront à vous demander votre secret !

En notre qualité d'êtres spirituels, nous avons l'amour et le soutien de notre Créateur. Nous ne sommes jamais seuls, et chaque épreuve qui nous est envoyée s'accompagne toujours des outils nécessaires pour y faire face. Nous aspirons tous à nous élever au-dessus des luttes de ce monde et à vivre dans la grâce et la fluidité. C'est ce que nous souhaitons parce que nous savons, jusque dans les profondeurs de notre être, que c'est possible. La réponse est claire : cessons de résister et mettons-nous à l'écoute du soutien bienveillant que nos guides et le monde des esprits nous réservent. Ils ne demandent qu'à nous aider…, alors laissons-les faire.

PREMIÈRE PARTIE

Bienvenue dans le monde des esprits

CHAPITRE 1

Faire d'abord connaissance avec votre esprit

Avant de pouvoir sentir la présence de vos esprits guides, vous devez d'abord faire connaissance avec le magnifique esprit qui est vôtre. Vous n'êtes peut-être jamais entré en contact avec cette merveilleuse facette de vous-même avant aujourd'hui, mais sachez que nous sommes tous dotés d'un esprit.

Lorsque j'étais jeune, ma mère utilisait souvent le mot « esprit » pour s'adresser à nous, et nous faisions de même avec elle. Dans nos conversations de tous les jours, elle nous demandait souvent « Qu'est-ce que ton esprit souhaite ? » ou « Qu'en pense ton esprit ? ». Le fait de savoir que j'étais moi-même un esprit m'a beaucoup aidée à entrer en contact avec les esprits qui pouvaient m'assister sur terre et sur les autres plans. J'ai donc grandi avec l'idée que j'étais un esprit et qu'il en était de même pour chacun d'entre nous. Cela me semblait tout à fait naturel, mais c'est à la naissance de Sonia, ma fille aînée, que cette vérité m'est apparue dans toute sa splendeur.

Je me rappelle, à sa naissance, comme elle était calme et sereine, presque à l'image du Bouddha. Au départ, elle était immobile et légèrement bleuâtre. Puis, comme poussée par une force qui la dépassait, elle a pris une grande goulée d'air, et la vie a pénétré en elle. Elle est alors passée du bleu au rose vif, et ses vagissements ont clamé sa naissance au monde entier. Je fus témoin de sa transformation : dès la première inspiration, son âme est entrée dans son corps et lui a insufflé la vie. Depuis, je ne peux m'empêcher de penser que chaque être humain, moi y compris, a vécu quelque chose de semblable. Lorsque nous comprenons que c'est notre esprit qui nous a donné la vie, nous avons davantage conscience de l'immense force que nous incarnons.

Nous partageons tous le même souffle de vie éternel, mais celui-ci ne se manifeste pas de la même façon pour tous. Votre esprit a une présence qui lui est propre, une vibration particulière entièrement différente de votre personnalité (laquelle, dans une large mesure, forme un écran protecteur autour de votre esprit). Pour entrer en contact avec votre esprit, rien ne vaut d'apprendre à reconnaître ce qui vous anime.

Commencez par explorer la nature singulière de votre propre esprit. Comment décririez-vous la force de vie éternelle et ardente que vous représentez : douce, passionnée, imposante, hésitante, créative, timide ou enjouée ? Dans quel domaine vous sentez-vous le plus compétent ? Quelles activités pratiquez-vous avec une telle ardeur que vous devenez complètement absorbé par ce que vous faites ? Qu'est-ce qui vous transporte et vous inspire le plus ?

Concentrez-vous ensuite sur ce qui nourrit votre esprit. Demandez-vous quelles sont les expériences, les activités et les formes d'énergie qui vous insufflent de la force, vous nourrissent de l'intérieur et font en sorte que vous vous sentiez comblé, en paix avec la vie et bien dans votre peau. Qu'est-ce qui vous émerveille, vous surprend, vous donne envie d'accueillir la vie à bras ouverts et vous procure la paix intérieure ?

Personnellement, la musique classique nourrit mon âme, de même que les beaux tissus et les parfums aux essences exotiques. Mon esprit adore la nature, surtout la montagne et l'odeur des pins. Les voyages à l'étranger, parler français, les bazars égyptiens et les promenades en pousse-pousse dans les rues de New Delhi figurent également à mon palmarès, de même que de raconter des histoires, parler aux autres de leur esprit et, par-dessus tout, danser. Lorsque je pratique l'une ou l'autre de ces activités, je me sens comblée, heureuse, plus moi-même que jamais et bien ancrée dans la réalité.

L'esprit de mon mari est très différent du mien. Il adore l'action et les déplacements. Il s'anime lors d'une longue randonnée à bicyclette, d'une promenade dans la nature ou d'une descente en ski et exprime sa sensualité différemment : il est plus « organique » que le mien. Il se sent littéralement transporté par les images et les parfums des étals de fruits et de légumes que l'on trouve au bord de la route qui mène au marché aux épices du quartier indien de Chicago, notre ville natale, et devant les seaux remplis de poissons vivants dans les rues avoisinantes du marché.

Attardez-vous à ce qui fortifie et nourrit votre esprit, et essayez de voir dans quelle mesure vous en êtes conscient. Offrez-vous à votre esprit les expériences dont il a besoin pour s'épanouir pleinement ?

Cela me rappelle Valérie, qui était venue me consulter pour une dépression profonde, une grande fatigue et, ajouterais-je, une grave carence en nourriture spirituelle. Pas une journée ne se passait sans qu'elle tombe littéralement d'épuisement. Elle avait consulté tout ce qui portait le nom de médecin, guérisseur et médium pour tenter d'identifier la cause de cette grande faiblesse, avait subi une batterie de tests, tous négatifs, pour détecter entre autres l'hypothyroïdie, le virus d'Epstein Barr, la maladie de Lyme et l'empoisonnement aux moisissures et aux métaux lourds, sans qu'aucune réponse concrète ne lui soit apportée.

Lorsqu'elle me téléphona, désespérée, j'ai immédiatement saisi le problème. Elle souffrait d'« anorexie psychique », c'est-à-dire que son esprit était sous-alimenté. Ses guides m'ont montré qu'elle était artiste et musicienne dans l'âme, qu'elle était habitée d'un esprit qui aimait faire de la belle musique et créer des jardins enchanteurs. Il s'agissait d'une personne contemplative dont l'âme s'abreuvait de longues périodes de méditation et de prière. Son esprit était doux et avait besoin de la compagnie des animaux, de la beauté des fleurs et du calme d'une vie paisible et rangée, en pleine nature.

Valérie avait connu tout cela dans une petite ville du Wisconsin plusieurs années auparavant et vécu très heureuse et en santé jusqu'à ce qu'elle épouse un homme qu'elle avait fréquenté à l'adolescence. Or, son mari était mécanicien en aéronautique et ne cessait de changer d'emploi et de ville, dans l'espoir d'améliorer son sort. Ils avaient donc déménagé cinq fois en six ans et vivaient la plupart du temps dans une grande ville, où ils partageaient un logis exigu avec des étrangers, faute de moyens. Son esprit à lui adorait l'aventure et le changement, mais celui de Valérie agonisait sous les nombreux chocs.

Soucieuse de rester loyale envers son mari, ma cliente avait perdu de vue ses propres besoins et, du même coup, toute son énergie. Ses guides ont affirmé qu'elle devait retrouver sa vie paisible d'alors, en pleine nature, et éviter les changements abrupts auxquels elle avait été exposée. C'est uniquement à ce prix que son corps guérirait et que son esprit reprendrait vie.

— Voulez-vous dire que nous devrions divorcer? me demanda-t-elle.

Ne voulant rien décider à sa place, je me suis contentée de répondre qu'elle devait se sensibiliser aux besoins de son âme et faire le nécessaire pour prendre du mieux.

L'esprit a ceci de particulier que lorsque vous vous éveillez à ses besoins et choisissez d'y prêter attention, tout en vous se calme et s'éclaircit. Valérie a compris ce que je lui disais et, pour la première fois depuis des années, elle a écouté son esprit. Elle a déménagé loin de son mari, dans un environnement naturel où elle pouvait aller marcher, vivre avec des animaux de compagnie, relaxer seule et jouer du piano. Son mari n'a pas demandé le divorce. Au lieu de cela, il a décidé de faire la navette entre New York et le Wisconsin. Il travaillait 10 jours d'affilée, puis allait la rejoindre pendant 4 ou 5 jours. Comme elle aimait la solitude et qu'il préférait l'effervescence des grandes villes, c'était parfait. Elle a peu à peu retrouvé sa force intérieure et la santé, ce qui prouve que ses guides avaient eu raison de la ramener à ce qui la nourrissait véritablement.

Lorsque je leur demande s'ils prennent le temps de nourrir leur esprit, beaucoup de mes clients avouent y consacrer très peu de temps. Ils se disent trop accaparés par leur sens du devoir et des responsabilités. Ils ont davantage l'impression d'« endurer » la vie que de la « vivre » et en oublient même de l'apprécier !

Si c'est aussi votre cas, sachez que vous vous êtes endurci. Insensible aux besoins de votre esprit, vous êtes coupé du monde des esprits et de tous ses bienfaits.

Cela n'a rien de surprenant si l'on songe que notre culture puritaine nous incite dès l'enfance à faire passer les autres avant nous et à considérer comme égoïste toute marque d'intérêt pour notre personne. Jusqu'à ce que vous renversiez cette façon de penser débilitante, votre esprit continuera de souffrir, et vous resterez fermé à l'aide que pourrait vous apporter le monde des esprits.

Le premier exercice consiste à nourrir votre esprit. Si vous n'êtes pas en contact avec votre esprit ou insensible à ses besoins, il y a fort à parier que vous n'êtes pas non plus en contact avec vos guides. Commencez par prêter attention à vos activités de tous les jours, à celles que vous faites avec cœur et qui vous apaisent. Quelles sont-elles ? Choisissez des occupations qui vous procurent un sentiment de satisfaction. Mieux encore : notez à quels moments vous riez, avez le cœur léger ou vous sentez physiquement léger, car ce sont là des signes que votre âme est nourrie. Ce genre d'expérience vous ouvre au vaste univers des esprits guides. Soyez le plus attentif possible à la façon dont vous vous sentez lorsque vous êtes réceptif aux besoins de votre esprit, car, si vous apprenez à reconnaître ce dont il a besoin et à le lui fournir, vous connaîtrez la paix et la satisfaction.

Certains d'entre vous savent exactement ce dont leur esprit a besoin. Alors, allez-y, nourrissez-le ! Si vous aimez la nature, par exemple, il vous suffira d'une longue marche ou d'une course à pied

DEMANDEZ À VOS GUIDES

dans un parc, ou encore d'une séance de jardinage, une heure par semaine et sans culpabilité aucune, pour nourrir et vivifier votre esprit. L'absence de culpabilité est impérative. Si vous aimez les magasins et les lieux inusités, quelques heures à explorer les commerces dans un nouveau quartier devraient faire l'affaire. Il n'est pas nécessaire d'acheter quelque chose. L'important est d'avoir du plaisir et de ne pas vous excuser de prendre quelques heures pour vous. Ne craignez rien : il est possible de nourrir son esprit sans mettre sa vie sens dessus dessous. Lorsqu'on est sensible et attentif aux besoins de son esprit, il en faut très peu pour le contenter.

Savez-vous comment nourrir votre esprit ? Essayez ceci...

- *Écoutez de la musique qui vous fait du bien.*
- *Chantez.*
- *Prenez de longs bains parfumés.*
- *Méditez.*
- *Décorez votre intérieur de fleurs fraîches et de plantes vertes.*
- *Restez oisif.*
- *Allez marcher.*
- *Mettez des bougies et des coussins moelleux partout dans votre chambre.*
- *Lisez des revues qui portent sur des destinations exotiques.*
- *Offrez-vous une bonne séance d'exercices.*
- *Priez.*
- *Faites tout avec lenteur.*
- *Riez.*

C'est au moment où, pour la première fois, vous serez à l'écoute de votre esprit que vous pourrez entrer en contact avec vos magnifiques guides et compagnons de route. Ma mère, par exemple, adorait la couture, et, lorsqu'elle passait des heures à coudre tranquillement, il arrivait souvent qu'elle se sente proche de ses guides, avec qui elle avait de longues conversations télépathiques. En fait, plus elle nourrissait son esprit et se sentait en paix, plus il lui était facile de se connecter aux énergies subtiles de ses guides.

Si vous êtes tellement coupé de votre esprit que vous ne savez pas par quel bout commencer, ne vous inquiétez pas. Dans la mesure où vous êtes réellement ouvert à l'idée de rétablir le contact, il vous suffira de peu de temps pour découvrir ce qui vous anime. Les exercices qui suivent sont extrêmement efficaces pour vous apprendre à nourrir votre âme. Mais attention! Ne perdez jamais de vue qu'il existe plus d'une façon de vous reconnecter à votre esprit. L'essentiel est de développer un intérêt, de la curiosité et de la sensibilité pour ce qui vous nourrit de l'intérieur. Si vous alimentez régulièrement votre esprit, vous deviendrez plus conscient de celui qui existe en toute chose et favoriserez du même coup l'ouverture du portail donnant accès à vos esprits guides et à leur aide.

À vous, maintenant

Réservez-vous chaque semaine de 15 à 20 minutes pendant lesquelles vous ne rendez de compte à personne d'autre que vous. Durant ce temps, faites quelque chose que vous aimez comme jouer du piano, flâner au jardin ou simplement rêvasser devant une tasse de thé, et ce, sans culpabilité aucune. Augmentez peu à peu le nombre de périodes de temps libre en les portant d'abord à deux, puis à trois, et ainsi de suite. Vous devrez peut-être vous rappeler à vous-même que ce temps est précieux, surtout si vous n'êtes pas habitué à vous gâter ou à écouter votre esprit.

Vous devrez peut-être aussi expliquer à votre entourage — surtout à la famille et particulièrement aux jeunes enfants s'ils sont habitués à ce que vous soyez toujours à leur disposition — qu'il s'agit là d'un moment important qui doit être respecté. Si ce défi vous paraît insurmontable, je vous conseille de commencer par de courtes périodes de 15 minutes chacune. Vous verrez que les autres s'habitueront assez facilement… et vous de même.

Vous pourriez aussi prendre quelques minutes chaque matin, soit en prenant votre douche, soit en vous préparant pour la journée, pour compléter la phrase suivante : « Si je n'avais pas peur, je… ».

Exemples :

*« Si je n'avais pas peur, je prendrais congé
le dimanche et je me reposerais. »*

*« Si je n'avais pas peur, je porterais
de meilleures chaussures. »*

*« Si je n'avais pas peur, j'appellerais ma mère
plus souvent pour lui dire que je l'aime. »*

*Dites-le tout haut et laissez votre cœur — siège de
votre esprit — s'exprimer librement, sans aucune censure.
Après quelques séances, il vous indiquera le chemin
de ce qui vous nourrit réellement.*

CHAPITRE 2

Pénétrer dans le vaste monde des esprits

Une fois que vous serez conscient de l'existence de votre esprit, vous pourrez commencer à aiguiser votre sensibilité à l'énergie spirituelle des gens et des choses qui vous entourent. Après tout, la physique quantique nous apprend qu'au-delà des apparences, tout dans l'Univers est pure conscience et vibre à des fréquences différentes. Les choses matérielles ne sont solides et séparées qu'en apparence. En réalité, elles sont constituées d'énergie pure qui vibre à une vitesse telle qu'elles donnent l'illusion d'être solides.

Il y a plusieurs années, alors que j'étudiais la médiumnité et l'art de la guérison, Dr Trenton, mon professeur et mon mentor à l'époque, m'a appris que les qualités physiques sont la source d'information la moins exacte qui soit et qu'il ne faut jamais s'y fier entièrement pour tirer des conclusions ou arrêter des décisions. Cela m'a aidée à comprendre ce qui était réel et vrai et à lever le voile qui sépare le monde matériel du monde immatériel.

La fréquence vibratoire du monde des esprits est totalement différente de celle du monde matériel. On ne peut la voir avec les yeux, mais on peut apprendre à la sentir en aiguisant ses facultés de conscience et de perception. Pour vous exercer à capter ces vibrations, commencez par reconnaître la présence des différentes énergies qui vous entourent. À première vue, cela peut vous sembler étrange, mais, avec un peu d'imagination et de concentration, vous serez étonné des résultats. Commencez par sentir et décrire l'esprit des gens que vous fréquentez tous les jours — les membres de votre famille et vos collègues de travail, par exemple. Notez ce qui les différencie.

Pour capter l'énergie de ceux qui vous entourent, fermez simplement les yeux et essayez de voir la personne non pas avec les yeux, mais avec le cœur. (Si vous êtes un empathique-né, vous savez déjà ce dont je veux parler, car vous captez naturellement les vibrations émises par tout ce qu'il y a de vivant autour de vous, sans être forcément conscient qu'il s'agit là d'esprits.) Choisissez ensuite une personne et ouvrez-vous à sa vibration particulière, y compris à celle de ses esprits guides. Décrivez ce que vous sentez, préférablement à voix haute, car l'expression vocale amplifiera vos facultés de perception.

Je perçois l'esprit de ma fille Sonia, par exemple, comme doux et sensible. Parfois réfractaire au changement, il est, en contrepartie, solide et bien ancré dans la réalité. Son âme est forte, engagée et calme, bien qu'elle puisse se montrer combative au besoin. Je connais si bien son esprit que je peux en capter les vibrations partout où je suis.

Un jour, alors que je me trouvais dans une grande surface, j'ai senti les vibrations de ma fille tout près de moi. Or, je la savais avec une amie pour le week-end, et il n'avait pas du tout été question qu'elles aillent au centre commercial. La sensation était cependant si forte que je me suis retournée, mais ma fille n'était pas là. J'ai donc continué à faire mes emplettes lorsque, cinq minutes plus tard, j'ai entendu sa voix. Cette fois, lorsque je me suis retournée, elle était là! La mère de sa copine les avait emmenées au cinéma du centre commercial, et elles avaient décidé de flâner un peu en attendant le début de la projection.

De la même manière, l'esprit de ma fille avait détecté, lui aussi, la présence du mien.

Percevoir l'esprit des autres et de tout ce qui nous entoure dans l'Univers peut accroître la part de positif dans notre vie. Harriet, une de mes clientes, m'a avoué ne jamais s'être perçue comme esprit. Elle fut cependant intriguée par l'idée, sentant que ce concept pouvait mettre un peu de piquant dans sa morne existence. Légèrement craintive au départ, elle finit par consentir à explorer le monde qui se cache derrière les apparences.

Âgée de 67 ans et seule depuis 30 ans à la suite d'un mauvais mariage, Harriett occupait un poste de secrétaire à temps partiel dans une firme de courtage en assurances. Elle avait l'impression de mener une vie étriquée et se sentait coupée du monde. Insatisfaite, elle cherchait une façon d'ajouter du piquant dans sa vie. Elle a tout d'abord senti que l'esprit de son patron était fade et lourd, et que son énergie déprimée déteignait sur elle. Par contraste, l'esprit d'un des locataires de son immeuble lui paraissait ouvert, léger et très brillant, ce dont elle ne s'était jamais aperçue au cours des trois années où elle avait habité là.

Attirée par l'énergie positive de son voisin, elle engagea la conversation avec lui et obtint une réaction favorable. Après plusieurs échanges animés, dont un au cours duquel elle lui dit qu'il possédait un esprit enchanteur, son voisin la convia aux parties de bridge qui se déroulaient toutes les deux semaines dans son appartement, et elle y rencontra un dentiste qui lui offrit un poste de réceptionniste pour gérer son grand bureau du centre-ville. Lorsqu'elle lui demanda ce qui l'avait poussé à l'embaucher, il avoua qu'il avait aimé l'esprit qui l'habitait!

En moins de deux mois, Harriett s'était fait de nouveaux amis et détenait un nouvel emploi, tout ceci grâce à sa capacité de percevoir la véritable énergie des autres. En apprenant d'abord à percevoir son propre esprit, puis celui des autres, elle s'est retrouvée au sein d'un merveilleux réseau de soutien d'où émergèrent les changements positifs tant attendus.

Il m'est arrivé de demander à mes étudiants de décrire l'esprit des autres et de les voir se figer. C'est une réaction normale chez quiconque n'a pas encore pris conscience du « vaste monde des esprits » qui l'entoure. S'il en est ainsi pour vous, je vous invite à vous détendre et à voir tout ceci comme une formidable aventure et non comme un test de métaphysique. Étonnamment, si votre tête a du mal avec ces nouvelles notions, votre cœur, lui (n'oubliez pas qu'il est le siège de l'esprit), avec un peu d'aide, se mettra à vous « parler » et à enregistrer l'énergie et les vibrations que vous n'aviez pas l'habitude de remarquer.

Saviez-vous que...

... le fait d'apprendre à voir l'esprit en toute chose met de la vie dans notre univers et de la créativité dans notre cœur et notre tête ? Lorsqu'on perçoit le monde à travers les yeux de l'esprit, on commence à distinguer les liens, les occasions et le soutien invisibles qui sont là devant nous, à notre entière disposition. Lorsque la réceptivité est à ce point aiguisée, il nous suffit d'un bond pour pénétrer dans le monde immatériel et entrer en contact avec nos propres esprits guides !

Lorsque Claire, une de mes étudiantes, a fait l'exercice avec une collègue âgée plutôt « collet monté », elle a capté l'énergie d'une personne surprenante et sexy pour découvrir finalement que derrière ses chemisiers boutonnés jusqu'au cou se cachait une femme qui, depuis des années, dansait le flamenco tous les week-ends.

— Qui l'aurait cru ? s'exclama Claire en riant. À la voir, jamais je n'aurais deviné.

En se connectant à l'esprit d'allure tranquille et réservée de sa collègue, mon étudiante a pu profiter de l'un des principaux bienfaits du contact avec le vaste monde des esprits : fraterniser avec ses semblables et enrichir son existence — au point d'aller elle-même danser le flamenco de temps à autre !

Pour affiner vos perceptions, vous pouvez également vous exercer à sentir l'énergie de vos animaux familiers. Êtes-vous capable de sentir et de reconnaître l'esprit de votre chien, de votre chat et même de votre poisson ? Je sais, par exemple, que l'esprit de mon caniche, Miss T, est très sensible, qu'il a le sens de l'humour et passablement d'orgueil. Miss T est visiblement malheureuse lorsqu'elle a l'air négligé et qu'elle a besoin d'être tondue. Par contre, au sortir du salon de toilettage, elle resplendit de bonheur. Quant à Emily, la chienne de mon voisin, c'est très différent. Elle se fiche complètement de son apparence, possède l'esprit d'aventure et semble toujours prête à jouer et à courir. Son esprit est drôle, curieux et bien plus sûr de lui que celui de mon caniche.

En 20 ans de pratique, toutes les personnes à qui je l'ai demandé ont été capables de décrire l'esprit de leur animal avec exactitude. En fait, c'était beaucoup plus facile pour elles que de décrire l'esprit de la plupart des gens de leur entourage. Je me demande si ce n'est pas parce que nos petits compagnons sont si aimants et qu'ils acceptent notre âme telle qu'elle est que nous développons envers leur esprit une sensibilité si particulière.

Passons maintenant à la végétation et voyons si vous êtes capable de sentir l'esprit de vos plantes d'intérieur et de celles qui poussent dans votre jardin. Percevez-vous une différence entre l'esprit d'une plante saine et celui d'une plante à l'agonie ? Entre un lys et une orchidée ? Une plante qui pousse en pot et une autre qui pousse en pleine terre ? Une partie de vous pense peut-être que c'est absurde, mais rassurez-vous : vous n'inventez rien lorsque vous avez l'impression d'entrer en contact avec l'esprit d'une chose, quelle qu'elle soit.

Avec un peu de pratique, tous vos sens peuvent arriver à percevoir les énergies subtiles des différents plans du monde des esprits, et tous les aspects de votre vie s'en trouveront enrichis d'une manière insoupçonnée. Je me souviens, par exemple, d'avoir pris un cours d'appréciation de la musique à l'université et d'avoir fait une percée au bout de quelques semaines seulement. J'aimais depuis toujours écouter de la musique, mais je dois dire que, la plupart du temps, les instruments ne formaient, à mes oreilles, qu'une masse sonore indistincte et rythmée. Le fait de suivre ce cours, cependant, m'a amenée à m'intéresser aux subtilités de la musique, aux sonorités de chaque instrument et aux particularités de chaque rythme, ce qui a décuplé mon plaisir et approfondi considérablement ma compréhension de la composition.

Il m'est arrivé quelque chose de semblable lorsque j'ai pris des leçons de cuisine française. J'ai toujours aimé cette cuisine, surtout les délicieuses sauces qui font sa réputation, mais, avant de suivre le cours, je n'arrivais jamais à distinguer les épices et les autres ingrédients qui les rendaient si subtilement savoureuses. Et soudain, je suis devenue capable de réellement apprécier et distinguer les saveurs délicates qui composaient un plat. Ce que j'avais l'habitude de manger par gourmandise, je le mange aujourd'hui avec discernement et j'en tire une bien plus grande satisfaction. Ma nouvelle prise de conscience m'empêche maintenant d'avaler quoi que ce soit sans porter attention aux vibrations et à l'énergie qui s'en dégagent.

Vous pouvez parvenir à des résultats semblables si vous vous exercez à reconnaître les différentes énergies qui vous entourent et à sentir les vibrations avec votre cœur. Avec des efforts et de la concentration, vous pourrez apprendre à sentir ceci : la douceur délicate d'un bébé (plutôt que de ne voir que son visage sale) ; l'enthousiasme débordant d'un jeune berger allemand (au lieu de vous arrêter à ses grognements), et ; le solide stoïcisme d'un chêne (plutôt que de voir uniquement son imposante silhouette se dresser devant vous). Vous aurez peut-être l'impression au début d'être en terre inconnue, mais aurez tôt fait de vous habituer à capter l'esprit du monde qui vous entoure. Comme l'ont fait pour moi les leçons d'appréciation de la musique et de cuisine française, ces expériences vous mettront au diapason de votre environnement.

À vous, maintenant

Sortez vos antennes et essayez de capter l'énergie qui anime tout ce qui vous entoure afin de pouvoir identifier l'esprit qui s'y loge.

Si vous vivez beaucoup dans votre tête et êtes généralement déconnecté du centre de vos émotions, vous aurez peut-être un peu de mal à vous y faire au début. Alors, commencez par décrire les autres en utilisant les termes « légers », « lourds », « vifs », « stables », « brillants » ou « ternes ». Laissez votre cœur parler, guidé par votre imagination, et ne censurez aucune de vos impressions. Il s'agit ici de contourner votre cerveau et de laisser vos sensations monter directement du cœur à la bouche. Vous pourriez aller jusqu'à prononcer des mots sans consciemment les enregistrer.

Maintenant que vous comprenez un peu mieux le monde des esprits, commençons par vos tout premiers guides : vos anges.

DEUXIÈME PARTIE

Les anges :
les tout premiers esprits à vous accompagner

CHAPITRE 3

Les anges gardiens — vos gardes du corps personnels

U ne fois que vous serez sensibilisé à la présence d'un esprit en toute chose, vous commencerez à percevoir l'Univers comme un endroit merveilleux et accueillant où chaque chose et chaque personne se sentent comblées et aimées... y compris vous. Tous les êtres ont un esprit qui les protège, et vous ne faites pas exception. Vous possédez votre propre réseau de soutien métaphysique composé de plusieurs niveaux d'entités et de forces spirituelles. Le premier groupe d'envoyés spéciaux qui ont pour mission de vous accompagner, ce sont les anges, à commencer par votre ange gardien personnel.

Les anges gardiens sont très importants pour les êtres humains, car ce sont les seuls esprits qui restent intimement liés à nous de notre premier à notre dernier souffle. Ils nous surveillent, nous guident et prennent soin de nous (ils veillent sur notre mental, notre corps et notre âme jusqu'à ce que nous soyons prêts à retourner à l'Esprit), puis ils nous escortent personnellement aux portes du ciel lorsque nous y retournons.

Tous ne s'entendent pas sur l'instant où notre ange gardien entre en contact avec nous pour la première fois. Certains estiment que c'est à la conception, d'autres à la naissance, et d'autres encore lorsque nous rions pour la première fois. Je ne peux pas me faire la porte-parole de tous les anges gardiens, mais je sais, grâce à mon travail de médium, qu'ils se manifestent toujours pour annoncer l'arrivée d'un bébé. Personnellement, je crois que c'est au moment de la conception qu'ils se font sentir pour la première fois (et ils le font souvent de nouveau neuf mois plus tard!)

À la naissance de ma première fille, je me souviens clairement de l'avoir observée pendant trois bonnes minutes sans même penser à regarder si c'était une fille ou un garçon tellement j'étais subjuguée lorsque, tout à coup, une voix inconnue m'a demandé :

— Alors, c'est une fille ou un garçon?

Levant la tête, j'ai alors aperçu, juste derrière Patrick, mon mari, un magnifique visage d'une incroyable luminosité, qui nous souriait avec tellement de chaleur et d'enthousiasme que je me suis immédiatement calmée.

J'ai regardé mon bébé, je me suis exclamée «C'est une fille!», et lorsque je me suis retournée vers la lumière, celle-ci avait déjà disparu. Croyant que cet extraordinaire visage appartenait à une infirmière, j'ai commencé à le chercher des yeux, puis ma fille a fait entendre son premier cri et, sous l'effet de l'épuisement conjugué à l'euphorie et à tout un cocktail d'émotions, j'ai oublié le reste. Un peu plus tard dans la journée, m'étant quelque peu ressaisie, j'ai demandé au médecin qui était cette infirmière et où elle était passée.

— Ah oui, moi aussi, je l'ai trouvée bien! répondit-elle. C'était la première fois que je la voyais, par contre. Elle doit être nouvelle ici.

Le lendemain, en venant me donner mon congé, mon médecin m'a informée que personne à l'hôpital ne savait qui était cette infirmière et que rien dans les dossiers n'indiquait qu'elle avait assisté à la naissance.

À ces mots, j'ai senti un courant passer dans ma colonne et monter jusqu'à ma tête avant de redescendre, et je jure qu'à cet instant précis, ma fille a souri. J'ai su à ce moment-là que son ange gardien était présent. Débordante de confiance et prête à vivre l'aventure de la maternité, j'ai regardé Patrick et j'ai dit :

— Viens, rentrons à la maison.

Saviez-vous que...

... les anges jouent un rôle prépondérant dans toutes les traditions religieuses et constituent l'un des rares points sur lesquels s'entendent ces dernières ?

... dans la religion chrétienne, il existe sept grands archanges, alors que la religion musulmane en compte quatre ?

... le judaïsme considère Métatron comme le plus grand des anges ?

... dans la Bible, il est fait mention des anges environ 300 fois ?

Pour vous connecter à vos anges, vous devez relâcher votre résistance intellectuelle, accepter leur présence et comprendre que personne d'autre que vous n'a besoin de croire que vous avez été en contact avec eux. Cependant, comme les anges sont réellement les esprits guides les plus universels, vous pouvez en parler avec à peu près n'importe qui et vous attendre à un accueil favorable. En fait, plus il y aura de gens qui participeront à la conversation, meilleures seront les chances qu'une personne au moins admette avoir un ange personnel (au risque de passer pour une hurluberlue !)

Des centaines de milliards d'apparitions d'anges ont été signalées, et il y a de fortes chances que vous ayez, vous aussi, rencontré un ange même si vous hésiteriez à en parler en ces termes. Songez au nombre de fois où un malheur a failli vous arriver et où vous avez été épargné ; où le fait d'avoir écouté votre intuition vous a littéralement sauvé d'une catastrophe. Souvenez-vous de la façon dont ces événements se sont déroulés et de la sensation que vous avez éprouvée ensuite, aussi subtile fut-elle. Je peux vous assurer d'une chose : il y avait sûrement un ange là-dessous !

Peu après les événements du 11 septembre 2001, j'ai été invitée à m'adresser à un groupe d'avocates de Washington, DC, dont plusieurs travaillaient au Pentagone. Vous devinerez sans doute que le fait d'être mises en présence d'un médium les rendait quelque peu mal à l'aise et qu'aucune n'a osé mentionner publiquement une expérience relative au sixième sens. De nombreuses femmes dans la salle étaient manifestement enchantées du sujet abordé, mais de là à admettre l'existence d'un monde invisible (la spiritualité était, il va sans dire, tout aussi taboue), la distance à franchir était bien trop grande, de même que la menace à leur intégrité professionnelle. Mais lorsque j'ai commencé à parler des anges, l'atmosphère s'est complètement transformée. Quand je leur ai demandé si certaines parmi elles avaient déjà vu des anges, plusieurs ont levé la main, et les témoignages ont afflué sur la façon dont elles avaient échappé, par miracle, aux attaques terroristes grâce à leur ange gardien.

Gloria, qui travaillait à l'endroit précis où le Pentagone a été touché, a raconté que ce matin-là, elle avait passé au moins 20 minutes à converser avec le sympathique pompiste du poste d'essence où elle s'était arrêtée. Or, ces 20 minutes l'ont mise en retard et lui ont sauvé la vie. Lorsqu'elle est retournée à la station-service le lendemain pour remercier le pompiste, il n'était plus là... et personne ne savait de qui il s'agissait.

Kate a vécu une expérience semblable. En retard, comme à l'habitude, elle s'est précipitée dans un Starbucks pour acheter sa « drogue matinale » et, en sortant, elle a heurté un charmant jeune homme sur qui elle a renversé du café. Se confondant en excuses, Kate s'est mise à éponger les vêtements du monsieur du mieux qu'elle le pouvait, pendant que lui, d'une incroyable bienveillance, l'enjoignait de ne pas s'en faire et lui expliquait qu'il avait fait exprès pour la forcer à ralentir et à mieux profiter de la vie. Il lui a répété cette phrase trois fois. Lorsqu'elle a repris la route, Kate était déjà en retard... en retard pour les horreurs qui se déroulaient pendant ce temps au Pentagone.

Lorsqu'elle est retournée au même Starbucks le lendemain pour savoir si le client sur lequel elle avait renversé du café la veille était un habitué, le serveur lui a dit qu'il ne l'avait jamais vu auparavant et qu'il s'était montré étonnamment conciliant dans les circonstances. Il n'en fallait pas plus pour convaincre Kate qu'il s'agissait d'un ange.

Il est possible que ces femmes aient fait preuve d'une étonnante ouverture d'esprit ce jour-là parce que les événements du 11 septembre étaient encore tout chauds dans leur mémoire et que leurs défenses étaient au plus bas. En dépit de cela, le nombre de mains qui se sont levées ce jour-là lorsque j'ai demandé si quelqu'un avait déjà rencontré un ange indique clairement que les rencontres de ce genre sont bien plus fréquentes qu'on ne le croit. Je n'en fus nullement surprise étant donné que les anges ont pour mission principale d'assurer notre sécurité jusqu'à ce que nous ayons accompli ce pour quoi nous sommes venus sur terre et je suis persuadée que les anges gardiens de ces femmes leur ont littéralement sauvé la vie.

Notre ange gardien, en collaboration avec notre esprit et notre Moi supérieur, a également pour mission de nous empêcher de dévier de notre chemin tout au long de notre vie, surtout en période de doute. Lisa, une de mes clientes, est venue me consulter lorsque son amoureux l'a laissée tomber pour sa meilleure amie après trois ans de fréquentations assidues. Elle ne s'était jamais sentie si malheureuse. Alors qu'elle faisait la file au bureau de poste, un homme âgé lui a dit qu'elle était une très belle personne et qu'elle serait un jour une compagne idéale. Réconfortée, Lisa l'a cherché des yeux en sortant de l'édifice pour le remercier, mais il avait déjà disparu. En route vers sa voiture, elle se dit ensuite qu'un ange avait peut-être été placé là, dans la file d'attente, juste pour elle.

Si quelque chose dans votre tête vous empêche encore d'établir le contact avec vos guides, efforcez-vous chaque jour d'être attentif à ce qui vous arrive de bon et vous commencerez à comprendre, car la plupart du temps, ce sont vos anges qui ont tout orchestré. Exercez votre esprit à reconnaître les bienfaits qui vous échoient chaque jour et remerciez vos guides de leur aide. Vous serez peut-être surpris d'apprendre que les anges sont des créatures sensibles dotées d'émotions. Si vous ne faites aucun cas d'eux, vous ne risquez pas de les blesser, mais il se peut qu'ils finissent par se sentir frustrés. Comme tous les êtres qui peuplent l'Univers, ils réagissent favorablement aux énoncés positifs et affirmatifs, alors, plus vous vous montrerez accueillant et reconnaissant envers eux, plus vous recevrez de cadeaux et de surprises de leur part.

Dès que vous commencerez à être sensible à votre bonne étoile, vous comprendrez que vos anges agissent un peu à votre endroit comme des gardes du corps soucieux de vous protéger et de vous mettre à l'abri d'événements fâcheux.

Une de mes clientes, Debbie, m'a raconté qu'un important tremblement de terre a secoué Los Angeles en pleine nuit alors qu'elle y séjournait en compagnie de son mari et de leur fille de trois mois prénommée Victoria. Le sol était jonché de plâtre et d'objets divers, les plafonniers étaient tombés et les fenêtres avaient volé en éclats. Paniqués, les parents se sont précipités en direction de la chambre où dormait leur enfant, enjambant des morceaux de plafond, loin de se douter de ce qui les attendait : leur fille dormait paisiblement dans son lit, alors que le lustre qui aurait dû être suspendu au-dessus de sa tête gisait là, juste à côté, fracassé en mille miettes. Lorsqu'ils levèrent les yeux, ils aperçurent une petite plume blanche tout près de l'enfant. Debbie et son mari ont pris leur fille dans leurs bras et l'ont serrée très fort, remplis de gratitude pour l'ange qui lui avait sauvé la vie.

Aujourd'hui, je suis reconnaissante…

… d'avoir pu me lever tard.

… parce que tout a fini par rentrer dans l'ordre après que mon courriel a cessé de fonctionner.

… d'avoir mes parents et qu'ils soient en bonne santé.

… de l'aide que m'ont apportée tous mes merveilleux clients et tous mes proches afin d'amasser de l'argent pour un ami dans le besoin.

… que les réparations à ma voiture aient été entièrement couvertes par la garantie.

… que ma chienne, Miss T, ait trouvé le chemin de la maison après s'être échappée du salon de toilettage.

… que mon voisin ait arrosé ma pelouse.

Les anges, en fait, sont les seuls esprits secourables qui ont la capacité de se matérialiser et ils ont souvent recours à ce pouvoir lorsque notre bien-être et notre sécurité en dépendent. Ils peuvent se matérialiser pour vous sauver la vie, vous éviter d'avoir le cœur brisé ou de sombrer dans le désespoir, ou vous aider à traverser une épreuve particulièrement difficile. Vous n'avez qu'un seul ange gardien, mais il peut vous apparaître sous des dehors différents, sans distinction d'âge ou de race, et porter des costumes variés. Contrairement à la croyance populaire, les anges ne sont pas toujours blonds et vêtus d'une longue robe argentée. Ils ressemblent parfois à des sans-abri ou à des vedettes rock.

Au fait, les enfants ont de bien meilleures chances que nous de consciemment entrer en contact avec leur ange parce que leur cœur est plus ouvert que celui des adultes et que leur esprit est encore très puissant. Nous allons jusqu'à leur enseigner des prières invoquant les anges gardiens, mais, en général, nous nous sentons, comme adultes, trop évolués pour rechercher ce type d'interaction.

Mes deux filles, lorsqu'elles étaient jeunes, ont fait une série de rencontres avec les anges. Après une grave maladie, Sabrina, alors âgée de trois ans, m'a raconté que son ange gardien lui avait amené toute une ribambelle de bébés angelots pour la faire rire. J'étais près d'elle, assise sur son lit, lorsqu'elle s'est mise à pousser des petits cris de joie. Alors que les anges dansaient autour du lit, elle m'attrapa le bras en demandant :

— Maman, vois-tu les bébés anges ? Les vois-tu ?

J'étais tellement inquiète pour sa santé que je n'ai malheureusement rien vu, mais lorsque j'ai aperçu la joie qui inondait son visage, une vague légère m'a traversée. Bien que je n'aie pas vu ces anges, je les ai bel et bien sentis et, à partir de cet instant, je me suis calmée, confiante que Sabrina irait mieux, ce qui arriva cette nuit-là.

Sabrina avait onze ans lorsque son ange s'est manifesté de nouveau pour l'égayer alors qu'elle en avait bien besoin. Pendant les vacances de Noël, mon mari et moi avions permis à notre fille d'aller au centre commercial avec des amis pour un dîner au restaurant suivi d'une séance de cinéma. À la fois remplie d'aplomb par cette permission spéciale et très excitée, elle emporta dans son sac à main neuf toutes les cartes-cadeaux qu'elle avait reçues à Noël, ainsi que le billet de 20 $

que nous lui avions remis. Bien que nous l'ayons abreuvée de conseils avant son départ, elle fut tellement prise par le film qu'elle en oublia de ramasser son sac avant de sortir du cinéma. Lorsqu'elle s'en aperçut, quelques instants plus tard, elle retourna à son siège, mais en vain. Et pour comble de malheur, ses amies ont ri d'elles au lieu de faire preuve d'empathie.

Mon mari et moi sommes venus la chercher quelques minutes après avoir reçu son appel. Sabrina était inconsolable, honteuse d'avoir fait une erreur et terriblement déçue d'avoir perdu ce qui constituait l'ensemble de ses cadeaux de Noël. Tiraillés entre la sympathie et l'irritation devant sa négligence, nous avons escorté jusqu'à l'auto une Sabrina en larmes.

Soudain, un sosie de notre fille émergea d'un groupe de jeunes et se précipita vers elle.

— Excusez-moi, fit-elle en nous regardant droit dans les yeux, puis elle prit Sabrina à part. Est-ce que ça va? Je sais que tu as perdu ton sac dans le cinéma et que tu es contrariée, mais ne t'en fais pas. Contente-toi de choisir de ne pas être chagrinée, et tout ira bien. Tu n'es pas stupide : ce n'était qu'une leçon.

Elle la serra ensuite dans ses bras et partit rejoindre son groupe d'amis.

L'étonnement devant cette fille si bonne et si gentille eut instantanément raison du chagrin de Sabrina. Elle exprima le souhait de remercier sa nouvelle amie, mais celle-ci avait déjà disparu. Sabrina la chercha pendant quelques minutes, puis elle revint en haussant les épaules.

— C'était un ange, conclut-elle banalement. Elle m'a dit que je m'en remettrais, alors je suppose qu'elle a raison.

Et elle n'a plus jamais parlé de l'événement.

Était-ce véritablement un ange? Si l'on pense à la façon dont les enfants se comportent généralement, je suis persuadée que c'en était un.

Il arrive très souvent que vos anges se manifestent alors que vous avez le plus besoin d'eux, mais que vous ne vous en rendiez compte qu'une fois l'événement derrière vous. L'énergie qui vous inonde alors est si rassurante que vous ne comprenez pas comment vous avez fait pour ne pas y penser. Grace, lorsqu'elle m'a consultée, venait d'apprendre que sa meilleure amie était morte dans un accident bizarre. Or, sa mère était décédée du cancer récemment et elle-même sortait tout juste d'un divorce.

Elle réserva donc une place dans l'avion pour assister aux funérailles. À peine installée dans son siège, accablée de chagrin, elle vit s'approcher une vieille dame fragile, au visage très doux, dont le fauteuil roulant était poussé par un agent de bord et qui prit place à côté d'elle. Elles entamèrent la conversation, et Grace confia à l'étrangère ce qui pesait lourd sur son cœur ; la dame l'écouta attentivement, la fit rire et l'assura que le meilleur de la vie était encore à venir.

Pendant tout ce temps, la vieille dame avait serré dans ses mains un tout petit livre de prières. Elle rappela à Grace que la meilleure chose à faire était de prier Dieu pour recevoir de l'aide. À l'issue du vol, qui avait duré deux heures, Grace se sentait tellement mieux qu'elle en oublia presque de demander le nom de la dame avant qu'elles ne se quittent.

— Dolores Good, répondit celle-ci.

La vieille dame avait déjà quitté son siège, escortée par l'agent de bord, lorsque Grace trouva le livre de prières sur le siège qu'avait occupé Dolores. Ma cliente se précipita à l'avant de l'avion dans l'espoir de le rendre à la dame, mais aucun des agents de bord ne put lui indiquer dans quelle direction elle était partie. Alors elle la chercha partout dans l'aérogare, mais en vain, comme si elle s'était volatilisée ! Grace revint au comptoir des vols et demanda au préposé s'il possédait des renseignements sur une dénommée Dolores Good. Non seulement ce nom ne figurait pas sur la liste des passagers, mais les dossiers indiquaient en outre qu'aucun passager n'avait occupé le siège 17D. Lorsque Grace insista en précisant que Dolores était la vieille dame qui était sortie de l'avion en fauteuil roulant, le préposé lui répondit que l'ordre de transporter cette passagère provenait d'un autre terminal et qu'il n'avait pas accès à ces dossiers.

Frustrée, Grace examina de plus près le livre de prières et s'aperçut qu'il s'intitulait *The Lord is Good*. C'est alors que la concordance entre ce titre et *Dolores Good* la frappa. Un sourire se dessina aussitôt sur ses lèvres, car elle avait compris que Dolores était un ange.

Saviez vous...

... que les anges gardiens n'ont jamais été des humains ?

*... qu'ils peuvent vous accompagner dès la conception
et rester près de vous tout au long de votre vie ?*

*... qu'ils vous guident, vous protègent et prennent
soin de vous, corps, âme et esprit ?*

... qu'ils vous accompagnent au moment de votre mort ?

*... que les anges sont les seuls esprits capables
de revêtir la forme humaine ?*

J'ai personnellement rencontré mon ange gardien il y a des années de cela. Je m'étais réfugiée à Hawaï après la naissance rapprochée de mes deux enfants. Les rénovations que nous avions entreprises à la maison n'en finissaient plus, et j'étais épuisée par de trop nombreuses consultations comme médium. (J'ai déjà raconté cette histoire dans *Journal d'un médium*, mais je me permets de la répéter, car elle illustre merveilleusement bien notre propos.)

Les deux premiers jours après mon arrivée à Oahu, je n'ai fait que dormir. Le troisième, je suis descendue à la plage et me suis assise face à la mer pour réfléchir à ma vie. Je n'arrivais pas à comprendre pourquoi, malgré mes deux merveilleuses filles et mon formidable mari, je n'étais pas heureuse. Nous brûlions la chandelle par les deux bouts, croulions sous les dettes et ne cessions de nous disputer, Patrick et moi. N'ayant que très peu de soutien à l'époque, nous nous sentions écrasés par les responsabilités. La joie n'était manifestement plus au rendez-vous, et nous ne faisions que survivre au jour le jour.

Assise sur la plage, loin de tout cela, j'ai prié pour que quelque chose arrive... quelque chose qui ferait que tout rentre dans l'ordre. Le lendemain, je marchais sur la plage depuis environ une heure lorsque l'envie me prit d'aller explorer la ville. Je fis donc demi-tour et, comme guidée par une force, j'entrai dans une librairie ésotérique. Dès l'instant où j'y mis les pieds, j'eus l'étrange impression d'y être déjà venue. La femme qui se tenait derrière le comptoir ayant l'air occupée, j'eus l'entière liberté de flâner à ma guise. Quelques minutes plus tard, un bel Afro-Américain émergea de l'arrière-boutique. Tout de blanc vêtu, il arborait un sourire radieux du haut de son 1 m 85, et des étoiles brillaient dans ses yeux. Sans perdre un instant, il lança :

— Ah, bonjour ! Je vous attendais.

— Moi ? demandai-je, surprise.

— Oui, vous, me répondit-il tout en montrant de la main un bac rempli d'affiches. Regardez ceci, fit-il en sortant un exemplaire illustrant un ange femelle effondrée sur une plage. Eh bien ! c'est vous.

— Très perspicace, rétorquai-je en riant. C'est ainsi, en effet, que je me sens en ce moment.

— Regardez ceci, maintenant : c'est ce que vous devez faire pour redresser la situation.

Et il me montra une autre affiche où un ange mâle s'élève vers le ciel en tenant dans ses bras un ange femelle. J'ai alors ressenti un pincement au cœur et j'ai pris conscience du fossé qui s'était creusé entre Patrick et moi. Nous travaillions tellement tous les deux que nous avions un mal fou à faire concorder nos horaires. Lorsque nous parvenions enfin à nous rencontrer, nous étions généralement trop épuisés pour écouter l'autre ou faire quoi que ce soit ensemble. Nous n'avions pas assez de temps pour nous-mêmes, et il ne nous restait rien pour nos filles.

— Rapprochez-vous de votre compagnon et n'oubliez pas de danser, ajouta l'homme en souriant avant de disparaître à nouveau dans l'arrière-boutique.

Puis, il passa la tête dans le rideau et termina en disant « Je reviendrai. » J'étais là avec mes deux affiches, lorsque la femme me lança de derrière le comptoir un « Puis-je vous aider ? » qui me fit sortir de ma rêverie.

— Non merci, m'empressai-je de lui répondre, l'homme de l'arrière-boutique m'a suffisamment aidée déjà.

— Quel homme ? fit-elle, perplexe.

— Celui qui vient de retourner dans l'arrière-boutique, expliquai-je. Elle secoua la tête et me regarda comme si j'étais cinglée.

— Je suis seule, ici.

Elle prit la peine d'aller vérifier elle-même s'il y avait quelqu'un dans l'arrière-boutique et, secouant de nouveau la tête, elle me confirma qu'il n'y avait personne.

Perplexe, je regardai les affiches d'anges, puis le blanc chatoyant des vêtements de l'homme me revint en mémoire, et je compris qu'il s'agissait d'un ange… mon ange. Sorti de nulle part, il était venu me dire que je devais me détendre, me simplifier la vie, apprécier Patrick et les filles et avoir *foi* en l'avenir, message que j'avais désespérément besoin d'entendre à cette époque. Sa promesse de retour fut particulièrement douce à mes oreilles. Je savais maintenant qu'il serait là pour nous aider, ma famille et moi. Un sourire s'est dessiné sur mes lèvres, et je me suis mise à rire, entièrement rassurée.

— Oubliez ça, dis-je à la vendeuse tout en me dirigeant lentement vers la sortie, à la fois secouée par ce qui venait de m'arriver et ivre de soulagement.

Je débordais de reconnaissance pour cette entité venue ce jour-là éclairer les sombres dédales de ma vie. À partir de ce jour, j'ai appelé mon ange *Bright* « Lumineux ».

Savez-vous parler à votre ange gardien ? Essayez ceci…

Récitez cette prière toute simple chaque soir avant de vous endormir et vous finirez par sentir la présence de votre ange gardien à vos côtés dès les premiers mots :

Ange de Dieu, cher gardien,
À qui l'amour de Dieu m'a confié,
Reste toujours près de moi
Pour m'éclairer, me protéger et me guider.

Maintenant que vous savez ce que les anges gardiens peuvent faire, voyons comment vous y prendre pour entrer le plus rapidement possible en contact avec le vôtre. Vous pouvez, bien sûr, faire un acte de foi et accepter tout bonnement son existence, ou encore vous montrer reconnaissant de l'aide qu'il vous apporte, mais il existe de nombreuses autres façons de communiquer avec lui. La musique, par exemple, en est une. Les anges en raffolent. Conviez le vôtre en faisant jouer ou en chantant de belles mélodies qui élèvent l'âme, que vous soyez à la maison, dans votre auto ou au bureau. Il vous en sera reconnaissant.

Votre ange est un compagnon de tous les instants, un garde du corps éternel, et sa mission consiste à vous écouter et à agir, alors parlez-lui ! Adressez-vous directement à lui, à haute voix si possible, chaque fois que vous le pouvez. Au sortir du lit, par exemple, remerciez-le de vous avoir protégé pendant votre sommeil. En préparant le petit-déjeuner, demandez-lui d'écarter les obstacles sur votre chemin et de favoriser la communication tout au long de la journée qui s'annonce. Vous pouvez aussi lui demander de se tenir à la porte de votre bureau et d'intercepter toutes les vibrations négatives, de filtrer vos appels et d'occuper le siège à côté de vous chaque fois que vous prenez le train, l'avion ou votre propre voiture. Lorsque vous appréhendez une entrevue difficile, demandez à vos guides de rencontrer l'esprit de la personne avec laquelle vous avez rendez-vous afin de préparer le terrain. Vous pouvez confier à vos anges n'importe quelle mission tout au long de la journée, mais n'oubliez pas de les remercier à la fin.

Personnellement, je préfère communiquer avec mes anges par écrit. Je ne connais pas de meilleure façon de resserrer les liens avec tous vos anges, car votre main est reliée à votre cœur, et votre cœur est connecté à votre esprit, ce qui vous donne accès à tous les autres royaumes des esprits. Confiez-leur sur papier vos soucis, vos craintes, vos décisions importantes et tout ce qui vous empêche d'être serein. N'oubliez pas le plus important : *demandez-leur de vous aider et de vous guider*. Priez-les de diriger votre corps, votre mental et votre esprit dans la direction la plus favorable à votre évolution et de vous barrer la route si vous vous égarez.

Lorsque vous avez terminé votre lettre, brûlez-la pour transformer votre message en énergie spirituelle. Ce geste indique que vous consentez à ce que vos anges reçoivent votre demande et que vous vous abandonnez à leurs bons soins. Le concept d'abandon est ici capital. En effet, il ne faut pas demander de l'aide, puis refuser de lâcher prise : cela équivaudrait à jouer au plus fort !

Sachez que le mot *ange* signifie « messager » et que ces êtres célestes ont pour mission première de vous soutenir et de vous aider à communiquer avec le royaume des esprits. Faites de vos prières des messages à livrer à la Divine Mère, au Divin Père et au Saint-Esprit, et priez pour que vos anges les remettent à qui de droit. Abdiquez tout pouvoir sur l'issue de votre problème et faites confiance à vos anges, car ils savent ce qu'ils font.

N'oubliez pas, en terminant, de fêter votre succès avec vos anges. Ils sont vos collaborateurs les plus intimes et se réjouissent de vos réussites tout en continuant à travailler au succès de vos futurs projets.

Nous n'avons pas été habitués à nous réjouir de nos propres succès. On nous a appris que c'était égoïste, mais rien n'est plus faux ! Les êtres spirituels que nous sommes ont besoin, pour leur santé, de célébrer leurs réussites, et puisque personne ne démontre plus d'enthousiasme que nos anges lorsque nous obtenons du succès, nous devons les convier à célébrer avec nous !

À vous, maintenant

Juste avant de vous endormir, lorsque le sommeil commence à vous gagner, respirez doucement et notez les vibrations qui emplissent la chambre. Celles émanant de votre ange gardien seront à la fois fortes et subtiles, et son énergie, puissante et légère. Vous aurez l'impression d'être en bonne compagnie, alors faites confiance à ce que vous ressentirez. Ne craignez rien. Je vous promets que vous ne trouverez pas l'équivalent énergétique de Godzilla au pied de votre lit, car les anges dégagent de la lumière, de la chaleur et du calme.

Lorsque vous vous sentirez connecté à votre ange, saluez-le et demandez-lui son nom. Faites confiance à la réponse que vous obtiendrez, même si ça ne ressemble en rien à des noms d'ange comme Dubrial ou Oroful. Il se peut que votre ange s'appelle tout simplement Roger. Les guides sont des esprits pratiques dont les noms sont conçus pour être faciles à retenir. Si ça ne fonctionne pas du premier coup, essayez de nouveau le lendemain, puis le surlendemain, jusqu'à ce que vous réussissiez. Je ne connais personne qui ait fait cela pendant plus de 10 jours sans obtenir de réponse.

Lorsque le contact sera établi, dites à votre ange que vous souhaitez avoir avec lui une longue et tendre relation, que vous êtes ouvert à l'aide qu'il peut vous apporter et que vous lui êtes reconnaissant d'être à vos côtés. Où que vous soyez, essayez de capter son énergie. Vous verrez qu'avec un peu de pratique, vous parviendrez aisément à l'identifier, comme on apprend à reconnaître un parfum ou une mélodie. Lorsque vous aurez réussi, vous ne vous sentirez plus jamais seul.

Pour terminer, inventez un signe qui fait comprendre à votre ange que vous sentez sa présence. Personnellement, je souris et fais un clin d'œil. C'est ma façon de lui dire que je suis contente qu'il soit là. Permettez à votre esprit de se reposer, sachant que votre ange gardien est de service et qu'il intercède pour vous dans ce monde détraqué.

CHAPITRE 4

Les archanges

En plus de travailler avec vos anges gardiens, vous pouvez recevoir un appui énergétique considérable de la part des archanges, considérés comme les plus importants messagers de Dieu dans la hiérarchie céleste. Invoquez-les en tout temps pour obtenir de l'aide supplémentaire. En fait, ces forces angéliques sont si puissantes que lorsqu'on fait appel à elles, c'est comme si on demandait à la meilleure équipe de football du monde de nous donner un coup de main dans la partie que constitue notre vie.

J'ai été élevée dans la religion catholique, et l'on m'a appris qu'il existe sept archanges : Michaël, Gabriel, Raphaël, Uriel, Raguel, Sariel et Remiel. (Ce n'est pas une coïncidence si ces noms se terminent tous en « el » ; en hébreu, *el* signifie « être lumineux ».) Chaque archange est associé à un domaine en particulier. En faisant appel à un archange plutôt qu'à un autre, vous vous attirez des énergies bien spécifiques selon ce que vous souhaitez entreprendre. Permettez-moi de vous présenter ces êtres célestes :

— **Michaël**, le premier archange, est fougueux et passionné. C'est le patron de la protection et de l'amour. On fait appel à lui lorsque notre vie est terne et dépourvue d'amour. Si vous êtes réellement prêt à surmonter vos peurs et à essayer quelque chose de neuf, voire d'audacieux — comme de changer de carrière ou de partir en voyage seul pour la première fois —, vous pouvez demander à Michaël de vous protéger et de vous guider pendant que vous explorerez de nouveaux territoires.

— **Gabriel** vient tout juste derrière Michaël dans la hiérarchie des archanges. C'est lui qui gouverne les émotions. Associé à l'eau, il apaise vos doutes et augmente la confiance en soi. Les personnes qui souffrent d'anxiété ont tout à gagner en faisant appel à lui.

— **Raphaël** vient ensuite. Il est responsable de la guérison aussi bien du corps que de l'esprit et de l'âme. Son élément étant l'air, il est particulièrement apte à vous revivifier physiquement et à stimuler votre créativité. Je fais appel à lui chaque fois que j'entreprends un projet d'écriture pour qu'il m'aide à rester alerte et concentrée, et à créer une œuvre inspirée, aux vertus thérapeutiques, pour le plus grand bien de tous.

— **Uriel** possède une vibration qui plonge ses racines dans la terre. Ses rôles sont multiples : il vous accueille aux portes du paradis, il vous remet des avertissements et il est le patron de la musique.

— **Raguel** arrive au cinquième rang de la hiérarchie. En sa qualité de policier de la force de l'ordre des archanges, il s'assure que les autres se comportent bien. Quand mes enfants étaient jeunes et que nous passions de longues heures en avion, j'invoquais toujours Raguel pour qu'il aide mes « petits anges » à bien se conduire. J'ai l'impression que c'était efficace, car lors de nos nombreux voyages tant au pays qu'en Europe, mes filles semblaient savoir intuitivement (sans aucune menace de ma part) qu'elles devaient bien se conduire, sinon… En fait, mon mari et moi étions régulièrement complimentés pour leur conduite exemplaire, ce qui faisait énormément plaisir aux filles.

— L'archange **Sariel** est le gardien de l'ordre. Je faisais appel à lui alors que mes enfants étaient encore très jeunes et qu'ils amenaient des amis jouer à la maison. Nous savons tous à quel point les enfants peuvent s'exciter et faire du désordre lorsqu'ils s'amusent. Comme je ne voulais pas être rabat-joie ni avoir à ramasser, je faisais appel à Sariel. J'ai l'impression qu'il savait les influencer, car, inévitablement, au milieu de l'après-midi, un des enfants proposait de jouer à faire du ménage et ils se mettaient tous à ranger et à nettoyer, au point d'aller parfois un peu trop loin. (J'ai su qu'il y avait un ange là-dessous lorsque les petits ont insisté, un jour, pour passer l'aspirateur !)

— Pour terminer, il y a **Remiel**, l'archange de l'espoir. Il s'agit d'une entité très puissante avec laquelle j'ai passablement travaillé lorsque j'étais guide intuitive dans un foyer pour personnes âgées. Remiel a pour mission, en effet, de nous recevoir à la porte de la mort et de nous escorter jusqu'au ciel. J'ai souvent tenu la main d'un mourant jusqu'à ce que je sente la présence de Remiel. Lorsque ce dernier se présente, les vibrations nourries par la peur, le stress et le drame s'évaporent, et tout redevient parfaitement calme et paisible. Cela se produit dès que notre ange gardien nous confie à Remiel, qui nous enlace tendrement. Tous ceux qui sont alors présents sentent immédiatement que l'âme est de nouveau en sécurité.

À l'instar de notre ange gardien, les archanges encouragent le développement de nos talents artistiques. Ils peuvent nous amener à la plus haute expression de notre créativité. Ils nous poussent à prendre des risques et à répandre l'énergie de nos talents, que nous soyons musicien, peintre, danseur, acteur, cuisinier ou jardinier.

L'art est le moyen par lequel notre âme s'exprime. C'en est la voix, en quelque sorte. Par conséquent, la suppression des impulsions artistiques inflige à l'âme une profonde blessure qui ne peut guérir que par l'intervention de forces d'une grande puissance. Dans mon cas, par exemple, j'ai toujours évité tout ce qui touchait à la musique parce qu'en troisième année, mon professeur ne m'avait pas permis de faire partie de la chorale de Noël, sous prétexte que je n'avais «aucune note de musique dans le corps». J'ai fait semblant de rire, mais en réalité, j'étais incroyablement blessée et à cause de cela, personne n'a jamais plus été capable de tirer une seule note de moi. Comme j'excellais en danse et que j'adorais la musique, je me suis sentie gravement amputée sur le plan de l'âme.

Un jour, on m'a offert une carte représentant Uriel, l'archange de la musique. Sachant qu'il me faudrait faire un énorme travail sur le plan métaphysique pour recouvrer ma créativité dans ce domaine, j'ai demandé à Uriel de me guérir et de raviver lentement mon âme chantante. Avec mille et une précautions, j'ai ouvert la bouche (alors que j'étais seule, bien entendu) et j'ai commencé à chanter.

Lorsqu'on invoque les géants, on obtient des résultats à leur mesure. Je n'ai donc pas été surprise de rencontrer cet après-midi-là un musicien du nom de Mark, qui m'a offert de voyager et de travailler avec moi pour une somme très modique. Je sais que c'est Uriel qui m'a envoyé Mark, un musicien si à l'aise et solide que j'ai eu envie de me remettre au chant et qu'en peu de temps, j'ai pris l'habitude de chanter à tous les ateliers que je donnais à travers le monde et à toutes mes séances de signature de livre. Vous vous demandez si je chante juste? Eh bien non, mais je m'améliore. Avec l'aide d'Uriel (et de Mark), je progresse constamment et continue d'en retirer un immense plaisir.

Ma mère, qui a perdu 95 % de son ouïe pendant la Seconde Guerre mondiale, a elle aussi invoqué les archanges. Elle se plaignait souvent de ne pas pouvoir écouter de la musique, elle qui aimait tant cela, alors, un jour, elle a prié les archanges, et peu après, une chose incroyable s'est produite. Elle s'est levée un matin en racontant avoir assisté toute la nuit à un concert céleste des plus exquis. Elle disait être incapable de décrire à quel point c'était magnifique, mais, à en juger par la lumière qui émanait de son visage, je savais qu'elle avait été profondément touchée.

Saviez-vous que les archanges…

… sont les plus importants messagers de Dieu?

… jouent un rôle d'entraîneurs dans votre équipe de soutien spirituel?

… supervisent le développement de vos talents artistiques?

… sont solides, amicaux et bons et que, contrairement aux humains, ils n'ont pas d'ego?

… aiment qu'on fasse appel à eux parce que nous servir équivaut à servir Dieu?

… peuvent être invoqués en psalmodiant doucement leur nom entre deux respirations?

Le plus étonnant, c'est que cela a continué. Maman écoutait et dansait si souvent au son de cette musique céleste que nous la taquinions en la pressant d'aller vite au lit sous peine de manquer son concert, et elle nous répondait en riant qu'elle ne voulait surtout pas cogner des clous devant le chef d'orchestre.

Alors, quel que soit votre domaine artistique préféré, demandez aux archanges d'insuffler de l'énergie divine dans votre esprit afin de pouvoir donner libre cours à l'expression de vos talents. Tenez-vous prêt, cependant, car de grandes choses risquent de se produire.

Il m'arrive souvent d'enseigner à mes clients à invoquer les archanges, et bon nombre d'entre eux obtiennent des résultats allant bien au-delà de leurs espérances. Anne, par exemple, qui enseignait à des enfants souffrant de graves troubles émotionnels dans une école secondaire publique, se sentait au bout du rouleau, malgré sa détermination à accomplir sa mission. Je lui ai conseillé d'invoquer Raguel pour aider ses élèves (et elle-même) à rester disciplinés.

— Comment, ciel, puis-je faire cela? demanda-t-elle.

— Vous venez tout juste de le dire : en invoquant le Ciel! répondis-je. Je ne crois pas qu'il y ait quoi que ce soit sur cette terre qui puisse vous aider, mais, si vous invoquez le Ciel, vous tomberez sur Raguel. Vous verrez qu'il a de l'énergie à revendre, alors essayez.

Anne a invoqué Raguel tout au long du week-end. Elle lui a fait part de ses frustrations et lui a demandé de simplement maintenir l'ordre pour qu'elle puisse enfin enseigner au lieu de faire de la discipline.

Le lundi suivant, le directeur est venu lui apprendre que leur école avait été choisie par la Ville pour l'essai de nouvelles stratégies de discipline vu l'insuccès de celles en place. Il fut décidé, pour commencer, de scinder son groupe en trois. Quelle ne fut pas sa surprise lorsque, 5 minutes plus tard, 20 de ses élèves les plus difficiles sortirent de sa classe et qu'elle se retrouva avec les 9 autres qui, en comparaison, étaient très faciles.

— Était-ce Raguel? me demanda-t-elle.

— Anne, tu connais le Département de l'éducation de la Ville de Chicago mieux que moi, lui rappelai-je. Qu'en penses-tu?

Et nous avons éclaté de rire.

— Ne crois-tu pas que tous ces changements ont nécessairement été orchestrés par quelqu'un qui possède une influence surnaturelle?

Comment invoquer les archanges

On m'a enseigné une façon optimale d'invoquer les archanges. On peut évidemment recourir à la prière, mais il y a mieux : psalmodier leur nom en chantant, comme ceci :

[respiration] *Mi-cha-ël* [respiration + pause]

[respiration] *Ga-bri-el* [respiration + pause]

[respiration] *Ra-pha-ël* [respiration + pause]

[respiration] *U-ri-el* [respiration + pause]

[respiration] *Ra-guel* [respiration + pause]

[respiration] *Sa-ri-el* [respiration + pause]

[respiration] *Re-mi-el* [respiration + pause]

Respirez et psalmodiez chaque nom, puis recommencez jusqu'à ce que vous sentiez la présence des archanges. Plus vous psalmodierez longtemps, plus vous aurez l'impression que cette présence s'accentue. Ne vous pressez pas : contentez-vous d'être patient et ils se manifesteront. Vous les reconnaîtrez aux vibrations qu'ils dégagent : leur présence est très imposante et inspire le respect (on sent qu'ils sont sérieux, mais ils ne font pas peur). Non seulement sentirez-vous leurs vibrations, mais aussi constaterez-vous des résultats.

Si vous avez une demande spéciale à adresser à l'un d'eux, vous pouvez faire appel à lui directement en psalmodiant son nom, entrecoupé de respirations. Que vous invoquiez le groupe en entier ou un seul archange, ne le faites que lorsque vous êtes déterminé. Rappelez-vous que Dieu aide ceux qui s'aident, alors, si vous n'êtes pas prêt à faire des efforts pour obtenir ce que vous désirez, même les archanges ne pourront rien pour vous. C'est à vous de décider.

Les archanges sont le moteur de votre équipe de soutien spirituel. Si vous n'avez pas suffisamment d'énergie pour faire changer les choses, votre ange gardien et les esprits guides ne pourront vous aider : seuls les archanges peuvent vous insuffler l'énergie nécessaire.

Ils sont les seuls à pouvoir vous projeter vers l'avant, mais vous devez d'abord être prêt.

Cela me rappelle Heather, une de mes clientes qui voulait exploiter son talent d'écrivaine et qui parlait toujours du livre qu'elle rédigerait « un de ces jours ». Alors qu'elle abordait le sujet pour la 164e fois, je lui ai demandé pourquoi elle ne l'avait pas encore commencé et à quel moment elle avait l'intention de s'y mettre. C'est alors qu'elle m'a avoué que c'était là son plus ardent désir et qu'elle avait même déjà écrit le livre plusieurs fois dans sa tête, mais qu'elle avait du mal à trouver le temps — et encore plus l'énergie — pour mettre son projet à exécution.

Comme je m'étais moi-même trouvée à maintes reprises dans une situation où je « voulais, pourrais, devrais » écrire un livre, j'ai partagé avec elle mon secret : faire appel à l'archange Raphaël. Intriguée, elle m'a demandé de lui montrer comment, et je lui ai dit de psalmodier le nom de l'archange et de me tenir au courant des résultats.

Trois mois plus tard, je l'ai croisée par hasard et lui ai demandé s'il y avait eu du progrès.

— Tu ne devineras jamais ! répondit Heather en roulant les yeux. Depuis que j'ai suivi ton conseil et que j'ai commencé à psalmodier le nom de Raphaël, pas une seule journée ne s'est écoulée sans que j'écrive. Chaque jour, une force plus grande que moi me pousse à m'asseoir à mon bureau et à y rester tant que je n'ai pas écrit pendant au moins une heure. Il n'y a pas moyen de faire quoi que ce soit d'autre avant d'avoir écrit. En fait, je suis sur le point de donner naissance à un livre.

— Ouais, je reconnais bien là le travail de Raphaël, répondis-je. On peut lui adresser une demande, mais il faut d'abord être prêt !

C'est ce qu'il y a de merveilleux à invoquer les archanges. Ils vous poussent à agir et vous évitent de perdre du temps. Contrairement à votre ange gardien, qui vous protège et vous facilite la tâche, les archanges sont les quarts-arrière de votre équipe de conseillers spirituels et, lorsqu'on joue avec eux, on ne s'ennuie pas !

Charlie Goodman, le premier à m'avoir enseigné la métaphysique et la médiumnité, m'a transmis un très beau rituel d'invocation des archanges que j'utilise chaque fois que je quitte la maison. Je commence par imaginer mon ange gardien, Bright, qui me tient la main. Puis, j'invoque Michaël et Gabriel, un à un, en psalmodiant leurs noms et je demande à Michaël de marcher à ma droite et à Raphaël de marcher derrière moi pour me protéger et me motiver. Puis, je place Raguel au-dessus de ma tête pour assurer l'ordre, et Sariel à mes côtés. Ainsi escortée, je fonce.

Ce rituel m'a donné la confiance et l'énergie nécessaires pour faire face à n'importe quoi. J'ai même surnommé ma Volkswagen Beetle « Archange-Mobile » et j'imagine que les roues sont Michaël, Gabriel, Uriel et Raphaël, que Raguel est posté sur le toit ouvrant, que Sariel est aux freins et que Bright est assis sur le siège passager. Ainsi entourée, j'ai toujours le sentiment de pouvoir prendre la route en toute sécurité, et, jusqu'à présent, ce fut le cas.

Le seul fait d'invoquer les archanges élève votre taux vibratoire et dilate votre aura. C'est pourquoi je demande toujours aux archanges de m'accompagner chaque fois que je parle en public et de me donner le plus de présence possible. Je leur demande également d'être présents lorsque je lis l'énergie des gens, car il s'agit là d'un exercice extrêmement exigeant et parfois même drainant. De plus, je les poste aux quatre coins de notre maison la nuit afin qu'ils revitalisent l'esprit des membres de la famille et je les amène en voyage avec moi, surtout lorsque je donne de longs ateliers. En fait, je demande aux archanges de m'entourer à chaque moment du jour et de la nuit... et ils le font.

À vous, maintenant

Essayez à votre tour d'invoquer les archanges et voyez ce qui se produit. Contrairement à votre ange gardien, dont la douce présence est très paisible à vos côtés, les archanges fournissent une énergie qui prédispose à l'action. Leurs vibrations sont si rassurantes qu'elles

chassent immédiatement vos craintes et votre anxiété, et qu'un sentiment de confiance vous envahit aussitôt.

Bien que puissants, les archanges sont bienveillants et amicaux.
Comme ils n'ont jamais résidé sur terre, ils sont dépourvus d'ego. Ils
adorent être sollicités, car ils désirent réellement nous aider dès que
nos intentions sont honorables. Après tout, c'est un peu comme s'ils
servaient Dieu à travers nous.

Pour entrer en contact avec eux, il peut être amusant aussi de les
peindre ou de les dessiner. Qui n'a pas, enfant, dessiné des centaines
d'anges ? Quand j'étais jeune, je ne me lassais pas de les représenter.
Vous pouvez même les intégrer à une bande dessinée ; si vous en avez
le goût, ne vous en privez pas ! Faites appel à votre créativité et, surtout, prenez plaisir à contempler vos dessins.

Cet exercice nous aide à entrer en communication avec les anges
parce que nos mains nous déconnectent de notre ego et nous relient
à notre cœur, là où nous entrons le plus intimement en contact avec
nos amis les anges qui nous aident.

Gribouillez des anges chaque fois que vous avez besoin de leur
soutien, et ils voleront immédiatement à votre secours. Pourquoi
ne pas essayer tout de suite ? Vous verrez à quel point votre énergie
augmentera.

CHAPITRE 5

Le ministère des Anges

'oubliez pas qu'à titre d'enfant de Dieu vous êtes précieux et aimé, car vous êtes divin et que les anges sont censés vous servir conformément au plan du Créateur. Vous avez reçu tout ce qu'il vous faut pour vivre dans la paix, la prospérité et la sécurité. Vous avez donc accès non seulement à un ange gardien personnel et aux puissants archanges, mais aussi à ce qu'il est convenu d'appeler le « ministère des Anges », afin d'obtenir de l'aide et du soutien dans tout ce que vous entreprenez.

Les rapports avec ce ministère sont tout ce qu'il y a de plus cordiaux. En effet, il est là pour « livrer la marchandise », c'est-à-dire apporter des cadeaux, faire des surprises, envoûter les sens et, règle générale, vous faciliter la vie, ce qu'ils prennent grand plaisir à faire. Ce ministère comporte de nombreuses divisions — stationnement, ordinateurs, emplettes, couture, voyages, bureau, guérison, etc. — entièrement à votre disposition, à toute heure du jour et de la nuit. Seule stipulation : la demande doit être sans grandes conséquences et ne doit nuire à personne. Mis à part cette condition, tous les vœux sont exaucés, alors profitons-en !

Le ministère à l'œuvre

Ma mère était très jeune lorsqu'elle a commencé à coudre, et cette activité est toujours restée son moyen d'expression privilégié. Comme elle le dit elle-même si bien : « J'en profite pour entrer dans ma bulle et parler à Dieu. » Il va sans dire qu'elle a un contact très étroit avec les anges de la couture, à qui elle fait appel pour trouver de beaux tissus, la tirer d'affaire lorsqu'elle a du mal avec un patron et l'aider à concrétiser ses idées.

Il y a 25 ans, lorsque ma mère m'a offert de confectionner ma robe de mariée, elle a demandé l'aide de ses anges. Elle m'a appelée, tout excitée, le jour où ces derniers l'ont conduite dans l'arrière-boutique d'un magasin qu'elle connaissait, où elle a déniché, parmi des rouleaux de tissus abandonnés, un échantillon de soie italienne ornée de perles cousues à la main qui convenait parfaitement au corsage de ma robe. De surcroît, ce tissu, qui aurait dû coûter entre 250 et 500 $ le mètre, se vendait au prix ridicule de 25 $ le mètre ! N'en croyant pas ses yeux, ma mère apporta le rouleau à la caisse et, inquiète, demanda au vendeur si le prix indiqué était bien le bon.

— En fait, non, répondit-il, il est maintenant 12,50 $ le mètre, mais je n'ai pas encore eu le temps d'inscrire le nouveau prix. Comme vous pouvez le constater, c'est un magnifique tissu, mais je l'ai depuis si longtemps que j'aimerais bien m'en débarrasser, alors, si ça vous intéresse, je peux vous laisser le rouleau au complet pour 100 $.

Maman m'a raconté qu'elle est restée muette au moins 5 secondes, avec entre les mains environ 2 000 $ de tissu, puis qu'elle a répondu tout de go :

— Vendu ! J'emporte le tout.

J'étais, il va sans dire, transportée lorsque ma mère m'a raconté l'anecdote, mais pas autant que lorsqu'elle m'a montré le résultat.

C'était la robe de mariée la plus élégante que j'avais jamais vue (avec gants assortis)! Les anges avaient, une fois de plus, réservé une surprise à ma mère et ils n'auraient pas pu mieux choisir pour nourrir sa créativité et ajouter à sa joie.

Mon mari, Patrick, est en lien étroit avec un autre département spécialisé du ministère : celui des aubaines. Il a peut-être noué ces liens tôt dans la vie — il est issu d'une famille nombreuse qui avait peu de moyens et qui comptait sur les soldes pour tout —, mais peu importe, je ne connais personne d'autre qui soit aussi chanceux que lui pour tomber sur les soldes du siècle.

Ses anges des aubaines lui font régulièrement des surprises, et cela remonte à loin. Par exemple, ils l'ont conduit à sa première voiture : une Oldsmobile Delta 88 qu'il a obtenue pour seulement 300 $ et qui lui a permis d'obtenir un job qui l'amenait à voyager souvent. Or, comme il recevait 51 cents du kilomètre pour ses dépenses et qu'il a réussi à parcourir 210 000 kilomètres avec cette voiture, il a récupéré son argent et, de surcroît, en a gagné suffisamment pour faire le voyage autour du monde dont il rêvait déjà enfant.

Un jour, Patrick est tombé sur un solde d'échantillons avant même que la vente soit annoncée et il m'a rapporté une coutellerie en argent de 1 200 $, qu'il avait obtenue pour 20 $, ainsi que du linge de table d'une valeur de 700 $, qu'il avait payé 30 $.

Une autre fois, les anges l'ont conduit au Chicago Merchandise Mart, où il a déniché, pour 1 $ chacune, des décorations de Noël dont certaines valaient des centaines de dollars. Il a trouvé tellement de trésors extraordinaires que depuis, à l'approche des Fêtes, notre salon revêt un caractère féerique et se transforme en aire de jeu pour notre enfant intérieur. Ce jour-là, il est revenu à la maison en chantant à tue-tête, coiffé d'un chapeau de père Noël, les bras chargés de décorations et de poupées toutes plus jolies les unes que les autres. Le tout pour moins de 200 $.

Et ce n'est pas tout. Encore récemment, alors qu'il était en route vers le bureau d'un client, les anges ont insisté pour qu'il s'arrête dans

un centre commercial. Comme il se dirigeait vers une boutique de vêtements griffés, il aperçut des commis occupés à dresser un étalage de
pulls, de chemises et de pantalons Giorgio Armani réduits de 90 %. N'en
croyant pas ses yeux, il a demandé au gérant si c'était chose courante.

— Non, lui expliqua ce dernier, mais les ventes de la saison
ont été surestimées, et il faut vite écouler les surplus. En fait, c'est la
première et probablement la dernière fois que nous avons un tel solde.

Patrick remercia ses anges encore et encore, et revint à la maison
les bras chargés de vêtements qu'il n'aurait jamais cru possible de
s'offrir un jour.

Pour ma part, les fois où mes anges m'ont aidée sont légion, alors je
vais vous raconter un de mes incidents favoris. Je travaillais à l'époque
pour une compagnie aérienne et perdis mon emploi lorsque l'entreprise se trouva absorbée par une autre et que les agents de bord déclen-
chèrent la grève. Mes anges du voyage se mirent aussitôt à l'œuvre, et
trois ans plus tard, le lendemain de la naissance de ma seconde fille,
la grève se régla.

Les 100 premières personnes à être rappelées se virent offrir la possibilité — pour eux et les membres de leur famille — de voyager gratuitement, à vie, en échange de leur emploi. Et je fus la centième ! N'ayant
aucunement l'intention de réintégrer mon poste, car j'avais entre-temps
commencé à travailler à mon compte comme médium, cette offre était
l'équivalent de gagner à la loterie. Non seulement pouvais-je travailler
de chez moi, près de ma famille, et faire ce que j'aimais le plus, mais
aussi allais-je pouvoir parcourir le monde gratuitement. Voyez-vous à
quel point les anges ont une générosité sans bornes lorsqu'on les laisse
simplement accomplir des miracles pour nous ?

C'est ma mère qui m'a montré comment agir avec les anges. Elle
me disait : « Demande à tes anges de s'en occuper et attends-toi à de
bons résultats ». Elle se taisait quelques secondes, puis reprenait : « Tu
me raconteras ce qui t'est arrivé de bon en rentrant à la maison ».

Depuis, j'ai toujours demandé à mes anges d'intervenir dans tout
ce que j'entreprenais. C'est une question d'habitude, et jamais je ne

me hasarderais à faire quoi que ce soit de nouveau sans eux. Ce serait comme de voyager en classe économique alors qu'on vient de m'offrir un billet en première !

Saviez-vous que le ministère des Anges...

... regroupe des fantassins qui travaillent pour vous ?

... est là pour dispenser des bienfaits ?

... répond à tous vos besoins ?

... vous assiste pour plaire au Créateur ?

*... possède une vibration brillante, de type laser,
et rapide comme l'éclair ?*

Vous mettrez peut-être un certain temps à prendre l'habitude de solliciter l'aide des anges, mais vous comprendrez vite que, lorsqu'ils sont de la partie, les choses vont beaucoup mieux et beaucoup plus vite. N'oubliez pas que vous pouvez avoir une vie enchanteresse si seulement vous y consentez... et que le degré de magie dans votre vie dépend de la fréquence à laquelle vous faites appel aux anges du ministère.

À vous, maintenant

Il est tout aussi facile de communiquer avec le ministère des Anges que d'entrer en contact avec votre ange gardien. Il suffit d'y croire et de demander de l'aide. La meilleure façon consiste à tisser des liens étroits avec le ministère, comme avec tous les esprits qui vous aident, car plus vous serez en contact avec lui, plus le lien sera solide.

Pour ce faire, je vous conseille de commencer par une courte prière, comme celle-ci, chaque fois que vous entreprenez quelque chose : « Ministère des Anges, supervise toutes mes actions et fais en sorte que chaque étape soit facile, magique et jalonnée de cadeaux. Merci ». Arrêtez-vous un moment pour sentir la présence des anges lorsqu'ils voleront à votre secours. Mieux encore : donnez-leur la liberté de travailler pour vous à n'importe quel moment en leur demandant d'être toujours de service !

CHAPITRE 6

Vivre sous l'influence des anges

l est très facile de vous connecter à vos guides angéliques, et, avec un minimum d'effort, vous apprendrez à sentir leur présence à chaque instant. Maintenant, fermez les yeux et voyez si vous pouvez sentir votre ange gardien à vos côtés... Est-il à votre droite, à votre gauche, de l'autre côté de la pièce ou juste derrière vous? (La plupart du temps, Bright, mon ange gardien, se tient à ma droite, sauf lorsque je fais une consultation privée comme médium : il se place alors entre mon client et moi.)

Essayez ensuite d'appeler les archanges et de percevoir les différences de vibrations. Sentez-vous leur bienveillante mais puissante intensité, un peu comme s'ils savaient que vous n'oseriez pas les défier? (Qui l'oserait, d'ailleurs?) Essayez maintenant de capter les nuances entre les différents archanges. Michaël, par exemple, émet une énergie intense, comme un guerrier, alors que Gabriel dégage quelque chose de plus profond et de plus calme.

Vous pouvez aussi vous imaginer que les vibrations sont des nuances subtiles d'une même couleur. Les archanges, par exemple, peuvent vous apparaître comme d'intenses rayons indigo, alors que votre ange gardien pourrait être bleu ciel, et le ministère, bleu azur. Autrement dit, ils sont tous différents, mais appartiennent à la même famille.

Faites confiance à ce que vous ressentez et ne laissez pas votre intellect s'interposer en vous faisant croire que vous inventez le tout. Si vous n'êtes pas entièrement à l'aise avec le fait de pouvoir capter l'invisible, vous serez peut-être tenté de penser que les différences que vous sentez sont le pur fruit de votre imagination. Il n'en demeure pas moins que ce que vous percevez est bel et bien réel, sauf que c'est différent de ce à quoi vous êtes habitué.

Saviez-vous que...

... l'une des meilleures façons d'apprendre à distinguer les différentes vibrations angéliques au moment où elles se manifestent à vous consiste à leur souhaiter la bienvenue à voix haute ? Commencez par : « Bonjour, ange gardien » [pause], « Bonjour, archanges » [pause], « Bonjour, ministère des Anges ». Faites ensuite une dernière pause, le temps de vous connecter consciemment à chaque fréquence.

Affinez encore vos perceptions des fréquences énergétiques du ministère des Anges. Exercez-vous à sentir les variations subtiles entre les vibrations émises par votre ange gardien et celles émises par les archanges. Rappelez-vous que la perception des énergies subtiles s'apparente à celle des autres sens, comme l'odorat, la vue, le goût, l'ouïe et le toucher. L'aiguiser vous demandera du temps et des efforts, alors ne vous acharnez pas à vouloir réussir à tous les coups. Lorsque vous y parviendrez, vous vous rendrez compte que c'est aussi simple que de distinguer des textures, des parfums ou des instruments d'orchestre. N'oubliez pas que le cerveau est un organe très perfectionné, capable d'absorber, de trier et d'identifier simultanément une multitude de renseignements.

Christine, une de mes clientes, souffrait depuis longtemps d'une kyrielle de maux aussi bien physiques que psychologiques. Lorsqu'elle est venue me consulter, elle avait réellement besoin d'aide et de soutien.

Mariée très jeune à un alcoolique en proie à de fréquentes crises de rage, elle vivait dans la peur, comme elle l'avait fait, enfant, sous la gouverne de parents eux aussi alcooliques. Comme si cela ne suffisait pas, elle avait été victime d'un accident de voiture et souffrait depuis de maux de dos qui l'empêchaient pratiquement de marcher. Peu de temps après, on diagnostiqua un stress post-traumatique causé par l'accident et par son handicap. Lorsque Christine se présenta devant moi, elle se sentait seule et accablée. En fait, elle avait caché sa visite à son mari, de peur qu'il ne la frappe s'il l'apprenait.

Dès les premiers instants, il m'apparut clairement qu'elle souffrait d'un grave manque d'estime personnelle. Elle était persuadée qu'elle ne valait plus rien et qu'elle n'avait d'autre choix que de continuer à endurer les mauvais traitements de son mari puisqu'il était tout ce qui lui restait. Je décidai alors que la première chose à faire était de convier ses puissances angéliques à sa rescousse afin qu'elle se sente à la fois libre et protégée. Elle s'est d'abord mise à rire, arguant qu'il lui faudrait être au désespoir pour faire appel aux anges. J'ai acquiescé le plus naturellement du monde et je lui ai dit qu'il n'était plus nécessaire pour elle de vivre dans le désespoir et qu'il lui suffisait simplement de convier régulièrement ses anges à ses côtés.

Je lui ai demandé de fermer les yeux et d'appeler ses anges à l'aide, d'essayer de capter leurs bienveillantes vibrations et de me dire si elle sentait leur présence. Lorsqu'elle me fit signe qu'elle captait quelque chose, je lui ai demandé de décrire en détail ce qu'elle ressentait.

Elle hésita un moment, puis expliqua qu'elle se sentait envahie par une bienveillante chaleur, un peu comme si on l'avait emmaillotée dans une couverture de bébé et qu'on la berçait. J'ai répondu qu'il s'agissait de son ange gardien qui la protégeait et lui laissait savoir qu'elle était en sécurité.

Puis, un frisson lui parcourut l'échine, et elle sentit une imposante présence juste là devant elle. Je lui expliquai que c'était Michaël, l'archange de l'amour et de la protection. Les yeux fermés, elle sourit et continua de respirer, tout en se concentrant sur les vibrations. Son front se déplissa lentement.

— Si cette force m'accompagne, admit-elle, alors vous avez raison lorsque vous dites que je n'ai rien à craindre.

— Non, vous n'avez rien à craindre, la rassurai-je, pas quand vos anges sont à vos côtés.

Après un certain nombre de rencontres, Christine se sentit assez solide pour communiquer avec ses anges, seule, chez elle. N'en pouvant plus d'avoir peur, elle convia son ange gardien (de même que Michaël, Raguel et le ministère du Soutien personnel) à ses côtés chaque jour, pendant des semaines, et en ressortait chaque fois plus forte. Un jour, à l'instar des musiciens d'un orchestre symphonique qui accordent leur instrument avant un concert, ma cliente réussit à accorder ses vibrations à celles de son équipe de soutien, et celle-ci s'installa à demeure dans sa vie.

Un soir que son mari s'était mis à lui crier par la tête en arrivant à la maison, elle sentit ses jambes et son dos faiblir, comme à l'habitude, puis une transformation s'opéra. Les anges accoururent prestement, et, au même moment, toutes ses peurs (de son mari, de la dépendance, de vivre avec un handicap) quittèrent son corps. Elle se redressa (sans ressentir aucune douleur, ce qui ne lui était pas arrivé depuis des années) et, avec force et détermination, déclara « J'en ai assez de toi et de tout ce bazar », puis elle sortit de la maison. Elle m'a expliqué par la suite qu'elle avait eu l'impression que le ciel s'était soudainement ouvert et qu'une mélodie s'en était échappée.

Après avoir tourné la page sur son ancienne vie, Christine a choisi de se sentir forte. Elle a obtenu le divorce, fait une thérapie et joint les rangs du groupe d'entraide Al-Anon. Elle a ensuite décroché un emploi intéressant dans une pépinière, s'est remariée avec un homme aimant et bon, et a donné naissance à un fils en santé.

— Si je n'avais pas pris contact avec mes anges et que je ne leur avais pas demandé d'éliminer de ma vie ce qui me faisait du mal, m'avoua-t-elle, je me demande bien ce qu'il serait advenu de moi. Mes anges m'ont sauvé la vie et m'ont donné un fils, sans compter deux jambes solides sur lesquelles m'appuyer.

À vous, maintenant

Pour consolider vos liens avec vos anges, le mieux consiste à aiguiser votre sensibilité à leur présence. Commencez par distinguer leurs différentes vibrations alors que vous vous relaxez sous la douche ou dans la baignoire (c'est un peu comme faire des gammes au piano). Appelez doucement les vibrations :

- de votre esprit ;

- de l'esprit des personnes avec qui vous êtes lié ;

- de votre ange gardien ;

- des archanges ;

- du ministère des Anges.

Chaque fois que vous appelez une vibration, faites une pause pour mieux percevoir les changements subtils qui se produisent, mais restez ouvert et dégagé, car vous ne devez pas avoir l'impression de travailler. Faites appel à votre cœur et à votre imagination, et laissez tomber l'intellect et le sens critique. Le plus important est de noter le sentiment de calme et de paix qui vous envahit lorsque vous captez ces vibrations et de prendre plaisir à sentir la délicate complexité des énergies dans lesquelles vous baignez sur un plan subtil.

ಐ

Pendant les jours et les semaines qui suivront, efforcez-vous simplement de sentir les puissances angéliques qui vous entourent et habituez-vous à capter leur amour et leur soutien. Pratiquez plusieurs fois par jour jusqu'à ce que vous ayez l'impression d'être branché sur elles. Lorsque vous aurez réussi à vous connecter à vos anges et que vous posséderez une idée précise du type d'aide qu'ils peuvent vous apporter, nous passerons au niveau suivant, celui de vos esprits guides, dont le rôle consiste à vous soutenir et à vous orienter.

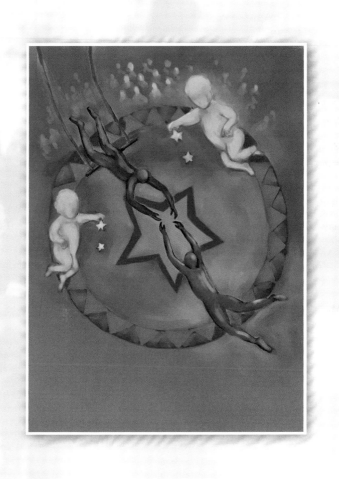

TROISIÈME PARTIE

Comment aborder vos esprits guides

CHAPITRE 7

Les esprits guides : un premier tour d'horizon

Il existe un nombre incalculable de ressources et de guides spirituels pouvant vous aider tout au long de votre vie. À vos anges s'ajoutent une infinité d'esprits guides, tous aussi différents que les gens qui vous entourent, capables de vous aider à réaliser toutes sortes d'objectifs, aussi bien à court qu'à long termes. Si vos anges tiennent lieu de gardes du corps et de fantassins, vos esprits guides, eux, forment votre brigade volante personnelle, prête à vous porter secours dès que vous y faites appel.

Vous vous posez sans doute mille et une questions, nécessitant chacune une explication détaillée, sur les esprits guides. Avant d'y répondre, je vous propose une vue d'ensemble de la question sous forme de cours intensif. Ainsi, vous serez plus à même de comprendre les explications détaillées qui suivent dans la quatrième partie, qui porte sur chaque type d'esprit guide.

Je répondrai donc aux quatre questions les plus fréquemment posées sur les esprits guides en espérant que l'information suivante vous fournira le contexte nécessaire à une meilleure compréhension du monde des esprits.

1. En quoi les esprits guides sont-ils différents des anges?

Il existe de nombreuses différences importantes entre les esprits guides et les anges; par exemple: les uns ont déjà revêtu la forme humaine, les autres pas; ils jouent un rôle plus ou moins important dans notre vie, et ce rôle n'est pas le même pour les uns que pour les autres; ils s'y prennent différemment pour entrer en contact avec nous.

Les anges, par exemple, n'ont jamais vécu sur terre, alors que les esprits guides l'ont fait au moins une fois, ce qui les rend plus aptes à comprendre les défis et les difficultés auxquels les humains sont confrontés. Les esprits guides peuvent donc mieux nous servir lorsque nous avons besoin d'aide et d'encouragements et lorsque nous cherchons à nourrir notre âme et à exploiter notre créativité en tant qu'êtres humains.

Ce qu'il faut retenir, ici, c'est «lorsque nous en avons besoin». Contrairement aux anges, qui ont pour mission divine de nous servir jusqu'à notre dernier souffle et de nous influencer tout au long de notre vie (que nous en soyons conscients ou non), les esprits guides, bien que toujours disponibles, ne peuvent nous aider ou nous influencer sans notre permission. Ils peuvent (et y réussissent souvent) attirer notre attention et faire en sorte que nous les appelions à l'aide, mais ils doivent respecter le fait que notre vie nous appartient et qu'ils ne peuvent y pénétrer sans y être invités.

Il est à noter que les anges ont des vibrations beaucoup plus élevées que celles des esprits guides, car ils sont très proches de Dieu. En outre, il est très facile d'entrer en contact avec eux. Ils nous protègent, nous inspirent et nous donnent de l'énergie et du pouvoir. Même si leur influence parvient à notre conscience, ils ne nous prodiguent pas de conseils comme tels. Ce rôle est réservé aux esprits guides.

2. Qui sont les esprits guides ?

Si l'on considère que les esprits guides ont presque tous déjà séjourné sur terre, on n'est pas surpris que ce soient eux qui reviennent nous aider. Certains peuvent se connecter à nous parce qu'ils se reconnaissent dans nos difficultés et qu'ils souhaitent nous faciliter la tâche. D'autres peuvent se manifester pour nous aider dans une discipline qu'ils maîtrisaient dans une vie antérieure.

Un esprit guide peut également être un membre de notre famille qui a rejoint le royaume des esprits et choisi de rester en contact avec nous pour nous guider et nous aider. De la même façon, une entité avec laquelle vous avez eu des relations significatives ou fait un travail spirituel important au cours de vos vies antérieures peut décider de vous accompagner dans cette vie pour participer à l'évolution de votre âme.

Ce sont parfois des mentors spirituels (ils comptent parmi nos guides les plus importants) qui souhaitent nous faire découvrir notre vraie nature spirituelle tout en participant à notre enrichissement sur le plan de l'âme.

Il y a aussi des éclaireurs et des coursiers, ou encore des esprits qui ont vécu sur la terre très près de la nature, comme les Amérindiens, et qui nous aident à nous rapprocher de celle-ci.

À ces merveilleuses entités s'ajoute un guide qui vient parfois à notre secours et qui n'est nul autre que notre Moi supérieur, un esprit aussi beau et éclairé que tout autre guide susceptible de venir à notre rencontre.

3. D'où viennent les esprits guides ?

C'est une autre question passablement complexe, étant donné que les esprits guides peuvent provenir de plusieurs royaumes et champs énergétiques. Certains sont originaires d'autres galaxies, voire d'autres systèmes solaires. D'autres n'ont jamais revêtu la forme humaine auparavant, mais ils viennent nous aider à restituer paix et équilibre sur la Terre.

4. Combien d'esprits guides avons-nous ?

Charlie Goodman, mon professeur, m'a dit que la plupart des gens avaient accès à 33 esprits guides (mis à part les anges). Par contre, si l'on réussit à élargir sa conscience et à élever ses vibrations, on peut se connecter à autant d'esprits guides qu'on le souhaite.

Quand j'étais très jeune, je travaillais avec deux guides : un que j'ai appelé *Dot* (« Point »), parce qu'il s'est manifesté à mon esprit sous la forme d'un point lumineux bleu (je crois qu'il s'agit de mon Moi supérieur) ; et un autre, qui s'appelle Rose et qui ressemble beaucoup à sainte Thérèse, que j'ai l'impression d'avoir bien connue dans des vies antérieures.

Outre ces deux guides (qui m'ont suivie de près tout au long de ma vie), j'ai rencontré Joseph, un guide que j'ai connu dans une vie antérieure alors que nous étions des esséniens. Lui aussi m'assiste depuis l'enfance et, bien qu'il ne soit pas toujours là, il vient chaque fois que j'ai besoin d'aide pour des questions de santé physique.

En vieillissant, à mesure que mon âme évoluait, j'ai pu entrer en contact avec plusieurs de mes guides spirituels. J'ai tout d'abord rencontré trois évêques français qui étaient associés aux Rosicruciens au Moyen Âge et qui furent mes professeurs dans d'autres vies antérieures. Ils seront toujours à mes côtés, de même que les deux professeures que j'ai rencontrées, originaires d'une autre galaxie, qui se sont présentées comme étant « les Sœurs de la Pléiade ». Je n'ai pas l'impression d'avoir rencontré ces dernières dans des vies antérieures. Je crois qu'elles sont simplement venues m'épauler dans ma démarche qui consiste à aider les gens à découvrir leur but dans la vie.

Je suis tout récemment entrée en contact avec un nouveau groupe de guides qui se disent « Émissaires du troisième rayon ». Ils ne travaillent avec personne en particulier, mais s'adressent généralement à des groupes par mon intermédiaire.

Comme vous pouvez le constater, non seulement le nombre de guides autour de vous peut-il varier, mais aussi les guides eux-mêmes changent-ils à mesure que votre âme évolue. Au fil des ans, de nombreux guides sont apparus dans ma vie (surtout des aides et des guérisseurs) pour ensuite laisser la place à d'autres. C'est toujours ainsi : ça entre et ça sort, comme dans un moulin !

Patrick, mon mari, possède lui aussi de nombreux et loyaux guides pour l'assister dans diverses tâches. Seamus en est le roi : c'est un esprit enseignant qui l'aide à exercer son leadership ; Jean Quille, un aide avec qui il a vécu de nombreuses vies antérieures, travaille fort pour que Patrick conserve son esprit d'aventure et le goût du plaisir ; et Larry, son compagnon, l'aide à améliorer sa capacité d'écoute et de communication.

S'ajoutent à ce trio un artiste du nom de Vincent, qui s'est manifesté il y a plusieurs années pour l'aider à continuer à peindre (ce qu'il aime par-dessus tout), et Mary, un guide enseignant qui l'aide à s'attendrir, à rester ouvert et à comprendre tout ce qui concerne la femme…, surtout celle qui vit à ses côtés !

Ma sœur Cuky, pour sa part, travaille avec de nombreux guides qui faisaient partie de la famille alors que nous vivions à Denver ; je pense ici surtout à grand-mère et à grand-père Choquette, ainsi qu'à notre grand-tante Emma Bernard, qui tous, l'aident à rester légère, aimante et rieuse.

Elle-même guérisseuse, Cuky s'est également attiré de nombreux et précieux guides guérisseurs, dont certains étaient anciennement guérisseurs et guerriers à Hawaï et en Polynésie, et qu'elle a rencontrés dans ses vies antérieures. Ces entités, qui se manifestent dans sa « salle de guérison » et qu'elle canalise, l'aident à éliminer les déchets psychiques de l'esprit de ses clients. En fait, lorsque Cuky a travaillé sur moi (avec l'aide de ses guides), mon esprit a été retiré de mon corps pour être profondément purifié et nourri, pendant que les perturbations énergétiques étaient éliminées de mon corps physique.

Saviez-vous que...

... les guides peuvent être des aides, des guérisseurs, des enseignants, des coursiers, de vieilles connaissances rencontrées dans une vie antérieure, des membres de votre famille, des êtres terrestres évolués venant d'une autre galaxie et même des animaux ?

... vous avez le droit de ne convier que les guides les plus évolués et de refuser tout conseil qui ne vous paraît pas judicieux ?

... plus vous serez ouvert à l'aide que vous apportent vos guides, plus votre existence sera riche ?

... les guides ont pour unique fonction de vous venir en aide ?

Sachez que certains esprits guides sont meilleurs que d'autres. Vous devez donc vous assurer de ne travailler qu'avec la crème de la crème. Dotés ou non d'un corps, nous avons tous pour objectif d'élever notre conscience. Le seul fait d'être passé dans l'Au-delà et de vouloir servir de guide ne garantit pas la supériorité spirituelle d'un être.

Amy, une de mes clientes, avait pour guide Maria, l'esprit de sa mère décédée. Enchantée d'avoir renoué avec elle, Amy s'aperçut toutefois que l'esprit de sa mère était tout aussi craintif et prudent que lorsqu'il était incarné. Chaque fois qu'elle désirait partir en voyage ou à l'aventure, Amy demandait l'avis de son guide et se faisait toujours répondre « Sois prudente ! » ou « Ça alors, c'est drôlement cher ! » au lieu de « Vas-y ! » et « Aie du plaisir ! ».

— J'ai lutté toute ma vie contre les craintes de ma mère, de m'expliquer Amy sur un ton exaspéré. J'ai maintenant l'impression qu'elle va continuer de m'embêter jusqu'à la fin des temps.

Indulgente, je lui répondis en riant :

— Pourquoi ne pas simplement cesser de consulter votre mère sur certains sujets ? Dotée d'un corps ou non, elle reste la mère que vous connaissez et que vous aimez, alors, si vous lui demandez son avis, ne soyez pas surprise de sa réponse !

J'ai expliqué à Amy qu'elle ferait mieux de solliciter sa mère uniquement lorsqu'elle souhaite réellement connaître son opinion pour être rassurée sur son amour ou sur sa présence dans son cœur et dans sa vie, par exemple — et d'éviter de la consulter lorsqu'elle a envie d'explorer des territoires inconnus ou de satisfaire ses caprices, car sa mère ne s'est jamais sentie très à l'aise sur ce terrain.

Quand vous communiquez avec vos guides, il est très important que vos intentions soient claires. Les difficultés de communication avec nos guides viennent souvent du fait que nous consentons trop facilement à remettre notre vie entre leurs mains. Les guides spirituels supérieurs, c'est-à-dire ceux dont l'âme est élevée et véritablement intéressée par votre évolution, se borneront à vous donner des suggestions : ils ne vous diront jamais quoi faire. Vous saurez qu'un guide possède une vibration élevée (l'habilitant à vous conseiller) s'il refuse de se connecter avec vous et d'intervenir alors que c'est exactement ce que vous attendez de lui. Les guides spirituels évolués savent très bien qu'ils ne sont pas là pour diriger votre vie (ce que vous ne devriez pas les inviter à faire non plus !) et que vous êtes ici, sur le plan terrestre, pour aller à l'« école de la spiritualité » afin d'apprendre à revendiquer vos pouvoirs créatifs divins. Vos guides sont de simples tuteurs… ils ne font pas vos devoirs à votre place !

À vous, maintenant

Apprendre à connaître vos guides et à travailler avec eux est un beau défi qui pourrait transformer votre vie en remplaçant le stress par de la magie. Vos guides veulent vous aider le plus souvent possible et n'attendent qu'un geste de votre part.

Pour commencer, essayez de déterminer ce à quoi ils pourraient vous être le plus utiles. Pensez à votre vie et à ce qui laisse à désirer en ce moment. Dressez la liste, mentalement ou sur papier, de ce que vous ne parvenez pas à vivre et dont vous aimeriez faire l'expérience. Dans quel domaine aimeriez-vous le plus être conseillé sur le plan spirituel? Lorsque vous le saurez, passez au chapitre suivant, qui explique la démarche à suivre pour entrer en contact avec vos guides.

CHAPITRE 8

Vous préparer à rencontrer vos esprits guides

aintenant que vous savez comment accéder à toute une confrérie de magnifiques esprits guides qui aideront votre âme à grandir et vous assisteront dans vos tâches quotidiennes, vous devez vous préparer à travailler avec eux. Voici comment procéder, une étape à la fois.

Première étape : déterminer dans quelle mesure vous êtes disposé à recevoir de l'aide

Cela peut sembler aller de soi, mais, lorsque je pose la question à mes étudiants et à mes clients, la plupart me répondent qu'ils sont bien sûr parfaitement disposés à recevoir de l'aide et que, sinon, ils ne seraient pas entrés en contact avec moi. Vous partagez peut-être leur avis, mais mon expérience comme enseignante et comme médium m'a appris que ce n'est pas toujours aussi simple qu'il le paraît.

Plus souvent qu'autrement, lorsque je propose à mes clients des façons de se faciliter la vie, ils n'en tiennent pas compte ou les rejettent carrément.

Certaines personnes viennent me consulter en privé, prennent des pages et des pages de notes, oublient de les emporter en quittant mon bureau… et ne reviennent jamais les chercher! D'autres parlent tellement que j'ai du mal à placer un mot. Elles préfèrent s'écouter parler que de recevoir des conseils. Il n'y a aucun mal à tout déballer, mais ce n'est pas ce que j'appelle demander de l'aide.

J'ai moi-même déjà passé outre à des conseils provenant de sources spirituelles, comme lorsque j'ai demandé conseil à mes guides avant de m'associer à une amie très talentueuse que je connaissais depuis peu. Bien qu'ils m'aient répondu d'être prudente, car elle n'était pas du genre à partager le devant de la scène, j'ai fait fi de leur opinion — et de celle de ma sœur, de mon mari, d'autres amis et même de mes enfants, qui affirmaient tous que les choses tourneraient mal. Persuadée du contraire, je me suis entêtée et j'ai foncé sans tenir compte de leur avis. J'ai même été surprise lorsque les choses ont évolué exactement comme ils l'avaient prédit! J'avais tellement de plaisir à côtoyer cette femme que je ne voyais pas qu'elle était dévorée par une ambition qui a fini par prendre le dessus sur notre amitié.

Comme vous pouvez le constater, il est parfois très difficile d'accepter les conseils et le soutien qu'on nous offre (même moi, j'ai du mal) lorsqu'on s'est déjà forgé une opinion. À ceux qui la consultaient en sa qualité de médium, ma mère posait toujours la question suivante avant même de commencer l'entretien : « Voulez-vous réellement être guidé ou désirez-vous simplement que je sois d'accord avec vous? ». Seules les personnes ouvertes à ses suggestions recevaient ensuite de l'aide.

Je vous encourage à vous poser vous-même cette question lorsque vous désirez vous connecter à vos esprits guides et à vous dire qu'il est parfaitement acceptable de vivre toute sa vie sans jamais demander d'aide ou de soutien : vos guides ne se mêleront jamais de vos affaires sans votre permission. Demandez-vous sincèrement si vous êtes disposé à recevoir de l'aide et sachez que, si vous désirez réellement être aidé, vos guides n'attendent qu'un signe de vous.

Ma mère m'a aussi appris que je ne dois jamais solliciter mes guides pour obtenir leur avis si je ne suis pas prête à écouter leur réponse…, parce que s'il m'arrive trop souvent de ne pas tenir compte de leur opinion, ils finiront par refuser de me conseiller. En résumé, vous avez accès à vos guides, et ils vous aideront… dans la mesure où vous les laisserez faire !

Deuxième étape : faire taire le mental et écouter ce qui émerge de l'intérieur

Les messages envoyés par les esprits guides sont si subtils qu'il est facile de les prendre pour des foutaises et de les supprimer. Votre intellect essaiera peut-être de vous faire croire que ce n'est que le fruit de votre imagination. Alors, n'oubliez pas que, pour nous guider, les esprits s'adressent à notre âme et à notre conscience par l'intermédiaire de notre imagination. C'est pourquoi cette deuxième étape est si importante.

La démarche qui consiste à maîtriser l'accès aux conseils de votre esprit guide est relativement simple. Elle repose entre autres sur la respiration et la relaxation. Pour vous exercer à l'écoute profonde, fermez simplement les yeux et écoutez de la musique classique apaisante après vous être assuré de ne pas vous faire déranger. Choisissez une pièce touchante et essayez de distinguer les divers instruments. Pendant que vous écouterez, entièrement absorbé par la musique, ne soyez pas surpris si vous captez de subtils fragments de message et, le cas échéant, montrez-vous reconnaissant. C'est le début de votre apprentissage.

Se mettre dans un état de relaxation profonde et respirer peut également aiguiser nos perceptions et ouvrir les canaux qui nous relient au royaume des esprits. Vous pouvez aussi combiner l'écoute profonde et la relaxation pendant que vous conversez avec quelqu'un. Regardez votre interlocuteur dans les yeux et respirez avec lui (inspirez et expirez en même temps que lui). C'est tout simple : il suffit de remarquer la cadence à laquelle l'autre respire et d'adopter la même. Vous vibrerez ainsi à l'unisson, et vos cœurs seront automatiquement ouverts. La connexion ainsi établie se fait d'âme à âme et s'approfondit.

Ensuite, relaxez-vous et respirez profondément à votre propre rythme pendant que vous écoutez l'autre et donnez-lui le temps de terminer avant de répondre. Vous pourriez être surpris d'entendre ce qui sortira enfin de votre bouche après avoir fait la respiration-détente !

Vous voulez changer de poste ? Essayez ceci !

Changer de poste consiste à se dire « Concernant la question X, ma tête me dit de… (à compléter) ». Faites une pause et poursuivez : « Concernant la question X, mon cœur et mon guide intérieur me disent de… (à compléter) ». Cet exercice, un de mes préférés, vous aidera à passer du verbiage mental à la syntonisation des fréquences élevées de l'Esprit.

Vous pouvez aussi convier l'Esprit par l'intermédiaire de la méditation. Chaque fois que je propose cette voie d'accès à mes étudiants, un grognement se fait entendre dans la salle. C'est pourtant une discipline incontournable pour quiconque souhaite apprendre à faire taire le mental et à diriger son attention sur les vibrations subtiles émises par l'Esprit.

On peut méditer sans se tordre comme un bretzel en psalmodiant « Om ». Il n'est même pas nécessaire de s'asseoir. Il m'est arrivé souvent

de méditer avec bonheur tout en marchant, cuisinant, nettoyant, jar-
dinant et même en pliant la lessive. Personnellement, j'y parviens en
cessant de penser au passé ou à l'avenir et en me concentrant sur ma
respiration tout en restant présente au monde qui m'entoure. Toutes
mes pensées sans exception sont alors dirigées sur la tâche que j'ac-
complis dans le moment présent. (Thich Nhat Hanh, un célèbre moine
tibétain, appelle cet état la « pleine conscience ».) Le temps que vous
passez ainsi se prête à recevoir des messages et du soutien de la part
de vos guides. Invitez-les à tirer parti de l'état d'ouverture dans lequel
vous vous trouvez dans ces moments-là.

La prière est une autre façon de vous préparer à entrer en contact
avec vos guides. Recourez-y souvent. Priez comme vous l'entendez, car
la prière est une simple conversation avec Dieu, ses aides et l'Univers
entier. Plus vous priez, plus vos fréquences vibratoires s'élèvent, ce qui
facilite le contact avec vos guides.

Saviez vous que...

*... plus vous apprécierez les bienfaits et le soutien
dont vous bénéficiez déjà, plus il vous sera facile de vous
connecter à vos guides ? Voici une de mes prières préférées :*

*Ô, Créateur de l'Univers et de toutes les formes et
manifestations qui témoignent de ce que la vie a de bon,
merci de m'avoir accordé [nommer le bienfait] aujourd'hui.*

Lorsque vous priez, il ne suffit pas de vous ouvrir entièrement au
Créateur. Il faut aussi le remercier de tous les bienfaits que vous avez
reçus. Les prières qui expriment notre gratitude sont particulièrement

aptes à élever les fréquences vibratoires, car elles ouvrent le cœur et orientent les pensées vers tout l'amour et le soutien déjà présents dans nos vies.

Lorsque vous aurez maîtrisé les différentes techniques d'ouverture aux fréquences vibratoires élevées de l'Esprit, la prochaine étape consistera à déterminer l'objet de votre demande d'aide, puis (très important !) à cesser d'en parler. Exercez-vous à tenir des propos constructifs, car il est très difficile de se connecter à ses guides lorsqu'on est paralysé par le poids de ses drames personnels. Vous connaissez déjà le problème, alors taisez-vous suffisamment longtemps pour entendre la solution.

Troisième étape : faire de l'exercice !

Aussi surprenant que cela paraisse, le fait de bouger peut aiguiser votre réceptivité à tout ce qui est spirituel. En fin de compte, les humains sont faits pour bouger et plus nous le faisons, plus l'esprit de la nature et de la Terre nous aide à élever nos vibrations. Chaque fois que nous faisons de l'exercice et que nous buvons de l'eau, l'esprit de l'eau nettoie nos émotions. Par la même occasion, les esprits de l'air et du feu élèvent notre conscience, ce qui crée un terrain propice à la réception de communications de la part de nos guides. Bon nombre de mes clients m'ont dit que, pendant ou après l'exercice, ils ont l'impression de ne faire qu'un avec l'Univers et qu'ils reçoivent souvent des messages très clairs qui les orientent dans leur cheminement.

Voici une autre raison pour laquelle il est bon — et même essentiel — de bouger pour se relier au spirituel : le psychisme cherche la fixité, afin de tout bloquer, alors que l'esprit est fluide et permet la circulation des choses. Ainsi, plus notre corps bouge, plus nous coulons librement aux côtés de l'Esprit et plus nous gagnons en flexibilité : nos guides peuvent ainsi plus facilement nous orienter dans notre cheminement.

La souplesse est un préalable au changement. Lorsque nous écoutons les conseils de nos guides, nous devons être prêts à laisser tomber le schéma rigide de nos attentes. Personnellement, mes guides m'ont très souvent influencée dans une direction ou dans une autre, changeant ainsi le cours de ma vie.

Lorsque j'étais à l'université, par exemple, j'ai fait une demande pour aller étudier en France, mais ma requête a été refusée parce que j'avais dépassé la date limite d'inscription. Alors que j'étais sur la pelouse du campus de l'université de Denver, toute à mon chagrin d'avoir essuyé un refus, mes guides se sont exprimés haut et clair, m'exhortant à me rendre immédiatement dans le bureau du directeur des services aux étudiants. Si je n'avais pas été habituée à réagir au quart de tour lorsque mes guides me conseillent et si mes articulations n'avaient pas été souples et bien huilées, mon psychisme aurait pu décider de bloquer cette information. Au lieu de cela, j'ai tout de suite obéi à l'impulsion d'aller directement voir le directeur. La grâce m'accompagnait ce jour-là, car non seulement ai-je pu étudier à l'étranger, mais aussi ai-je pu obtenir une bourse couvrant la totalité des frais ! Si je n'avais pas choisi d'écouter mes guides et d'obéir immédiatement à leur suggestion, je serais passée à côté de cette occasion.

Quatrième étape : cesser de jouer les victimes

La meilleure façon de fermer la porte, aussi bien à vos guides qu'à votre propre esprit, consiste à dire « Je n'ai pas le choix ». S'il y a une chose que vous possédez, c'est bien le choix, et personne ne peut vous l'enlever… surtout celui de vous percevoir comme vous l'entendez.

Vous pouvez vous dire que vous êtes victime des circonstances, que vous êtes limité à vos cinq sens et que vous n'avez aucun pouvoir sur votre vie, ou encore inviter l'esprit du sixième sens dans votre existence et, avec son aide, choisir vous-même le contexte dans lequel vous voulez évoluer. Si j'étais à votre place, j'opterais pour la seconde proposition. Acceptez le fait que vous êtes un esprit et un élément important de notre magnifique monde ! Vous avez été créé par Dieu, vous êtes protégé par les anges, supervisé par les archanges, aidé par le ministère des Anges, et vous recevez un soutien zélé de vos esprits guides, tout cela parce que vous êtes précieux, sacré, royal et aimé. Vu votre place dans l'Univers, il est normal que vous soyez guidé. Après tout, n'importe qui ayant autant de valeur que vous reçoit naturellement toutes les ressources dont il a besoin pour s'épanouir !

Cinquième étape : pardonner et ne pas juger

Cette dernière étape (mais non la moindre) qui mène à vos guides consiste à cesser de vous juger et de juger les autres. Le mot d'ordre est pardonner, pardonner, et encore pardonner. Il n'y a rien de tel pour brouiller complètement les ondes métaphysiques et vous déconnecter des fréquences élevées que de juger quelqu'un et de lui en vouloir. Ces énergies malsaines vous éloignent non seulement des conseils de vos guides, mais aussi de votre propre esprit, des autres et de la nature.

Je sais que c'est beaucoup exiger, mais, à bien y penser, s'abstenir de juger nécessite beaucoup moins d'énergie que de condamner. Comme êtres humains, nous sommes tous des manifestations individuelles d'un seul et unique esprit divin qui vibre à diverses fréquences selon les degrés de conscience. Nous sommes à la Terre ce que les cellules sont au corps humain et, lorsqu'une cellule en attaque une autre, ne dit-on pas qu'il y a cancer ? De même, si nous nous attaquons les uns les autres (ou à nous-mêmes) en nous condamnant et en nous jugeant, le résultat est tout aussi cancéreux et toxique pour l'être au complet : corps, psychisme et âme.

Lorsque nous nous abstenons de juger, notre conscience est canalisée autrement et nous commençons à distinguer l'important, comme notre propre esprit, les esprits de la nature, nos anges et nos guides. Pour cesser de juger et de garder rancune, le plus simple consiste à se répéter chaque jour qu'on s'en abstiendra. À cet effet, utilisez l'affirmation suivante : « Je me pardonne d'avoir jugé et accumulé du ressentiment, et me libère de tout jugement et ressentiment, ainsi que de toutes perceptions négatives. Par ma respiration, j'étends mon esprit à tous et je retrouve paix et équilibre dans ma vie. Ainsi soit-il ».

À vous, maintenant

Charlie, mon professeur, a déjà affirmé ceci : « La meilleure façon d'apprendre à entrer en contact avec ses guides consiste à aiguiser sa capacité à discerner ce qui saute aux yeux ». Savez-vous à quelle source de conseils vous vous abreuvez chaque jour ? Prenez l'habitude de commencer la journée par une courte prière alors que vous êtes sous la douche et demandez d'être guidé tout au long de la journée. Puis, au volant de votre voiture en direction du bureau, demandez quel est le chemin le moins stressant pour vous y rendre. Si vous empruntez les transports en commun, sollicitez de l'aide pour obtenir le meilleur siège dans l'autobus ou le train, avoir des compagnons de banquette agréables et arriver à temps.

Entrez en communication avec vos guides tout au long de la journée. Lorsque vous travaillez à un projet, par exemple, demandez-leur de vous aider à le réaliser rapidement, facilement et de manière créative. Vous pouvez également leur demander quoi dire (et comment le dire) lorsque vous conversez avec une personne difficile ou qui vous intimide, et même faire appel à eux pour choisir un restaurant ou commander.

Sur le plan physique, il est très important de rester souple et de bouger. Tous les matins, en vous réveillant, étirez-vous et respirez avant même de sortir du lit. Puis, levez-vous, étirez les bras vers le haut et penchez-vous lentement en essayant de toucher vos orteils. (Allez-y doucement : attention à votre dos !) Lorsque vous vous brossez les dents, faites des rotations du torse vers la gauche, puis vers la droite, et penchez-vous de manière à assouplir votre taille. Pour terminer, faites quelques rotations du bassin vers la gauche, puis vers la droite afin d'assouplir cette partie de votre corps, d'améliorer votre circulation sanguine et d'être plus facile à guider.

Pourquoi ne pas vous garer à quelques rues de votre lieu de travail ou descendre à quelques arrêts d'autobus ou de métro, selon le cas, et parcourir le reste à pied tout en prenant le temps d'admirer le paysage et d'apprécier votre corps en mouvement ?

À intervalles réguliers, prenez le temps de méditer et d'écouter pleinement avec tout votre être et saisissez toutes les occasions de partager une respiration avec votre interlocuteur.

En terminant, lorsque vous allez au lit, repensez à votre journée et, au besoin, pardonnez, oubliez, libérez-vous et ouvrez votre esprit aux fréquences élevées. Si vous en ressentez le besoin, jetez sur papier tout ce qui, pendant la journée, a pu vous contrarier et dont vous n'êtes pas arrivé à vous libérer, et demandez que, pendant la nuit, ces frustrations et ces obstacles disparaissent. Fermez les yeux, décidé à laisser aller tout ce qui s'est passé dans la journée et à dormir en paix. Vous en ressentirez aussitôt les bienfaits et disposerez sous peu d'une voie directe pour accéder à tous vos guides.

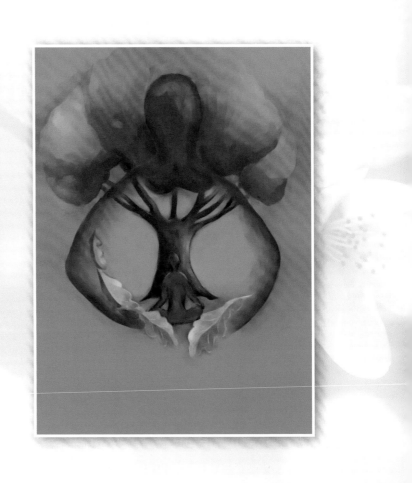

CHAPITRE 9

Le premier contact avec vos guides

Lorsque vous serez disposé à partager vos inquiétudes, vos défis et vos succès avec vos guides, ils se manifesteront à vous de façon directe mais subtile, surtout au début. En fait, vous risquez même de ne pas reconnaître leurs vibrations particulières et de les rejeter, les prenant pour le fruit de votre imagination.

Les attentes irréalistes comptent parmi les plus grands obstacles à surmonter. En effet, peu de gens se rendent compte à quel point les esprits guides sont subtils dans leurs communications. Influencés par les films hollywoodiens et les romans d'épouvante de second ordre, la plupart des gens s'attendent à voir des êtres bizarroïdes vêtus de combinaisons spatiales atterrir au beau milieu de la nuit dans un rayon de lumière aveuglante alors qu'en fait ils ne déplacent pas beaucoup plus d'air qu'un battement d'ailes de papillon. Alors, si vous pensez entendre une voix tonitruante ou voir Merlin au pied de votre lit, vous risquez d'être déçu.

Le contact avec les esprits guides s'établit à l'intérieur de nous, dans l'intimité de notre être profond, et n'a rien à voir avec une entité quelconque venant à notre rencontre. L'art de bien percevoir nos guides repose sur notre capacité à entendre les communications subtiles qu'ils nous transmettent et à les prendre au sérieux.

Par exemple, la première fois que j'ai communiqué avec un guide, j'ai perçu un point bleu brillant papillonnant au-dessus de moi. Mais lorsque j'ai ouvert les yeux, le point avait disparu. Avec le temps, j'ai compris que les guides se manifestent généralement de façon très subtile. Au début, lorsqu'un guide entrera en contact avec vous, vous aurez probablement l'impression d'entendre votre propre voix, mais la *différence* se situe dans le contenu même du message.

Dans un de mes ateliers sur l'intuition, une participante du nom de Susan se plaignait de son incapacité à entrer en contact avec son guide.

— Tout ce que j'entends, disait-elle, c'est ma propre voix.

— En êtes-vous certaine ? Et que disait votre voix ?

— J'ai demandé à mon guide de me conseiller relativement aux difficultés que j'éprouve dans mon mariage et de me dire comment nous pourrions dénouer l'impasse dans laquelle nous nous trouvons, mon mari et moi.

— Et qu'a répondu votre propre voix ?

— Elle disait de cesser de me préoccuper de mon mari et de retourner aux études.

Je me suis assise près d'elle sans parler pendant un moment, puis je lui ai demandé ceci :

— Vous tenez-vous de tels propos régulièrement ou avez-vous déjà songé à cette option ?

— Je n'ai jamais pensé à poursuivre mes études dans le contexte d'une réflexion sur mon mariage. J'ai déjà envisagé une thérapie de couple, une thérapie individuelle et même la séparation, mais jamais je n'ai songé aux études.

— Que pensez-vous de cette suggestion ? Auriez-vous envie de retourner sur les bancs d'école ?

— Oh ! Oui ! répondit-elle avec enthousiasme, j'ai toujours voulu faire des études supérieures, mais, une fois mariée, j'ai mis ça de côté.

— Eh bien, j'ai l'impression que vous avez *réellement* reçu d'excellents conseils, après tout.

Dubitative, Susan s'est demandé à haute voix :

— Croyez-vous ? Même si j'avais l'impression que c'était ma propre voix qui parlait ?

— C'est l'impression que vous aviez, mais était-ce là une idée qui vous serait venue en temps normal, ou quelque chose de complètement différent ?

— C'était différent, je dirais même surprenant… ce qui explique que j'aie cru l'avoir inventé.

— C'est ainsi que les guides se manifestent à nous, l'ai-je rassurée. C'est si naturel et subtil qu'il est facile de passer à côté si l'on n'est pas attentif. En général, il s'agit d'une suggestion à laquelle vous n'auriez pas pensé vous-même. Alors, êtes-vous satisfaite de la réponse que vous avez reçue ?

— Oui, répondit Susan. En fait, plus j'y pense, plus ça m'apparaît sensé. J'ai hâte d'avancer sur le plan professionnel et j'ai l'impression d'avoir mis mes rêves de côté pour être une bonne épouse et une bonne mère au lieu d'être moi-même. Cela explique en partie pourquoi je suis si malheureuse. Si vraiment c'est mon guide qui a parlé et non moi, alors je me sens très connectée et je suis prête à recevoir d'autres conseils.

Comme je l'ai expliqué à Susan, lorsque vous essayez d'entrer directement en contact avec vos guides, vous devez entre autres apprendre à formuler à voix haute, en évitant de vous censurer, tout conseil qui vous vient de vos guides. Le monde dans lequel nous vivons — sans grande subtilité et limité à cinq sens — nous a appris à douter de nos perceptions et à subordonner nos vies à toute forme d'autorité extérieure. Lorsque nous faisons appel à notre sixième sens, notre voix intérieure est l'autorité suprême, et elle domine toutes les autres. Nous devons l'écouter, la respecter, dire à voix haute ce qui émane d'elle et respecter ce que nous ressentons sans hésitation ni excuses.

N'oubliez pas surtout que les esprits guides ont pour première mission de communiquer avec votre âme et de faire des suggestions subtiles… dans la mesure où vous les y invitez. Lorsque vous conversez avec vos guides, vous ne faites qu'exprimer tout haut les différentes possibilités qui s'offrent à vous, un peu comme vous le feriez en présence d'un ami en qui vous avez confiance. Et plus vous leur parlerez, plus ils vous répondront.

Lorsque j'apprenais à entrer en contact avec mes guides, je demandais souvent à mon professeur, Charlie, de m'expliquer en quoi consistait le monde des esprits, et il me répondait immanquablement : « Qu'en disent tes guides ? ».

Timide et ne voulant pas passer pour stupide, je marmonnais : « Je ne sais pas. ».

Alors, il se mettait à rire et me disait : « Pose-leur la question ! ».

Bien à l'abri dans cette aura d'amour et d'humour, j'essayais de sonder les profondeurs de mon être, cherchant dans mon cœur des traces d'inspiration. Bien que doutant de la provenance de la voix que j'entendais (était-ce simplement la mienne ?), je me risquais quand même à répondre. Le plus fascinant n'était pas ce que je croyais avoir entendu, mais d'être assise aux côtés d'un mentor qui m'apprenait à croire en ma capacité de converser avec ma voix intérieure (et mes guides) sans avoir peur et sans être sur la défensive. Au début, j'étais maladroite (même si j'avais grandi dans un monde habité par les esprits), mais, avec le temps, j'ai pris de l'assurance, et il ne fut plus jamais question de revenir en arrière tant cela me paraissait authentique et réel.

Lors d'un séminaire de quatre jours que j'ai animé récemment sur les esprits guides, j'ai demandé aux participants de se connecter avec leurs guides et de leur poser des questions. C'est alors qu'une très belle femme, docteure en médecine allopathique et ayurvédique, a dit ceci :

— Je ne crois pas que ce soient mes guides. Je pense que ce n'est que moi et que je suis tout simplement très intelligente.

Je l'ai donc invitée à monter sur l'estrade et à parler ouvertement de son moi intérieur. Remplie d'assurance, elle s'empressa de venir en avant, mais, dès qu'elle fit face à l'assistance, ses vibrations et son degré de confiance changèrent du tout au tout. L'air d'un chevreau apeuré, elle fondit en larmes devant son manque inopiné d'assurance. Elle venait de découvrir à quel point il peut être déconcertant de choisir de se connecter, de faire confiance et d'exprimer son moi intérieur alors qu'on a passé sa vie à cacher qui l'on est réellement.

Saviez-vous que...

... les esprits guides avec lesquels vous vous connectez sont des êtres de lumière qui vous offrent leur aide avec amour et en toute amitié ? Comme les vrais amis, ils sont toujours à l'écoute et se gardent de vous juger, de vous contrôler ou de vous dire quoi faire. Jamais ils ne flatteront votre ego.

Les larmes ont disparu tout aussi rapidement qu'elles sont venues, et un nouveau moi soulagé a émergé. J'ai alors invité la dame à nous dire ce qu'elle avait demandé à ses guides et à nous donner uniquement la réponse fournie par son « moi intelligent ». Voici ce qu'elle a répondu :

— J'ai demandé à mes guides quoi faire pour être un meilleur médecin et guérisseur, et ils m'ont répondu « *Sois toi-même.* ».

— Est-ce votre « moi intelligent » qui a répondu ?

— Je crois que si.

— Alors, continuez à vous adresser à vos guides pour en avoir le cœur net. Demandez à votre moi intérieur ce que signifie « être vous-même ».

Elle s'exécuta, puis offrit la réponse suivante : « *être honnête, aimante et avoir à cœur le bien-être de mes patients* ». Elle fit une pause avant d'ajouter « *mettre au service des autres mes dons intuitifs et ma capacité de comprendre leurs blessures — surtout celles qui ont trait au manque d'amour et de soutien de la part de leur famille —, et leur offrir mon amour et mon aide pour guérir.* ».

Je lui ai fait remarquer que ces mots possédaient une tout autre vibration, qu'ils étaient clairs, simples et réels (la classe acquiesça), et lui ai demandé ceci :

— Qui vous a répondu : votre moi intelligent habituel ou quelqu'un d'autre ?

— Non, c'était mon moi habituel, répondit-elle après quelques hésitations. Peut-être qu'en vérité, c'est ce que j'aimerais être, mais il est bien trop risqué pour un médecin d'être aussi proche de ses patients. Je n'ai pas l'habitude d'être si ouverte et directe. J'essaie de faire en sorte que mes patients devinent que je les aime, mais *jamais* je n'exprimerais mes sentiments ouvertement.

— Sentez-vous une différence entre ce message et ceux que vous recevez de votre moi habituel, même si les deux empruntent la même voix pour se manifester à votre conscience ?

Elle fit signe que oui et offrit ceci comme réponse :

— Si je compare les deux, je dirais que j'ai déjà entendu cette autre voix, que j'ai choisi de ne pas en tenir compte et qu'elle ressemble effectivement à celle d'un guide. En fait, plus j'y pense, plus j'ai l'impression que c'est la voix de ma grand-mère, que j'ai connue alors que j'étais enfant... Pensez-vous que ce pourrait être elle, mon guide ?

— Demandez-le-lui.

— *Est-ce toi, grand-maman ?* demanda-t-elle.

Puis, un sourire éclaira son visage, car la voix avait répondu : « *Oui, c'est moi, je suis tellement contente que tu m'écoutes enfin.* ».

Nous avons tous ri, car les vibrations dans sa voix étaient criantes de vérité.

À vous, maintenant

Lorsque le doute s'empare de vous ou que vous avez besoin de conseils, dites tout haut «Je vais demander à mes guides» et faites-le. Dites ensuite «Ils me disent de... [à compléter]» et écoutez les vibrations et le contenu des mots qui vous viennent à l'esprit pendant que vous laissez parler votre être intérieur. Surtout, n'ayez pas peur que ce ne soient que des inventions de votre part. Faites cet exercice de 10 à 15 minutes par jour.

Il est très utile également de faire l'exercice avec des amis ouverts, dignes de confiance et intéressés, eux aussi, à communiquer avec les guides. Allez-y à tour de rôle. Commencez, puis invitez votre ami à faire de même. Demandez à votre guide de vous éclairer et, avec l'autre comme témoin, formulez à haute voix ce qui émane de votre moi intérieur tout en identifiant les vibrations rattachées aux différentes réponses. L'important consiste à vous sentir à l'aise, à prendre plaisir aux propos échangés et à leur accorder autant d'importance qu'à n'importe quel autre échange. Essayez d'y trouver du plaisir et de savourer le processus exploratoire.

Se connecter avec ses guides est l'art de communiquer sur les plans subtils. Plus vous partagerez avec d'autres le contenu de votre monde *intérieur*, plus il vous sera facile de faire en sorte que ce contenu se manifeste à l'*extérieur*.

CHAPITRE 10

L'étape suivante : écrire à vos guides

Outre la parole, il existe une autre façon de communiquer directement avec vos guides : l'écriture. Plutôt que de répéter à voix haute les messages qu'ils vous transmettent, consignez d'abord vos questions dans votre journal ou dans un cahier, puis invitez vos guides à vous répondre de la même façon. L'écriture guidée fonctionne merveilleusement bien, car elle repose sur le principe énoncé précédemment selon lequel les mains constituent le prolongement naturel du cœur, siège de la communication avec vos guides.

À vos plumes

Choisissez un moment de la journée où vous êtes détendu et sûr de ne pas être interrompu. N'écrivez à vos guides *que dans ces conditions*. Entre-temps, s'il vous vient des questions ou des préoccupations, notez-les dans un calepin et attendez le moment propice. (Ne vous étonnez pas, cependant, si les réponses vous ont déjà été fournies lorsque vient l'heure de votre rendez-vous officiel avec vos guides.) Le moment venu, trouvez un coin *privé* où vous pouvez fermer la porte, débrancher le téléphone et ne pas être dérangé.

Vous aurez remarqué que j'ai dit *privé* et non *secret*. Je souligne cet aspect très important parce que plusieurs de mes clients m'ont dit devoir cacher à leur entourage leur tentative de communiquer avec leurs esprits guides parce que leur conjoint n'approuve pas cette démarche, par exemple, ou que leur famille se permet de les juger. Contrairement au secret, qui implique la honte, la préservation de l'intimité est quelque chose de positif. Or, si vous essayez de contacter vos guides alors que vous avez des doutes ou que vous vous cachez, vous risquez d'attirer des entités dont les vibrations sont peu élevées (ou des guides qui ont peu à vous offrir parce qu'ils ne sont pas très évolués) au lieu de guides aux vibrations élevées capables de vous aider.

En votre qualité d'être spirituel, vous avez le droit de communiquer avec vos esprits guides et n'avez nullement besoin de l'approbation des autres pour cheminer sur le plan spirituel et demander l'aide nécessaire. Si le fait d'entreprendre une démarche en vue d'entrer en contact avec vos guides risque d'être mal accueilli par votre entourage, soyez discret. Se protéger et protéger sa démarche est un réflexe sain qui dénote l'amour de soi.

Avant de commencer à écrire, il est très important que vous énonciez votre intention de travailler uniquement avec les guides dont les vibrations sont les plus élevées. Pour ce faire, adressez à vos anges une courte prière dans laquelle vous leur demandez de vous protéger et de ne permettre qu'aux guides dont les fréquences sont élevées de syntoniser votre fréquence lorsque vous écrivez. Vous pouvez également allumer un lampion pour symboliser votre esprit et signaler que vous ne souhaitez recevoir que les conseils qui vous seront les plus profitables.

Mes étudiants me demandent invariablement s'il faut écrire à ses guides à la main ou à l'ordinateur. J'avais l'habitude de leur répondre qu'il est préférable de prendre le stylo parce que c'est plus organique et que cela aide à court-circuiter le cerveau, mais j'ai ensuite rencontré des gens qui, comme mon mari, Patrick, se sentent nerveux à cette idée parce qu'ils ont une très vilaine écriture ou qui, comme ma fille, sont dyslexiques et que l'écriture manuscrite déconcentre. Tous les deux préfèrent nettement se servir d'un ordinateur parce que c'est plus facile. Je recommande donc maintenant d'écrire à la main dans la mesure du possible, mais de se servir d'un ordinateur si c'est moins stressant.

Si vous écrivez à la main, deux choix s'offrent à vous : 1) vous rédigez les questions de votre main dominante, et les réponses de l'autre ; 2) vous changez mentalement de canal et utilisez votre main dominante pour les deux opérations. (À l'ordinateur, vous taperez bien sûr à la fois vos questions et vos réponses.) La méthode choisie importe peu à vos guides : ils seront au rendez-vous dès que vous les sollicite-rez, alors adoptez celle que vous préférez et souvenez-vous que la clé du succès consiste à écrire avec rapidité et fluidité.

Lorsque vous serez prêt à commencer et que vos intentions seront claires, présentez-vous et demandez à être guidé. Exemple : *Je suis* (votre nom) *et je demande à mes esprits guides de m'aider et de me conseiller.* Soyez poli et respectueux et ne perdez pas de vue que vous êtes en train de demander une aide ponctuelle et non de remettre votre vie entre les mains des esprits. Formulez bien vos questions, en évitant de dire « devrais-je ? ». Contentez-vous de ceci : « *Que me conseillez-vous en ce qui concerne* (complétez vous-même) *?* ».

Approchez vos guides avec délicatesse et évitez de les assom-mer avec trop de questions. Limitez-vous à deux ou trois au début et n'insistez pas pour tenter de découvrir leur identité, car les guides se mettent souvent à plusieurs pour répondre. Contentez-vous de savoir que vous avez convié uniquement les guides les plus évolués.

Optez pour des questions simples et directes. Vos guides sont très proches de vous et connaissent les conflits que vous vivez mieux que vous ne l'imaginez. Nul besoin d'entrer dans les détails. Voici un exemple de question appropriée : *J'ai du mal à trouver un emploi satis-faisant, je me sens bloqué et frustré. Pourriez-vous m'aider à comprendre la nature de mes blocages et m'indiquer les étapes à franchir pour progresser.* (Les guides sont intelligents : ils lisent entre les lignes!)

Lorsque vous aurez formulé votre question, levez la main de la feuille de papier, ouvrez votre cœur et plongez à l'intérieur de vous-même pour écouter ce qui émerge. Faites confiance à votre corps, relaxez-vous, puis, sans serrer le stylo, recommencez à écrire dès que vous vous y sentez poussé. Vos guides se contenteront d'une invita-tion subtile, alors n'ayez aucune crainte : votre main ne se mettra pas à écrire toute seule, comme sous l'empire d'une puissance déchaînée. Cela dit, j'ai déjà eu l'impression qu'une grande force s'emparait de moi alors que l'enthousiasme de mes guides était à son paroxysme et que j'étais particulièrement réceptive. Mais au début surtout, l'impul-sion est subtile, alors dès que vous sentez quelque chose, écrivez. Il est possible que vous vous arrêtiez après quelques mots seulement ou que vous obteniez des pages entières de conseils, selon que vous êtes plus ou moins calme et réceptif. Si vous êtes réellement prêt à entrer en contact avec votre sagesse intérieure et à évoluer, vous recevrez beaucoup de conseils.

Pour savoir si ce que vous écrivez provient de vos guides, attardez-vous aux vibrations : avez-vous l'impression de recevoir du soutien, même si vous avez simplement écrit ce qui vous passait par la tête ? Si vous éprouvez un malaise, jetez la feuille ou brûlez-la. Une entité aux vibra-tions peu élevées s'est peut-être infiltrée dans votre champ vibratoire pour vous offrir des conseils inutiles. Traitez ces derniers comme tout mauvais conseil : n'en tenez pas compte, peu importe leur provenance.

La clé de la réussite est la régularité. Évitez de devenir obsédé. Conversez avec vos guides une fois par jour si vous le voulez, mais pas plus d'une demi-heure à la fois. Les conseils s'intègrent plus facilement à petites doses : prenez le temps de les savourer, d'y réfléchir et voyez si vous vous sentez calme, solide et enthousiaste. Confiez ensuite le tout à votre esprit pour qu'il l'analyse et vous donne son verdict.

> ## Saviez-vous que...
>
> *... demander à être guidé n'est pas la même chose*
> *que de chercher quelqu'un qui soit d'accord avec vous ?*
> *Les guides véritablement élevés soutiendront la croissance*
> *de votre âme et vous inspireront ; et si votre demande*
> *est authentique, vous serez bien servi.*

Bernice, une cliente, a utilisé cette méthode pour demander conseil à ses guides concernant son embonpoint. Sa question, rédigée à la main, était simple : *Pourquoi ai-je un surplus de poids et que puis-je faire pour m'en débarrasser ?* Posant son stylo, elle a attendu calmement et, 30 secondes plus tard, elle s'est sentie poussée à écrire. Ses guides lui répondaient si rapidement qu'elle avait du mal à suivre.

Bernice a commencé par écrire que, dans une vie antérieure, elle avait été une princesse polynésienne et que son poids constituait alors une grande source de puissance et de fierté ; sa corpulence inspirait confiance, car elle était perçue par plusieurs comme un signe de prospérité. Elle a écrit que toute l'attention qu'elle avait l'habitude de recevoir lui manquait et qu'elle avait envie qu'on l'admire encore, d'où sa réticence à perdre du poids.

Puis, elle a syntonisé une autre fréquence, et le ton du message a changé. Elle a écrit que son taux d'insuline était trop élevé et qu'un régime végétarien composé de plusieurs petits repas aurait pour effet de calmer son système nerveux.

Son écriture a changé encore une fois, et elle a écrit que, pendant toute son enfance, elle avait été aimée et reconnue comme étant une « bonne fille » et qu'elle méritait ces hommages en partie parce qu'elle finissait toujours son assiette. Elle a terminé en écrivant qu'elle n'aurait plus de problèmes de poids le jour où elle cesserait de rechercher à tout prix l'approbation des autres.

En se relisant, Bernice fut étonnée de ce qu'elle avait écrit. Jamais elle n'avait pensé à sa situation en ces termes, mais la pertinence des conseils ne faisait aucun doute : elle le ressentait de façon quasi organique. Ayant décidé de les mettre en pratique, elle fit vérifier son taux d'insuline, et, comme l'avaient indiqué ses guides, il était dangereusement élevé. L'adoption d'un régime végétarien lui demanda un peu plus d'efforts, car ma cliente, comme la plupart des gens du Midwest, était une carnivore endurcie, mais sa léthargie persistante vint à bout de ses réticences, et elle fit un essai. En quatre mois seulement, elle perdit 24 kilos. En outre, dans l'espoir de se faire apprécier pour autre chose que sa capacité à vider son assiette, elle décida de faire partie de la chorale de son église, qui lui confia des solos mettant en valeur sa magnifique voix.

Lorsque j'ai demandé à Bernice si elle croyait à l'existence de vies antérieures, elle m'a répondu ceci : « Qui sait ? Je perds du poids, alors je ne remettrai pas cette notion en question ! ».

Un autre de mes clients, Tim, comprit qu'il n'y avait pas de limites aux bienfaits que l'on pouvait recevoir de ses guides lorsqu'il entreprit, quelques semaines après avoir consulté les siens, l'écriture du roman qu'il avait du mal à mettre en chantier depuis un long moment.

Lorsque Mitch, un client, a demandé des conseils à ses guides à propos de sa vie sentimentale, il a reçu comme réponse le mot *café*, qu'il trouva parfaitement absurde et s'empressa d'oublier. Trois semaines plus tard, un copain au travail lui proposa de l'accompagner pour le lunch. « Un petit café vient d'ouvrir à quelques rues d'ici, et j'aimerais l'essayer », lui dit-il. Sans faire le lien, Mitch accepta et dès qu'il eut franchi le seuil de l'établissement, il n'eut plus d'yeux que pour la caissière — un engouement qui se révéla réciproque et ne fit que s'accentuer tout au long du repas. À la fin, la serveuse dit à Mitch : « Nous fermons à 17 h, pour le cas où vous seriez libre ce soir. ». Ils ont donc convenu de l'heure et du lieu de rendez-vous, et ce n'est qu'au bout de trois rencontres que Mitch comprit qu'il avait été guidé pendant tout ce temps. Ce soir-là, juste avant de s'endormir, il se souvint de ce qu'il avait écrit, demanda pardon à ses guides et les remercia de leur intervention.

À vous, maintenant

Lorsque vous écrivez à vos guides, surtout soyez détendu. Ne craignez rien : ils vous répondront *à coup sûr*, mais cela peut prendre quelques minutes et même plus. En fait, il se peut qu'ils ne vous répondent pas avant la deuxième ou la troisième séance d'écriture guidée. Efforcez-vous d'être patient… ils seront au rendez-vous !

Pour écrire à vos guides, respectez la démarche suivante.

- **Étape n° 1** : Installez-vous là où vous ne risquez pas d'être interrompu et, avant de commencer, allumez un lampion et faites une courte prière pour vous protéger contre les énergies peu élevées.

- **Étape n° 2** : Énoncez vos intentions par écrit, comme suit : *Je souhaite converser uniquement avec les guides aux vibrations les plus élevées.* Puis, présentez-vous : *Je suis* [votre nom] *et je fais appel à vous en ce moment.*

- **Étape n° 3** : Rédigez vos questions, une à la fois, levez la main de la feuille et détendez-vous.

- **Étape n° 4** : Tenez votre stylo sans forcer ni bouger la main et soyez prêt à transcrire ce que vos guides vous dicteront. Les idées s'infiltreront d'abord dans votre cerveau, puis vous les transcrirez. Ne permettez pas à votre intellect de censurer ce qui émerge ou de vous faire croire que vous inventez le tout. Il s'agit d'un processus subtil qui vous paraîtra des plus naturels. Lorsque les mots s'arrêteront, déposez votre stylo et relisez-vous.

En terminant, je vous conseille de tout réunir dans un même cahier et de ne rien jeter (sauf si vous n'étiez pas à l'aise avec ce que vous avez écrit et que vous l'avez déjà mis aux rebuts). Même si les communications que vous avez reçues ne reflètent pas vos attentes ou ce que vous auriez voulu entendre, ou que vous ne les comprenez pas tout de suite, conservez-les. L'expérience m'a enseigné que le plus souvent, lorsque nous ne comprenons pas ce que nos guides nous ont communiqué, le sens s'éclaircit avec le temps. Mettez-les temporairement de côté et ressortez-les plus tard. Si cela ne fonctionne pas, demandez des éclaircissements lors d'une séance d'écriture guidée ultérieure et, si ce n'est *toujours* pas clair, laissez tomber.

CHAPITRE 11

Apprendre à voir vos guides

Il est probablement plus difficile de voir ses guides que de se connecter à eux de toute autre manière. En effet, leur existence se déroule sur un plan vibratoire non physique, entièrement différent du nôtre, et ce n'est qu'au prix d'incalculables efforts qu'ils parviennent à modifier leur fréquence suffisamment pour se rendre visibles. Encore faut-il que votre propre fréquence soit assez élevée pour que votre troisième œil, c'est-à-dire l'œil interne dont se sert votre imagination, s'éveille et vous permette de les voir.

Les personnes dont le troisième œil est particulièrement actif et puissant devraient parvenir rapidement à voir leurs guides. Si vous êtes de ceux qui ont du mal à visualiser, ne vous inquiétez pas. Nous possédons tous un œil interne qui fonctionnait très bien lorsque nous étions jeunes — ce qui explique que de si nombreux enfants voient leurs guides et leurs anges, que nous qualifions volontiers d'« amis imaginaires »… Je déplore que la fréquentation de l'école amène les enfants à cesser l'utilisation de leur troisième œil au profit d'un regard tourné vers l'extérieur ; c'est ainsi que nous perdons peu à peu la capacité de voir les esprits.

Heureusement, ce processus est réversible si nous nous donnons un peu de mal et que nous prenons la peine de faire les exercices nécessaires. Avec de la patience, vous pourrez réactiver ce canal naturel qui débouche sur le monde des esprits et commencer à véritablement « voir » vos guides. Voici quelques exercices préparatoires qui vous aideront à réactiver votre troisième œil :

Exercice n° 1 : Apprendre à vivre le moment présent

Pour commencer, examinez de près ce que vous avez sous les yeux et notez-en les moindres détails. Cela vous semble-t-il contradictoire, de vous exercer à percevoir la réalité matérielle alors que vous aspirez à voir le monde des esprits ? Sachez que la plupart des gens vivent soit dans le passé, parmi leurs vieux souvenirs, soit dans l'avenir, qu'ils se plaisent à imaginer. Ils ont rarement conscience de ce qui se passe dans l'instant présent.

Pour voir vos guides, vous devez posséder une capacité hors du commun de vous concentrer sur ce qui se passe juste sous vos yeux… mais dans une autre dimension. Afin d'y parvenir, exercez-vous à voir tout ce qui vous entoure : vous réveillerez ainsi votre œil interne de son long sommeil.

Exercice n° 2 : Prendre le temps de rêvasser

Si vous vivez à cent à l'heure et que vous n'avez pas une minute à vous, il vous sera très difficile de vous connecter à vos guides par la rêverie, car cela requiert beaucoup plus de temps et de concentration que de vous connecter à eux par la télépathie. Cependant, si vous êtes prêt à faire le nécessaire, vous y parviendrez.

Qui ne s'est pas fait reprocher, enfant, d'être « dans la lune », alors qu'il ne faisait que s'absenter momentanément de son corps pour aller voir ses guides et parfois même s'amuser avec eux ? Rien n'avait moins de sens que de nous faire dire de «sortir de la lune», car, ce faisant, nous nous coupions des guérisseurs, des anges et des esprits qui nous voulaient du bien.

Lorsque nous rêvassons, nous quittons temporairement le plan matériel linéaire et utilisons notre œil interne pour élargir nos perceptions. Quand Charlie, mon professeur, m'apprenait à voir mes guides, il ne cessait de me répéter que l'aspect physique d'un être en était la représentation la plus inexacte qui soit et qu'il me fallait apprendre à aller au-delà des apparences et à percevoir les choses et les gens de l'intérieur. Lorsque vous y parvenez et percevez l'essence de toute chose, y compris la vôtre, il n'y a qu'un pas à franchir pour voir vos guides.

Ne faites cet exercice que si vous vous sentez solide sur le plan émotionnel et bien enraciné dans la réalité. Si vous êtes contrarié, demandez d'abord au ministère des Anges de vous aider à vous ressaisir et vous serez prêt à commencer (n'y consacrez pas plus de 10 à 15 minutes par jour). Cet exercice se pratique où que vous soyez, en autobus, en train, en voiture (sauf si c'est vous qui conduisez!), en cuisinant, en faisant la vaisselle ou en tondant la pelouse. Essayez simplement d'imaginer votre propre esprit : à quoi ressemble-t-il? Quelle est sa résonance? Que ressentez-vous en sa présence? Essayez de savoir ce qui le rend heureux. Exercez-vous à le voir en trois dimensions et en couleurs. En vous servant de votre œil interne, imaginez dans les moindres détails à quoi il peut ressembler.

Lorsque vous aurez fait cet exercice pendant un certain temps, imaginez que vous vous trouvez devant l'esprit des êtres qui vous sont chers : vos enfants, vos parents, votre compagne ou compagnon et même vos animaux familiers. Ne vous bousculez surtout pas : faites-le pendant plusieurs semaines. Vous exercerez ainsi votre œil interne, élèverez votre taux vibratoire et apprendrez à voir ce qui se trouve au-delà des apparences et à syntoniser des fréquences plus élevées. Tout cela en un seul et même exercice!

Sarah, une cliente, s'est exercée pendant plusieurs semaines à voir son esprit et, chaque fois qu'elle y parvenait, elle s'imaginait, cheveux au vent, galopant à vive allure dans la campagne sur le dos d'un magnifique alezan (une image on ne peut plus éloignée de sa réalité de préposée à l'accueil dans un hôpital en milieu urbain !) Elle avait de plus en plus l'impression que le cheval était en fait son guide, mais, avec le temps, elle se mit à penser de moins en moins à l'animal au profit de la destination. Après plusieurs semaines de rêverie, son cheval et elle aboutirent finalement à Provo, dans l'Utah.

Or, Sarah habitait Cleveland et ne connaissait Provo ni de près ni de loin. Cette ville ne lui disait absolument rien, mais elle ne se laissa pas décourager pour autant. Quelle ne fut pas sa surprise lorsque, 10 mois plus tard, on lui présenta Fred, un chiropraticien originaire de Provo, lors d'un congrès sur la santé. Après avoir échangé quelques propos, Fred demanda à ma cliente si elle avait envie de diriger ce qui allait devenir le premier centre de soins de santé alternatifs de Cleveland.

Sarah vit enfin le sens de ses rêveries s'éclairer et elle *s'élança* de tout son cœur vers la plus grande aventure de sa carrière, une aventure qui nécessitait qu'elle n'ait ni froid aux yeux ni peur d'être « décoiffée ». Et pour ne pas oublier ce qui l'avait menée là, elle posa sur son bureau une statuette de bronze à l'effigie d'un cheval.

Sarah devait sa réussite à trois choses : 1) elle voulait réellement voir ses guides ; 2) elle croyait fermement qu'elle y réussirait ; et 3) elle accepta ce qui se présenta à elle. Ces étapes sont les mêmes pour tout le monde. Cependant, si vous vous attendez à voir un guide prendre la forme d'un être humain, vous pourriez être déçu, car les guides ne le font pas tous.

Lorsque j'ai commencé à essayer de voir mes guides, le premier m'est apparu sous la forme d'un point bleu brillant au-dessus de mon lit. Quant à ma sœur Cuky, elle voit un de ses guides, feu Tante Emma, non pas comme cette dernière était de son vivant, mais sous la forme d'une flaque d'eau dans un coin de sa chambre. Et lorsque Marvin, un de mes clients, est parvenu à voir son guide au bout d'efforts persistants, il s'est retrouvé devant un nuage de plumes blanches, comme si un oreiller de duvet venait d'exploser sous ses yeux. Il a accepté cette forme comme étant son guide et l'a nommée « Plumes Blanches ».

Dahlia, une cliente, a d'abord vu son guide sous la forme d'un héron bleu ciel qui s'asseyait devant elle et lui transmettait des messages par télépathie. Le héron s'est par la suite métamorphosé en un magnifique être de lumière bleue du nom d'Erin (son nom lui a été transmis par télépathie). Parfois, Dahlia voit le héron, parfois elle voit Erin… c'est selon.

Saviez-vous que…

… les guides apprécient l'efficacité ? Leurs apparitions et leurs messages sont brefs ?

… les guides les plus élevés ont tendance à être clairs, simples et brillants et à vous laisser une impression de légèreté ?

… si vous établissez une routine et vous connectez toujours à vos guides au même moment de la journée, ils réagiront à votre sérieux en essayant d'être à l'heure ?

… si vous choisissez une heure précise pour lever le voile sur le monde immatériel, votre subconscient finira par apprendre à faire une place de plus en plus grande au monde spirituel ?

Avec le temps, ma cliente a compris que le héron lui apparaissait les jours où elle était enfermée dans une façon de penser rigide et que ce signe l'invitait à être plus dégagée, plus ouverte aux idées nouvelles. Lorsque c'est Erin qui lui apparaît, Dahlia reçoit des directives précises, pas seulement un message destiné à modifier son humeur ou son point de vue. Peu importe la forme sous laquelle son guide lui apparaît, celle-ci correspond toujours à ses besoins du moment.

N'oubliez pas que les esprits possèdent réellement le pouvoir de se révéler à vous. Il n'en tient qu'à vous d'apprendre à les percevoir.

Lorsque vous êtes prêt à voir vos guides, asseyez-vous confortablement dans un fauteuil ou allongez-vous sur un lit, fermez les yeux et imaginez un grand écran lumineux. Demandez à votre guide de se projeter sur cet écran, puis détendez-vous et préparez-vous à jouir du spectacle. Si vous avez du mal à vous détendre mentalement ou physiquement, imaginez que vos esprits guides sont assis à côté de vous, comme au cinéma, et que vous les avez invités à regarder le film avec vous.

Demandez ensuite à votre esprit de projeter sur l'écran le plus beau paysage au monde, un endroit où vous pourrez vous connecter à vos guides dès que vous en aurez envie. Restez calme tout en inspirant par le nez et en expirant par la bouche, et accueillez sans le juger ce qui apparaîtra à l'écran. Soyez patient et éliminez toute résistance.

Vous verrez peut-être un paysage familier : là où vous aviez l'habitude d'aller en vacances lorsque vous étiez enfant ; un endroit que vous avez visité plus récemment et qui vous a plu ; ou encore un lieu où vous n'avez jamais mis les pieds. Même si cela ne vous dit rien, rappelez-vous que vos guides choisissent eux-mêmes la forme sous laquelle ils vous apparaissent ainsi que le décor qui servira le mieux vos échanges.

Pour Thomas, par exemple, c'est la cuisine de son enfance qui sert de toile de fond, et un ruisseau bouillonnant la traverse en plein milieu. Lorsqu'il a demandé à son guide d'apparaître, elle a émergé du ruisseau et s'est assise sur la table de la cuisine pour replonger aussitôt dans le ruisseau. D'abord perplexe, Thomas finit par se rappeler que la confection de biscuits avec sa mère, dans la cuisine, et les escapades de pêche avec son père, dans un ruisseau, comptaient parmi ses plus beaux souvenirs d'enfance. Il n'aurait jamais songé lui-même à combiner ces deux scènes en une seule pour en faire le parfait décor où rencontrer ses guides.

Si rien n'apparaît sur votre écran au début, ne vous inquiétez pas. Il se peut que votre œil interne soit quelque peu engourdi, et rien ne vous empêche de lui donner un coup de pouce. Invitez votre esprit à décorer l'endroit comme il le souhaite et faites de votre mieux pour choisir le lieu précis de la rencontre. Fermez ensuite les yeux et demandez que seuls les guides les plus évolués et les plus utiles apparaissent et prennent place devant vous.

Soyez patient, car vous devrez peut-être recommencer plusieurs fois avant d'obtenir des résultats, mais, si vous persistez, vos guides finiront par vous apparaître. Lorsqu'ils viennent à vous, prenez-les comme ils sont et rappelez-vous qu'ils ne se montrent pas toujours sous les traits d'un humain. Ils peuvent vous apparaître sous forme de symboles, et ne soyez pas surpris s'ils changent de forme d'une fois à l'autre.

Monique, une cliente qui déplorait la paresse de son œil interne, m'a raconté qu'il s'est aussitôt allumé lorsqu'elle s'est mise à décorer elle-même son sanctuaire intérieur. Elle choisit de rencontrer son guide dans une pièce lambrissée de chêne et chaleureusement éclairée par un feu de cheminée. Le sol était recouvert d'un tapis oriental rouge et or sur lequel dormait un labrador retriever au poil blond couché devant deux ottomans de cuir épais. Garnie de deux fauteuils profonds en velours tartan flanqués d'une lampe sur pied de style Tiffany, ainsi que d'une immense bibliothèque recelant tous les secrets de l'univers, la pièce était protégée du monde extérieur par une porte en chêne massif de 3,5 mètres de hauteur allant jusqu'au plafond.

Lorsque Monique demanda à voir son guide, personne ne vint à sa rencontre, mais un livre tomba de la bibliothèque pour atterrir, ouvert, sur un des ottomans. Confiante qu'il s'agissait là d'un signe, elle sollicita des éclaircissements sur l'état de santé de son mari, qui présentait des symptômes de démence. En réponse à sa question, un autre ouvrage tomba des rayons, et le mot *chélation* (procédé par lequel les métaux lourds toxiques sont retirés du corps) apparut.

Monique emmena donc son mari subir des tests de toxicité, et les résultats indiquèrent la présence de fortes doses de mercure, dont les effets sur le corps humain peuvent s'apparenter aux premiers signes de démence. Elle m'informa, plus tard, que son mari avait bien réagi à la chélation et que son état s'améliorait.

À vous, maintenant

Voyons ce que vous pouvez faire chaque jour pour habituer votre œil interne à voir vos esprits guides. N'oubliez pas de vous en tenir à 10 ou 15 minutes par jour, pas plus. Il ne faudrait surtout pas que votre œil interne finisse par s'user !

- Soyez très attentif au moment présent.

- Adonnez-vous à la rêverie, comme lorsque vous étiez enfant, et exercez-vous à imaginer la forme que revêtent vos guides et ceux de vos proches.

- Détendez vos paupières, gardez les yeux légèrement entrouverts et laissez votre œil interne « regarder » à votre place.

- Acceptez sans juger ce qui vous vient à l'esprit, même si cela vous paraît dénué de sens. Soyez patient et vous finirez par en découvrir la signification.

Maintenant que vous avez ouvert le canal qui vous relie directement à vos guides, allons à leur rencontre.

QUATRIÈME PARTIE

La présentation de vos guides spirituels

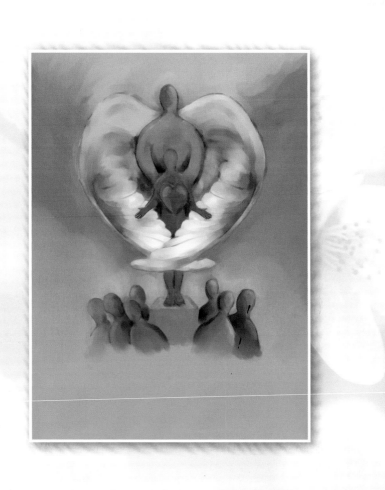

CHAPITRE 12

Les esprits guides de la nature

aintenant que vous êtes réceptif à l'aide spirituelle et que vous connaissez les techniques de base pour communiquer avec vos guides, j'aimerais vous présenter différents esprits susceptibles de se manifester à vous. À mesure que vous vous sensibiliserez à l'esprit dans toute chose, il est probable que vous commenciez à percevoir les *élémentals*, terme qui regroupe l'ensemble des forces de la nature.

Parmi les esprits de la terre, de l'eau, du feu et de l'air, il y a les *gnomes*, les *lutins*, les *sylphides*, les *dévas* et les *salamandres* (ces dernières n'ont rien à voir avec le petit reptile du même nom). Vous pensez peut-être « Nous voilà en plein conte de fées », mais il n'en est rien : chaque être vivant possède sa propre vibration et son propre esprit qui veille sur lui.

Les esprits de la nature recèlent de grands pouvoirs thérapeutiques. Pour bénéficier de leur soutien, apprenez à les sentir et demandez-leur de vous aider. Lorsque vous saurez les distinguer et que vous serez disposé à recevoir leurs bienfaits, la nature tout entière deviendra pour vous une source inépuisable d'émerveillement et de guérison.

Les esprits de la terre

Pour établir un contact avec ce royaume, il est préférable de se concentrer sur les esprits de la terre, aussi appelés *dévas*, à commencer par les arbres, les fleurs et, bien entendu, la Terre Mère. La terre est un formidable esprit qui vit, respire et soutient avec majesté l'ensemble des êtres vivants qui le peuplent. *Gaïa*, comme certains aiment à l'appeler, est notre mère organique à tous, et lorsque nous captons son énergie, nous nous sentons immédiatement plus forts et plus soutenus.

Cultiver un lien avec la terre nous « enracine », expression utilisée trop souvent à tort et à travers, alors que cela signifie simplement que notre esprit se nourrit à même la Terre Mère. Lorsque nous en sommes coupés, nous nous sentons dispersés et faibles, loin de tout soutien, et nous nous laissons ballotter par la vie. En cultivant notre rapport à la Terre Mère, nous voyons le calme revenir dans notre vie, et un véritable sentiment de sécurité se dépose au fond de nous.

Nul ne peut prétendre être assez solide pour se passer de la force de Gaïa sous ses pieds… même le ciment n'arrive pas à bloquer son énergie. Si jamais vous doutez de sa puissance, pensez seulement aux tremblements de terre de grande magnitude. Par contraste, elle peut être d'une grande douceur : je ne connais rien de plus revigorant pour la peau et les os qu'un massage donné par Gaïa.

Il y a environ 12 ans, nous sommes allés en vacances à Hawaï, et c'était la première fois que les enfants y mettaient les pieds. Lorsque Sonia, cinq ans, arriva sur la plage, elle eut du mal à contenir son excitation. Elle trouva le sable si délicieux et si bienfaisant qu'elle s'y coucha, y enfonça les mains comme pour le pétrir, en huma l'odeur et essaya même d'en manger. Infatigable, elle resta des heures à se rouler ainsi dans le sable humide. Lorsque l'heure du lit arriva, son cœur débordait de joie. Après m'avoir serrée très fort contre son petit corps, elle me dit : « Tu sais, maman, avant aujourd'hui je t'aimais comme un point… maintenant, je t'aime comme un cercle. ».

Si vous vous sentez vidé et déconnecté, que vous avez l'impression de ne recevoir ni soutien ni amour de personne, puisez à même l'esprit de la Terre Mère et laissez-le vous nourrir. Dites à votre esprit de demander à la Terre de vous prendre dans ses bras infinis et de vous ramener contre son sein. L'esprit de Gaïa est si puissant qu'il peut venir à bout de la peur et de la dépression et même soulager un des fléaux de notre société : le syndrome de fatigue chronique.

Patrick va jusqu'à incorporer l'énergie de guérison de la Terre dans son travail de massothérapie. À la fin de chaque séance, il pose les mains sur les pieds de son client et invite la force de vie de Gaïa à pénétrer dans le corps de celui-ci pour le revitaliser et le fortifier. Il reste ainsi de longues minutes en silence, au bout desquelles le client lui fait généralement part de l'état de relaxation profonde dans lequel il est entré et de l'impression qu'il a eue d'être branché sur une génératrice énergisant chaque cellule de son corps. Les massages aux pierres chaudes, qui connaissent un regain de popularité, sont une autre façon de canaliser l'esprit de la terre. L'esprit contenu dans les pierres posées en des endroits stratégiques du corps atteint la moelle épinière, pour un effet calmant, fortifiant et régénérant inégalé.

Quant à l'esprit des fleurs, il calme et équilibre le corps émotionnel — c'est-à-dire la première couche énergétique recouvrant le corps physique. En effet, celui-ci est passablement éprouvé à l'issue d'une journée, alors que penser d'une semaine ou d'une vie entière à se faire malmener ? Il peut s'affaiblir, s'amincir et même se déchirer, vous exposant à toutes sortes de maux et de tourments émotionnels.

Il est relativement facile de puiser à même l'esprit des fleurs. Il suffit de respirer le parfum d'une rose, d'apprécier une orchidée ou de sentir un sachet de lavande. Lorsque vous manquez d'entrain, de force ou d'inspiration, le fait de vous connecter sur le plan subtil aux fées des fleurs et des plantes aura sur votre corps émotionnel un effet rééquilibrant et calmant pouvant aller jusqu'à réparer les déchirures.

Certaines personnes se sentaient tellement proches des énergies spirituelles des fleurs et de leur immense pouvoir de guérison qu'elles ont mis au point des outils thérapeutiques alternatifs à base d'essences de fleurs. Si vous avez besoin d'un coup de pouce supplémentaire, envisagez de recourir à ces essences, qui contiennent l'esprit régénérateur des plantes et des fleurs et que l'on peut se procurer dans les magasins d'aliments naturels ainsi que sur Internet. Chaque extrait de plante soulage un état d'esprit précis. Par exemple, le houx aide la personne critique, la lavande ouvre et apaise le cœur, et la violette donne confiance en soi.

L'exemple le plus remarquable du pouvoir des fées des plantes et des fleurs nous vient sans contredit de Findhorn, une communauté établie dans le nord de l'Écosse. Du fait qu'ils étaient proches des esprits de la nature et qu'ils les vénéraient, les habitants de cette communauté expérimentale ont réussi à faire pousser d'énormes légumes, plantes et fleurs dans un sol dépourvu des nutriments nécessaires. Bien que personne ne sache *qui au juste* se connecte et rend honneur aux fées à Findhorn, ses habitants sont régulièrement récompensés par d'abondantes récoltes.

Vous aussi, vous pouvez vous connecter aux fées si vous cultivez un jardin, même s'il se limite à quelques plantes en pots. La prochaine fois que vous arroserez distraitement vos azalées, prenez le temps d'en sentir l'énergie et d'en apprécier l'esprit à la fois robuste et doux. Parlez à vos plantes et à vos fleurs et, si possible, faites-leur entendre de la musique classique. Après tout, des expériences ont prouvé que leur esprit réagit à la gentillesse par une croissance spectaculaire.

Pour *réellement* vous sentir soutenu sur le plan subtil, poussez l'audace jusqu'à entourer un arbre de vos bras. Je dis cela le plus sérieusement du monde. Nos pouvoirs subtils (surtout ici, en Occident) sont généralement engourdis et sous-utilisés, mais peu de gens peuvent rester insensibles au formidable pouvoir d'ancrage et de guérison d'un arbre. Quitte à passer pour un hurluberlu, entourez de vos bras le prochain orme ou chêne que vous verrez, pressez votre cœur contre son écorce et voyez comment vous vous sentez. Si vous ne pouvez pas vous résoudre à vivre cette délicieuse expérience, contentez-vous de vous asseoir au pied de l'arbre et ressentez-en toute la majesté à travers ses racines.

L'esprit d'un arbre est si puissant qu'il amplifie votre sensibilité au monde subtil. S'unir à l'énergie des arbres, c'est plonger au cœur du monde des esprits et augmenter sa capacité à se connecter à des entités aux fréquences plus élevées, comme vos guides et vos anges. Faites-le souvent et vous verrez qu'au bout de quelques semaines seulement vous serez en mesure de syntoniser d'autres forces spirituelles.

Si vous habitez la ville, vous devrez faire davantage d'efforts pour vous connecter aux esprits de la terre, mais le jeu en vaut la chandelle. En fait, il est d'autant plus urgent que vous le fassiez que ce milieu de vie est particulièrement stressant et épuisant. Vous verrez : vous serez plus calme, plus enraciné et plus serein.

Les esprits de l'eau

Outre Gaïa et les dévas de la terre, les esprits de l'eau sont également à votre portée. Le pouvoir de l'eau est abondamment évoqué dans la Bible, et j'ai lu récemment un ouvrage des plus intéressants qui traite des messages de l'eau, soit *The Hidden Messages in Water*, de Marasu Emoto, dans lequel l'auteur s'est penché (photos à l'appui) sur la façon dont les esprits réagissent aux différentes énergies auxquelles l'eau est soumise. Lorsque l'eau est exposée à l'énergie de la colère, ses cristaux sont déformés et sombres ; lorsqu'elle est exposée à l'énergie de l'amour, ces mêmes cristaux deviennent transparents et harmonieux. Ce livre nous montre que l'eau possède une conscience vivante et qu'elle réagit à nos pensées et à nos attitudes.

Les esprits de l'eau sont puissants et possèdent un pouvoir de purification. Ils travaillent à nettoyer ce qui est vieux et dépassé. Ils sont parfois terrifiants ; on n'a qu'à penser au tsunami de Noël 2004, alors que les forces de l'eau ont littéralement balayé des milliers de gens de la surface de la terre en seulement quelques minutes. Cette même puissance, par ailleurs, a suscité dans le monde entier une réaction d'entraide et de compassion envers les survivants.

Le monde est de plus en plus conscient de la puissance des esprits de l'eau en raison de l'augmentation récente des désastres naturels causés par l'eau tels les ouragans, les inondations et le tsunami dont nous venons de parler. Les pénuries d'eau et les sécheresses qui affligent actuellement notre planète (et même notre fascination actuelle pour l'eau en bouteille) contribuent également à sensibiliser le monde entier à l'influence des esprits de l'eau sur notre quotidien.

Notez bien ceci : c'est lorsque nous rêvons que nous communiquons le plus souvent avec les esprits de l'eau. D'ailleurs, nos rêves les plus troublants ou réparateurs ne concernent-ils pas l'eau ? Chaque fois que ma sœur, par exemple, rêve à de l'eau, cela indique que la décision qu'elle a prise ou qu'elle envisage de prendre n'est pas judicieuse et doit être renversée. Une de mes clientes a déjà rêvé qu'elle se noyait dans une inondation soudaine et, trois jours plus tard, elle perdait son emploi. Dans les deux cas, le thème de l'eau indiquait qu'il fallait faire le deuil de quelque chose.

Le contact avec les esprits de l'eau aide à voir les choses autrement et empêche de rester coincé dans des ornières, comme peuvent en attester tous ceux qui ont déjà arpenté une plage.

Il existe plusieurs façons de bénéficier du pouvoir purificateur et apaisant de l'eau. On peut, par exemple, installer une petite fontaine chez soi et inviter l'eau à purifier notre intérieur des énergies stagnantes. J'ai vu, chez Walmart et Target, des fontaines à seulement 14 $. Le fait que ces articles soient offerts à un prix grand public témoigne de l'intérêt croissant que portent les masses au pouvoir guérisseur des esprits de l'eau.

Pour vous connecter à l'eau, vous pouvez également transporter sur vous une petite bouteille d'eau à vaporiser et vous en asperger chaque fois que vous faites face à un défi ou que vous doutez de vous-même. Les esprits de l'eau empêcheront toute négativité ou tout doute de s'installer à demeure et rééquilibreront votre énergie.

Les esprits de l'air

Les esprits de l'air, qui se manifestent aussi bien par une douce brise que par une tornade, appartiennent au plan neutre, c'est-à-dire qu'à leur contact, votre esprit et votre âme se trouvent énergisés, apaisés et purifiés. Le premier contact — peut-être le plus important — s'établit lorsque vous prenez une grande respiration. En effet, la rencontre entre les esprits de l'air et votre propre esprit vous ramène dans l'ici-maintenant, stimule votre psychisme, améliore votre capacité de concentration et vous permet de sentir les énergies subtiles.

Saviez-vous que...

... les esprits de la terre portent également le nom de gnomes, fées, dévas des arbres et elfes, qu'ils contribuent à nous ancrer davantage et qu'ils guérissent nos blessures émotionnelles ?

... les esprits de l'eau portent les noms de naïades, nymphes, océanïdes, ondines et nixes, et qu'ils sont responsables de la purification et de la régénération de notre esprit ?

... les esprits de l'air, parfois appelés dévas de l'air, constructeurs, zéphyrs ou sylphes, sont à notre disposition pour nous apaiser, accroître notre concentration et débarrasser notre esprit des pensées parasites ?

... les esprits du feu sont connus des métaphysiciens sous le nom de salamandres et qu'ils favorisent la passion, les nouveaux débuts, les bienfaits, la créativité et la guérison ?

Par contre, lorsque vous retenez votre souffle, vous vous coupez des esprits de l'air, étouffez votre propre esprit et vous coupez du courant de la vie. Pour inviter les esprits de l'air à vous soutenir, rien ne vaut 5 à 10 bonnes respirations avant même de sortir du lit. Pendant que vous respirez, demandez aux esprits de l'air de débarrasser votre psychisme de ses parasites, de purifier votre sang, de revigorer vos organes et de vous aider à commencer la journée dans la clarté et l'enthousiasme.

Lorsque vous êtes en proie à la peur ou à l'anxiété, vous avez tout avantage à vous connecter aux sylphes, les esprits de l'air. Arrêtez-vous, respirez et détendez-vous… respirez et détendez-vous… respirez et détendez-vous. Avec un peu de pratique, cet exercice aura tôt fait de vous calmer et d'effacer les pensées qui vous troublent.

Lorsque vous avez de graves décisions à prendre, une entrevue à passer, une affaire à négocier ou un discours à prononcer, il est très important de vous connecter aux esprits de l'air. Ils vous empêcheront de devenir confus et de perdre le fil, et vous prépareront à entrer en contact avec les énergies subtiles de vos autres esprits guides. Comme ils sont les gardiens de la télépathie, ils servent de ligne d'accès à toutes les autres entités de la communauté des esprits.

Les esprits du feu

Les esprits du feu, aussi appelés *salamandres*, font des étincelles, crépitent et hypnotisent tout à la fois. Ils éveillent les passions et la créativité et lorsque nous nous connectons à eux, nous avons l'impression de pouvoir soulever des montagnes et retrouvons l'ardeur de notre jeunesse. Les esprits du feu peuvent nous venir en aide lorsque nous avons perdu notre éclat ou que nous sommes enlisés dans un bourbier mental constitué de blâmes, d'excuses ou d'apitoiement. Rien ne vaut une bonne salamandre pour nous en extraire.

Avez-vous déjà remarqué comme il est facile de perdre la notion du temps et de se sentir amoureux lorsqu'on regarde du feu ? Et amoureux non seulement de quelqu'un, mais aussi de la vie. Lorsque vous vous connectez aux esprits du feu, voyez comme cela réveille en vous des rêves, des désirs et des passions oubliés : vous assistez à une danse de guérison entre l'esprit du feu et le vôtre.

Par ailleurs, les esprits du feu peuvent également surprendre, secouer et, au besoin, tout raser. J'en ai vu plus d'un brûler la maison ou le commerce de quelqu'un, laissant ses occupants complètement démunis.

Lorsque vous faites appel aux esprits du feu, soyez attentif à leur danse, leurs crépitements et leur agitation. Les salamandres vous invitent à avancer prudemment, à faire preuve de souplesse et d'inventivité, à vous adapter et à réagir. Il est préférable de se positionner comme élève face à elles et de ne *jamais* les prendre à la légère.

Pour vous connecter à ces esprits, faites un feu tout en sachant que vous devrez rester là jusqu'à ce que vous l'éteigniez, qu'il s'éteigne de lui-même, ou qu'il ne reste plus que des braises, car les salamandres aiment bien qu'on les regarde. Si vous faites fi de leur présence et que vous vous éloignez du feu, elles risqueront d'attirer votre attention en allumant un incendie !

Outre les salamandres, le feu évoque le plus grand de tous les esprits guides, l'Esprit saint — symbolisé par la flamme éternelle —, car le feu représente l'étincelle divine qui nous a tous donné la vie. (C'est pourquoi presque toutes les religions ont adopté un aspect du feu comme symbole ou l'ont introduit dans leurs cérémonies.)

Faire appel à l'Esprit saint pour revitaliser et guérir votre esprit est une des demandes les plus importantes que vous puissiez formuler. À l'époque, lorsque je fréquentais l'école catholique et que j'assistais régulièrement à la messe, j'adorais allumer un cierge pour inviter l'Esprit saint et la Sainte Famille à répandre la lumière de leur feu dans mon cœur et à me protéger. (Vous pouvez faire la même chose en allumant une bougie perpétuelle, que vous trouverez dans la section mexicaine de la plupart des supermarchés et dans la presque totalité des églises.) Grâce à ce rituel hebdomadaire, je me sentais connectée à Dieu et à l'Esprit saint, et j'attisais la flamme qui brûlait au-dedans de moi.

À vous, maintenant

En vous connectant aux esprits de la nature, vous commencerez à vous sentir merveilleusement soutenu et découvrirez que vous faites partie des nombreuses manifestations de l'esprit autour de vous. Ces esprits ne demandent qu'à vous servir, vous plaire, vous inspirer et vous soutenir, dans la mesure où vous les respectez. Contentez-vous de savoir qu'ils sont là, et ils vous apporteront de nombreux bienfaits. Surtout, appréciez-les !

Trouvez une façon de vous connecter au moins une fois par jour aux esprits de la terre, de l'eau, de l'air et du feu, afin de rester en santé et d'équilibrer votre force de vie. Vous pouvez commencer par les quelques exercices simples que voici.

- La meilleure façon de vous connecter aux esprits de la terre consiste probablement à cesser toute activité et à regarder dehors (sortez si vous le pouvez, c'est encore mieux). Si vous avez la chance de vivre à la campagne, assoyez-vous tranquille et concentrez-vous sur le four-millement de vie qui émerge du sol. Encore mieux : allongez-vous par terre (sur une couverture si vous préférez) et respirez l'esprit de la terre par tous les pores de votre peau. Si vous habitez la ville, dénichez un coin de verdure et faites de même.

- Lorsque vous prenez une douche ou un bain, profitez-en pour vous sensibiliser aux esprits de l'eau en leur deman-dant de renouveler votre énergie. Goûtez leurs propriétés médicinales et demandez-leur de débarrasser votre corps, votre mental et votre aura de toute négativité ainsi que des impuretés incrustées sur les plans subtils.

- Pour invoquer les esprits de l'air, rien de tel que d'ins-pirer lentement par le nez, puis d'expirer de toutes ses forces en se martelant la poitrine de la paume de la main et en faisant « Ha ! » très fort. Cela réveille l'esprit, ouvre les canaux télépathiques et nettoie le mental de tout bavardage négatif. C'est un excellent moyen de vous réaligner instantanément avec votre esprit et de revenir dans l'ici-maintenant.

- Pour demander aux esprits du feu de mettre du piquant, de la passion et de la créativité dans votre vie, vous pouvez sans danger allumer des bougies, faire brûler de l'encens ou faire un feu de cheminée. Demandez aux esprits du feu de réveiller votre courage et votre potentiel, de vous empêcher de tomber endormi au volant de votre vie ou d'oublier qui vous êtes. Soyez prudent cependant : si vous allumez des bougies, surveillez-les ; si vous faites un feu de cheminée, faites d'abord inspecter le conduit ou le tuyau, ainsi que les portes de la cheminée ; et si vous faites brûler des bougies perpétuelles, placez-les dans l'évier ou dans la baignoire avant de quitter la maison. Ce sont là de sages précautions qui témoignent d'un sain respect pour l'esprit et la puissance du feu.

CHAPITRE 13

Les guides coursiers

lors que nous roulions en direction du centre-ville de Chicago pour assister à une réception en compagnie de mon ami Greg et de sa femme, je donnais à ce dernier une petite leçon sur les guides appelés « coursiers ». C'était un vendredi froid et pluvieux, en pleine heure de pointe, et je racontais à Greg à quel point ces guides me facilitent la vie. Incrédule, il me mit au défi de leur demander de trouver une place de stationnement et ajouta ceci :

— Fais en sorte que ce soit proche de la salle de réception pour que nous n'ayons ni à marcher ni à payer une place dans un garage.

À peine avait-il fini de parler qu'une voiture libéra une place payante juste en face de la salle de réception où nous allions.

— Tu vois, lui dis-je, et de surcroît, nous n'avons pas à mettre d'argent dans le parcmètre puisqu'il est passé 18 heures !

Greg revint à la charge une fois la réception terminée :

— Bon, trouver une place de stationnement est relativement facile, voyons maintenant si tes coursiers peuvent nous dénicher une table pour quatre dans un bon restaurant, un vendredi soir, sans que nous ayons à attendre… si oui, je te croirai.

— Où aimerais-tu aller ? lui demandai-je.

Il choisit un bistro français très couru appelé *La Sardine*, juste en face des studios Harpo d'Oprah Winfrey.

— En temps normal, c'est complet, mais, puisque nous sommes tout près, tentons notre chance, acquiesçai-je.

Comme prévu, le restaurant était plein à craquer.

— Une table pour quatre, précisai-je.

L'hôtesse demanda si nous avions une réservation et, juste comme je répondais « non », elle reçut un appel d'un groupe de quatre qui se décommandait.

— Vous avez de la chance, dit-elle, je viens tout juste d'avoir une annulation.

Et ce n'était qu'un début, car les coursiers faisaient du temps supplémentaire ce soir-là. Pour couronner la soirée, le serveur est arrivé avec de superbes desserts, que nous avons retournés parce que nous ne les avions pas commandés, mais il est revenu à la charge en disant que la maison nous les offrait. Il n'a fallu qu'une soirée à mes coursiers pour convaincre Greg de leur existence et mettre un peu de magie dans notre belle soirée.

Qui sont vos coursiers ?

Ce sont des guides qui vous rendent une foule de services, les premiers à qui vous vous adressez lorsque vous avez besoin de quelque chose. Le terme « coursiers » vient de mon maître, Charlie, qui m'a appris que c'est exactement ce qu'ils font : des courses. Ils vous aident à retrouver un objet égaré ou à vous orienter vers ce que vous cherchez, qu'il s'agisse d'un appartement, de soldes ou d'une place de stationnement.

Les coursiers sont très proches de la terre et de la nature. Ce sont généralement des âmes indigènes ayant déjà vécu dans votre région.

Les habitants des États-Unis, par exemple, ont souvent pour coursiers des Amérindiens (ils sont connectés au territoire où vous résidez et non à vos racines ancestrales). Un Afro-Américain qui vit en Angleterre ou en Écosse peut avoir un coursier celtique, et un Australien chinois habitant la Nouvelle-Zélande, un coursier maori. Les coursiers sont fidèles à leur territoire et non à une personne en particulier.

Ces guides sont merveilleux pour mettre de la magie dans votre vie. Et plus vous en êtes conscient, plus votre cœur s'ouvre. Or, un cœur grand ouvert s'accompagne de bonnes vibrations qui nourrissent l'esprit, et lorsque votre âme est heureuse, tout le monde autour de vous le ressent. C'est pourquoi le travail des coursiers est si important : il contribue à nous faire voir le monde comme un endroit où il fait bon vivre.

J'invoque mes coursiers depuis plus de 30 ans, et ils ne m'ont jamais laissée tomber. Ils m'ont même déjà aidée à retrouver quelque chose que je n'étais même pas consciente d'avoir perdu ! La semaine dernière, j'étais à mon bureau après avoir passé de longues heures la veille à m'acquitter de tâches administratives lorsque je n'ai pu m'empêcher de fouiller dans ma corbeille à papier avant que mon adjointe ne vienne la vider. Saisissant un amas de documents chiffonnés, j'aperçus une enveloppe renfermant deux semaines de dépôts bancaires que j'avais oublié d'aller porter la veille. Ce jour-là, mes coursiers m'ont épargné bien des soucis.

Il y a plusieurs années, alors que j'étais agent de bord, mes coursiers m'ont sauvée d'une situation qui aurait pu me coûter mon emploi. À l'époque, je faisais la navette deux fois par semaine entre Chicago, où j'habitais, et St. Louis, où j'étais affectée, le tout à mes frais. Or, malgré les tarifs préférentiels auxquels j'avais droit en ma qualité d'employée, c'était passablement coûteux, et de surcroît, les vols entre Chicago et St. Louis étaient pratiquement toujours complets. Si j'en ratais un, mon emploi pouvait être menacé. Pendant toutes ces années, j'ai compté beaucoup sur mes coursiers pour m'assurer d'un siège sur le vol en direction de St. Louis.

Un jour, à peine 10 minutes avant le départ, ils m'ont fortement recommandé de ne pas prendre l'avion, même si une place m'avait déjà été assignée et que j'allais devoir débourser de nouveau 50 $ pour prendre le prochain vol. J'ai donc remis ma carte d'embarquement et me suis inscrite sur le vol suivant, même si je ne comprenais pas le pourquoi de la chose. Le deuxième avion a décollé, et 40 minutes plus tard, j'étais à St. Louis.

N'apercevant aucun des amis avec qui j'aurais voyagé si j'avais pris le vol précédent, j'ai consulté le tableau des arrivées et j'ai vu qu'il avait été annulé. Un agent m'informa que l'avion avait été retenu au sol en raison d'ennuis mécaniques. Aucun de mes collègues qui étaient sur ce vol n'a pu se rendre au travail ce jour-là, sauf moi, grâce à mes coursiers.

Les coursiers communiquent rarement par des mots. Ils se contentent souvent de nous inciter à faire quelque chose sans que nous sachions trop pourquoi. Lorsque je me suis sentie poussée à fouiller dans ma corbeille à papier ou à changer de vol, j'ai agi sans réfléchir. Mes coursiers ne m'ont pas fourni d'explications logiques : ils m'ont simplement saisie et poussée dans la bonne direction.

Vos coursiers sont toujours aux aguets et accourent dès que vous prenez le temps de faire appel à eux. Mon amie Ella avait perdu un collier que sa grand-mère lui avait offert peu de temps avant de mourir. Ne faisant confiance ni à sa propre intuition ni à ses guides, elle me téléphona pour me demander de l'aider. En temps normal, je l'aurais fait, mais quelque chose me disait qu'elle devait essayer par elle-même.

— Je ne t'aiderai pas cette fois-ci, lui dis-je, mon intuition me dit que tu dois demander à tes coursiers de le faire.

— Tu sais que je ne crois pas à ces balivernes. Ne pourrais-tu pas m'aider à retrouver ce collier ?

— Non, mais si tu le leur demandes gentiment, tes coursiers le feront peut-être.

Je lui ai conseillé de formuler poliment sa requête, car les coursiers ont tendance à être susceptibles. Ce sont d'admirables éclaireurs et détectives puisqu'ils connaissent le territoire à fond, mais, comme ils sont parfois orgueilleux, il vaut mieux les aborder respectueusement et ne pas leur donner d'ordres.

Ella fit entendre quelques grognements de protestation, puis finit par accepter.

— S'il vous plaît, aidez-moi à retrouver le collier de ma grand-mère, supplia-t-elle, vaincue, en se laissant choir sur le divan après avoir fouillé en vain toute la maison.

Au bout de 10 minutes, elle se leva et se rendit machinalement à sa commode. Elle ouvrit le tiroir à chaussettes, se mit à fouiller et, à sa grande surprise, elle sentit une bosse dure dans une des chaussettes. Elle y mit la main et en ressortit le collier qu'elle avait tant cherché.

« Comment se fait--il qu'il soit caché ici ? » se demanda-t-elle.

Puis, elle se souvint d'avoir dit à son mari de cacher le collier juste avant de partir en week-end quelques mois plus tôt (elle ne voulait pas le laisser dans sa boîte à bijoux, car elle venait tout juste de le recevoir) et elle avait effacé le tout de sa mémoire… sauf que ses coursiers, eux, étaient aux aguets ce jour-là et qu'ils avaient vu son mari cacher le bijou dans une chaussette. Il ne leur restait plus qu'à conduire Ella vers sa commode après qu'elle leur eut demandé poliment de l'aider.

Vous pouvez faire appel à vos coursiers pour trouver à peu près n'importe quoi, y compris une place pour vous garer. Il y a plusieurs années de cela, Charlie m'a dit que je pouvais demander à mes coursiers de partir avant moi à la recherche d'une place pour me garer chaque fois que je prenais la voiture. Et pas n'importe quelle place… la meilleure, dans la mesure où je le demandais poliment.

J'ai parlé des coursiers et des places de stationnement à mon amie Debra il y a des années de cela, et depuis, elle ne peut plus s'en passer. Lorsqu'elle prend sa voiture, elle met d'abord la clé dans le contact, puis elle imagine sa destination et la sorte de place de stationnement dont elle a besoin. Ensuite, elle demande à ses coursiers d'aller lui réserver un endroit.

Un jour qu'elle m'avait invitée à manger, nous roulions en direction du restaurant lorsque le ciel s'obscurcit soudainement et qu'il déversa des trombes d'eau.

— Ne t'inquiète pas, me dit-elle, je vais envoyer mes coursiers à la recherche d'une bonne place de stationnement pour que nous ne soyons pas trempées.

Comme prévu, à notre arrivée, une voiture garée à six mètres de la porte du restaurant nous céda sa place.

— Un cadeau pour toi de la part de mes coursiers, fit Debra.

Aussitôt, une autre voiture, cette fois stationnée à trois mètres de la porte, quitta sa place. Je me suis tournée vers mon amie et j'ai dit :

— Un cadeau pour toi de la part de *mes* coursiers !

Et nous avons déjeuné dans une atmosphère de bonne humeur, contentes d'être bien au sec.

Saviez-vous que...

... outre le fait qu'ils nous épargnent du temps, des frustrations et de la confusion, les coursiers contribuent à alléger la tristesse causée par une perte ? Soyez profondément reconnaissant pour les services qu'ils vous rendent, et ils y mettront deux fois plus d'ardeur la prochaine fois.

Les coursiers sont de tailles, de formes et de couleurs variées, mais ils possèdent trois choses en commun : 1) ils sont rapides et répondent à nos demandes sans perdre un instant ; 2) ils sont étroitement liés à la terre et à la nature, et viennent de vies antérieures dans lesquelles ils étaient éclaireurs, et ; 3) ils ne parlent pas : ils se contentent de passer à l'action lorsque vous le leur demandez poliment.

Non seulement les coursiers sont-ils capables de retrouver des objets perdus, de vous réserver un siège dans un avion et une place de stationnement, mais aussi vous aident-ils à trouver des objets dont vous avez besoin mais sur lesquels vous n'arrivez pas tout à fait à mettre la main. Ce fut le cas pour Myrna, une de mes clientes, qui n'arrivait jamais à trouver des chaussures de pointure 11. Fatiguée des commis qui roulaient des yeux et qui passaient des commentaires disgracieux sur la longueur de ses pieds, elle avait abandonné l'idée de porter de jolies chaussures lorsqu'elle découvrit l'existence des coursiers (pour lesquels elle éprouve maintenant une vive affection) dans un de mes cours.

La première fois qu'elle a demandé à ses coursiers de l'aider, ils l'ont conduite vers un nouveau magasin du centre commercial où elle a vu une très belle paire de bottes noires en cuir. Avec une lueur d'espoir, tout en sachant qu'elle risquait d'être déçue, elle demanda au commis si ces bottes se faisaient en pointure 11.

— D'habitude, non, répondit-il, mais je viens exceptionnellement d'en recevoir deux paires.

Tout en essayant les bottes, qui lui allaient à merveille, elle bavarda avec le commis, qui se révéla compatissant, car sa femme chaussait elle aussi du 11. Il s'était donc donné pour mission de dénicher tous les magasins de vêtements et de chaussures mode du quartier qui tenaient des chaussures de pointure 11 et il connaissait même les dates d'arrivage des stocks. Il lui remit, en même temps que les bottes, la liste de ces magasins, mettant ainsi fin à 20 ans d'impossibles pérégrinations pour dénicher des chaussures et à la faible estime de soi qui affligeait ma cliente à cause de ses trop grands pieds.

Les coursiers savent à quel point il est difficile d'accomplir tout ce que nous voulons dans une vie et ils nous font gagner du temps et de l'énergie. Ils peuvent également se montrer généreux et indulgents, comme en témoigne l'histoire de mon client Steven.

S'étant présenté à l'aéroport de Denver à la dernière minute, Steven espérait attraper son vol pour New York. Or, les files d'attente étaient interminables, et il était persuadé qu'il allait le rater. Il dépêcha ses coursiers, qui le devancèrent, et se précipita à la porte d'embarquement, où il fut refoulé parce qu'il était trop tard. Au même moment, un agent émergea de la passerelle et, apercevant Steven, dit :

— Le chargement des bagages n'est pas tout à fait terminé, alors nous pouvons prendre ce passager.

Accompagné de l'agent, Steven s'est précipité vers l'avion ; on lui a ouvert la porte et même assigné un siège en première classe ! Ses coursiers non seulement se sont assurés qu'il ne raterait pas son vol, mais aussi lui ont obtenu un surclassement.

À vous, maintenant

Il est très facile de travailler avec ses coursiers : il suffit de leur demander leur aide. N'oubliez pas que vous obtiendrez de meilleurs résultats si vous restez calme et que vous parlez d'une voix douce. Faites preuve d'un grand respect à l'égard de vos coursiers et dites « s'il vous plaît » plutôt que de leur donner des ordres. Lorsque vous leur avez fait part de votre demande, détendez-vous et cessez d'y penser pendant au moins 20 minutes. Dès que votre cerveau aura cessé son verbiage, vos coursiers se mobiliseront et vous guideront dans la bonne direction.

Un de mes professeurs m'a déjà dit ceci : « Si tu t'arrêtes pour réfléchir, l'instant est gâché. ». Rien n'est plus vrai, car, pour travailler avec vos coursiers, vous devez être prêt à suivre votre instinct sans hésiter une seconde et à faire preuve de souplesse.

En terminant, souvenez-vous que les coursiers apprécient les marques de reconnaissance. Ils tirent bien entendu une grande satisfaction des services qu'ils rendent et adorent être sollicités…, mais apprécient tout autant qu'on les en remercie. Ne l'oubliez pas !

CHAPITRE 14

Les guides auxiliaires

on amie Natalie a commencé il y a quelques années à s'intéresser à l'histoire de sa famille et elle y consacra bientôt tout son temps libre. Elle interrogea chaque membre de sa famille et se renseigna du mieux qu'elle le put sur ceux qui étaient décédés, dans l'espoir de reconstituer la généalogie familiale, mais il y avait un chaînon manquant : un oncle, brouillé avec le reste de la famille, refusait de communiquer avec elle. Frustrée, Natalie n'en était pas moins décidée à poursuivre ses démarches.

Un jour qu'elle se reposait au salon, elle eut l'impression que son père (décédé) venait de passer en coup de vent dans la pièce et elle ne put résister à l'envie de taper son nom dans le moteur de recherche de son ordinateur, chose qu'elle n'avait jamais faite auparavant. À vrai dire, elle n'y avait même jamais pensé.

Elle se mit à parcourir les 106 pages où figurait le nom de son père, mais, devant l'ampleur de la tâche, elle décida — à vrai dire sans grand espoir — de consulter au hasard la page 16 et, si elle ne trouvait rien, de laisser tomber ses recherches. Lorsque la page s'afficha, elle fut stupéfiée de trouver à la première ligne le nom de son père, suivi de la généalogie complète de sa famille sur plusieurs générations. Tous les renseignements qu'elle avait essayé de réunir par elle-même étaient affichés là sous ses yeux ! Le coup de vent dans le salon était certainement l'esprit de son père, qui avait agi comme auxiliaire pour l'aider à trouver tous les renseignements manquants sur sa famille.

Les auxiliaires servent à une chose : vous faciliter la vie pour vous permettre de l'apprécier le plus possible. En vous aidant, ils augmentent leurs propres vibrations, ce qui leur permet à leur tour d'apprécier davantage leur séjour dans l'autre monde et d'élever leur âme. À l'instar du ministère des Anges (c'est souvent lui qui les envoie), les guides auxiliaires, dont il existe plusieurs catégories, vous assistent dans l'exécution de tâches précises, de projets spéciaux ou de passe-temps. Ce sont souvent, comme pour Natalie, des parents ou des amis décédés qui communiquent avec vous depuis l'autre monde et qui vous offrent leur aide parce qu'ils vous aiment.

Les auxiliaires sont particulièrement efficaces dans les domaines qu'ils maîtrisaient du temps de leur vivant. Personnellement, je fais appel à M. Kay, mon professeur de diction de cinquième année — un homme compréhensif pour qui j'avais beaucoup d'affection à l'époque —, lorsque je réalise des enregistrements audio afin qu'il m'empêche de bégayer ou de commettre d'autres types d'erreurs, comme il le faisait si gentiment lors des joutes oratoires à l'école. À mon grand étonnement, la plupart de mes enregistrements audio sont pratiquement parfaits dès le premier essai, ce qui serait impossible sans son aide précieuse.

Les guides auxiliaires viennent gentiment vous aider lorsque vous êtes perplexe, coincé ou découragé, comme ce fut le cas pour Dan, père de jumeaux de sept ans et veuf depuis peu, lorsqu'il est venu me consulter. Non seulement était-il profondément malheureux parce que sa femme avait été emportée par un cancer du sein, mais aussi était-il frustré de ne trouver personne pour s'occuper des enfants, ce qui l'empêchait de retourner au travail. Il était déjà entré en contact avec deux agences de gouvernantes, mais sans succès. Il n'avait trouvé personne qui puisse s'occuper des enfants comme il le souhaitait et combler le vide dans son foyer... et dans leurs cœurs.

Au moment où il s'est présenté devant moi, il était déjà désespéré. Heureusement, son guide auxiliaire — le message que j'ai reçu laissait entendre que c'était sa femme — était présent lui aussi. Lorsque Dan a demandé « *Que puis-je faire ?* », j'ai entendu uniquement « *première communion* ».

Je lui ai demandé s'il était catholique, et il m'a répondu que non, mais que sa femme fréquentait souvent l'église épiscopale avec ses fils, lui-même n'étant pas très pratiquant.

— Les membres de cette église font-ils leur première communion ? demandai-je.

— Je crois bien que oui, répondit-il. Pourquoi ? Pensez-vous que je devrais la faire faire aux jumeaux ? En quoi cela pourrait-il m'aider à trouver quelqu'un pour s'occuper de mes fils afin que je puisse reprendre le travail ?

— Je n'en sais rien, répondis-je, c'est votre femme qui vous le conseille.

— Cela lui ressemble bien, fit-il, les yeux dans l'eau, je ne crois pas que ça m'aidera à régler mon problème, mais je suis prêt à exaucer ses souhaits... je ne vois tout simplement pas le lien ; pourriez-vous lui demander des explications ?

Lorsque j'ai posé la question, j'ai obtenu la même réponse, alors Dan a accepté le message et il a inscrit ses fils au cours préparatoire à la première communion à l'église que fréquentait sa femme. Pendant les leçons, il eut l'occasion de s'entretenir avec les autres parents et de leur faire part de ses préoccupations. Une femme du nom de Donna lui raconta un jour que sa mère, veuve depuis peu, venait s'installer chez elle la semaine suivante et qu'elle devait trouver du travail. Elle assura Dan qu'elle serait une excellente candidate, s'étant toute sa vie occupée du ménage et des enfants.

Une semaine après son arrivée de l'Utah, la mère de Donna se présenta chez Dan, prête à travailler, à aimer et à prendre soin de lui et de ses enfants. L'entente fut si parfaite que, cinq ans plus tard, elle était toujours le pivot de la famille.

Il est important de noter que les auxiliaires n'ont pas besoin de *faire* quelque chose pour aider. Je crois d'une certaine façon que leur plus beau cadeau consiste à nous laisser savoir que la vie continue après la mort physique et que l'esprit survit au corps. La mission première des auxiliaires consiste à nous débarrasser de notre peur de la mort afin de nous permettre de vivre pleinement. Dennis, le frère cadet de mon mari, a traversé dans l'Au-delà il y a plusieurs années, mais il continue de nous rendre visite. Il adorait faire des randonnées à bicyclette avec Patrick lorsqu'ils étaient jeunes (ils ont traversé les États-Unis ensemble), et il continue d'accompagner mon mari lorsqu'il fait du vélo, surtout à la campagne. Patrick affirme que son frère, dont il sent la présence à ses côtés, le guide vers de nouveaux sentiers et lui fait découvrir des sites enchanteurs.

Dennis aimait également les fleurs, et je sens régulièrement sa présence à mes côtés lorsque je vais dans le jardin. En fait, chaque fois que j'aperçois une nouvelle fleur, je sens son esprit et son amour tout près. Ces moments me sont très précieux, car je sais que Dennis est là pour m'aider à apprécier la vie.

De la même façon, ma mère communique avec sa propre mère par le rêve. Ayant été séparée d'elle très tôt à cause de la guerre, elle est ravie de pouvoir la revoir en rêve. Elles vont parfois écouter de la musique dans des lieux enchanteurs et passent la nuit à chanter et à danser. De plus, grand-mère donne à maman des conseils de couture et l'aide à concevoir des patrons, une passion qu'elles ont en commun. Elle va même jusqu'à raconter des blagues, que ma mère nous relate à son tour au réveil. Il arrive aussi qu'elle soit simplement *là* pour l'aimer et lui tenir compagnie.

Les esprits auxiliaires ne sont pas toujours des amis ou des membres de la famille que vous avez connus dans cette existence-ci.

Ils ont parfois été proches de vous dans une vie antérieure. Ils interviennent souvent lorsque vous avez besoin d'aide dans un domaine que vous avez tous les deux maîtrisé dans une autre vie. Personnellement, j'ai deux précieux guides — Rose et Joseph — qui m'assistent lorsque j'essaie d'éveiller quelqu'un aux potentialités du sixième sens et que je m'en sers pour guérir, car c'est là ma mission de vie. Je les sens à mes côtés, qui encouragent mes clients et mes étudiants à ouvrir leur cœur, à s'aimer davantage et à mieux apprécier la vie. Je suis certaine d'avoir déjà connu ces deux esprits dans une autre vie et d'avoir travaillé avec eux à guider, conseiller et orienter les gens, comme je le fais maintenant.

Je travaille également avec les Sœurs de la Pléiade. Elles m'aident dans mes consultations comme médium, surtout pour ce qui a trait aux missions de vie. Je sais que j'ai passé plusieurs vies déjà à étudier auprès d'elles et que je ne pourrais pas me passer de leur collaboration. Je compte beaucoup sur elles pour m'assister chaque fois que je travaille avec un client.

Certains auxiliaires viennent à vous parce que ce que vous faites les intéresse et qu'ils souhaitent vous transmettre leurs connaissances et leurs compétences dans ce domaine. Leurs contacts sont moins personnels puisqu'ils ne vous ont jamais fréquenté. En fait, ils sont souvent dépêchés par le ministère des Anges, qui connaît un auxiliaire possédant l'expérience nécessaire pour vous dépanner.

Ce sont parfois des médecins qui vous aident à résoudre des questions de santé ou encore des banquiers ou gestionnaires de portefeuilles qui vous aident à faire de l'argent ou à mieux le gérer. À moins qu'il ne s'agisse de bricoleurs ou d'ouvriers spécialisés, comme le mécanicien qui m'a aidée à faire démarrer ma voiture dans l'incident que je vous ai raconté au début du livre.

Mon père est un bricoleur hors pair (entre autres choses) et, d'aussi loin que je me souvienne, il a toujours su réparer les téléviseurs, aspirateurs, réfrigérateurs, lecteurs laser, climatiseurs, jusqu'aux laveuses et séchoirs à linge. Émerveillée devant ses aptitudes, je lui ai demandé où il avait appris tout cela, et il m'a répondu qu'il n'avait jamais rien appris de personne, qu'il se contentait de suivre son guide intérieur qui lui dit quoi faire et qu'ensemble, ils en viennent à bout. Papa a sans doute un auxiliaire très talentueux, car rien ne lui résiste.

Saviez-vous que les guides auxiliaires...

... ont déjà tous été humains et que leurs vibrations et leurs fréquences sont encore très proches des nôtres?

... communiquent généralement avec vous par télépathie sous forme de mots ou de courts messages qui vous viennent en tête?

... aiment profiter de ce que vous rêvez pour bavarder le plus naturellement du monde?

... élaborent rarement sur les conseils qu'ils vous donnent, ce qui peut déplaire si l'on est du genre à vouloir tout contrôler ou à couper les cheveux en quatre, car on doit accepter sans comprendre si l'on veut être aidé?

... conservent les aptitudes et les connaissances qu'ils avaient lorsqu'ils étaient humains et sont déterminés à les partager avec vous avant de passer à des fréquences plus élevées?

... vous aident, car cela leur permet d'en finir avec leur connexion terrestre, d'élever leurs vibrations et de connaître d'autres expériences sur le plan de l'âme?

Certains de vos auxiliaires vous accompagnent pour la vie, alors que d'autres interviennent de façon ponctuelle, le temps de vous aider à réaliser un projet. Si vous êtes disposé à écouter leurs conseils, ces guides resteront à vos côtés jusqu'à ce que vous ayez terminé. Par contre, si vous demandez de l'aide à vos auxiliaires, mais que vous faites fi de leurs recommandations, ils s'en iront. Ils sont disposés à vous aider, mais ne vous forceront jamais à accepter leur soutien. Si vous insistez pour tout faire à votre façon et que vous ne prenez jamais leur avis en considération, ils respecteront votre décision et se retireront.

Pour réussir à travailler avec vos auxiliaires, vous devez absolument faire le vide dans votre esprit et accepter ce qui se présente à vous. Ne laissez pas votre côté logique ou votre scepticisme prendre le dessus et vous faire des suggestions. Vous n'entendrez probablement qu'un ou deux mots (un peu plus si vous êtes chanceux), et souvent, vos guides ne les répéteront pas pour ne pas contrecarrer votre libre arbitre. Il vous incombe d'être à l'écoute pour ne rien manquer.

Lors d'un cours que j'ai donné dans l'État de New York, Diane, une agente immobilière, nous a raconté une anecdote qui illustrait parfaitement les avantages d'accepter sans résistance et sans hésitation les messages de nos auxiliaires. Au retour d'une visite libre, elle a reçu un appel l'informant d'une nouvelle inscription et elle s'y est rendue tout de suite. Une fois sur place, elle s'est sentie irrésistiblement attirée par la maison et elle a entendu haut et fort « *achète-la* ».

Or, Diane possédait déjà deux propriétés et elle avait du mal à arriver, mais la voix insistait, « *achète-la* », deux petits mots qui ont suffi pour la persuader d'agir.

— *Bon, d'accord*, a-t-elle répondu, *mais il faut que vous m'aidiez.*

Lorsqu'elle a fait part de son intention à son mari, celui-ci, contrarié, a rétorqué :

— Et ton projet d'achat de maison au bord de la mer, qu'en fais-tu ?

Malgré cela, Diane n'est pas revenue sur sa décision, elle-même étonnée de sa détermination. Elle se fiait rarement à ce point à son instinct (et ne tenait jamais tête à son mari), mais, cette fois, elle était fermement décidée à écouter la voix de son auxiliaire. Se rendant compte qu'elle en avait assez de laisser la peur ou l'hésitation lui faire rater des occasions, elle s'est sentie prête à donner la chance à son intuition. Lorsqu'elle a fait part à son mari de son inébranlable intention d'écouter son guide, à sa grande surprise et pour la première fois, il s'est plié à sa volonté.

Ce soir-là, lorsque Diane a parlé de son projet d'achat à Ryan, son fils marié qui louait sa deuxième maison, celui-ci lui a proposé de l'acheter à sa place et de cesser d'être son locataire.

Ryan n'avait jamais laissé entendre qu'il souhaitait déménager et encore moins acheter une propriété, mais, dès qu'il en eut parlé, Diane sut qu'il avait raison. Ils présentèrent une offre au nom de Ryan, et, trois semaines plus tard, la maison était à eux.

Le meilleur était encore à venir : étant donné que Ryan avait libéré la deuxième maison de Diane, celle-ci put la mettre en vente, et quelques semaines plus tard, elle en retira trois fois le prix d'achat initial. Diane disposait enfin de la somme nécessaire pour acheter la maison de ses rêves au bord de la mer, une maison que son mari et elle dénichèrent peu de temps après. Cet exemple vous semble peut-être tiré par les cheveux, mais il illustre pourtant parfaitement le genre d'avantages que l'on retire de la fréquentation des guides auxiliaires. En acceptant l'aide de ces derniers, Diane a permis à plusieurs personnes de réaliser leur rêve.

Il est important pour vous de rester à l'écoute de vos rêves, car ce sont les portails dont vos guides se servent pour communiquer avec vous. Ma cliente Patricia, par exemple, était persuadée que son auxiliaire était son père décédé. De son vivant, l'homme n'avait jamais été proche de sa fille, trop pris par son travail de spécialiste des services de banque d'affaires, mais, après son décès, les choses évoluèrent. Patricia fit une série de rêves dans lesquels il lui offrait des conseils financiers et, à la longue, elle se mit à entendre la voix de son père dans sa tête, même en plein jour.

Aspirante productrice de films, Patricia a quitté le Michigan pour la Californie, où son père a continué de lui donner des conseils qui se révélèrent particulièrement précieux le jour où elle a obtenu une entrevue dans une société de production où elle rêvait de travailler. Elle était si flattée d'être parmi les candidats à ce qui lui paraissait un poste de rêve, elle souhaitait tellement mettre les pieds dans la maison, qu'elle y aurait travaillé gratuitement si on le lui avait demandé.

Alors que son futur employeur et elle discutaient d'argent, elle sentit la présence pressante de son père à ses côtés et, avant même d'avoir le temps de répondre à l'offre salariale de 27 000 $ qu'on lui faisait, elle entendit la voix de son père prononcer « *33 000 $* ».

Prise par surprise, elle dut ravaler sa salive, faisant du coup tressaillir l'intervieweur :

— C'est peut-être un peu bas, effectivement, nous pourrions aller jusqu'à 30 000 $ si vous acceptez un horaire un peu plus chargé.

Le père de Patricia est encore revenu à la charge, articulant haut et fort « *33 000 $* », chiffre que celle-ci répéta presque malgré elle tant la voix de son père était persuasive.

— C'est là votre offre finale ? l'interrogea son employeur potentiel. Dans ce cas, je devrai en discuter avec mon associé. Votre curriculum vitae est impressionnant, et vous semblez très bien maîtriser votre métier, mais nous ne pensions pas offrir autant pour ce poste, alors je vous rappellerai.

Convaincue que l'emploi venait de lui filer entre les doigts, Patricia s'adressa à son père en ces termes : « *Je sais que je vaux 33 000 $, mais le savent-ils, eux ?* ».

Le père se contenta de répéter « *33 000 $* », et, une heure plus tard, Patricia recevait un appel l'informant qu'elle obtenait le poste à ses propres conditions.

Il est intéressant de noter que les auxiliaires interviennent souvent juste au moment où un problème se présente : ils nous prêtent alors main-forte ou nous aident à trouver une solution. Une fois la difficulté aplanie, ils se retirent. Rien n'illustre mieux cet état de fait que l'achat de notre première maison, qu'il fallait entièrement rénover, chose que ni Patrick ni moi ne savions faire (nous n'en avions même pas les moyens). Mus par un mélange de naïveté et de panique, nous nous sommes mis à tout démolir de manière à pouvoir repartir à zéro.

Or, je n'arrivais pas à m'habituer à l'absence de fenêtres dans la salle à manger. Nous aurions pu en installer une, mais elle aurait donné sur un affreux mur, et Patrick penchait plutôt pour une utilisation judicieuse de la lumière artificielle, point sur lequel nos opinions divergeaient. Me disant qu'il devait bien exister une solution économique et facile d'exécution, un soir avant de dormir, j'ai demandé à mes auxiliaires de m'aider à la trouver pendant mon sommeil.

J'ai rêvé cette nuit-là qu'un beau grand Romain en sandales me faisait visiter des églises en insistant sur la beauté des vitraux et sur les magnifiques reflets colorés produits par le soleil filtrant au travers. Il revint là-dessus trois ou quatre fois.

Lorsque je me suis réveillée, ce matin-là, j'avais l'impression de revenir de voyage. En racontant mon rêve à mon mari, j'ai compris que l'auxiliaire romain me suggérait d'installer un vitrail dans la salle à manger. Nous aurions ainsi de la lumière et de jolies couleurs, mais pas la vilaine vue. Il s'agissait là d'une solution parfaite à laquelle je n'aurais jamais pensé moi-même. L'idée nous enchanta tous les deux, mais par où commencer?

Grâce à mon auxiliaire, même ce problème fut résolu. Le lendemain, alors que je faisais part de notre intention d'installer un vitrail à un client qui s'informait de notre maison, celui-ci me dit qu'il connaissait le meilleur artiste de la région pour réaliser notre projet et qu'il acceptait pour l'instant de travailler à bon prix étant donné qu'il venait tout juste de débarquer d'Europe et qu'il souhaitait se bâtir une réputation.

Le jour même, nous avons joint l'artiste en question, qui se fit un plaisir de réaliser pour nous un vitrail sur mesure à un prix à peine plus élevé que celui d'une fenêtre ordinaire. La première fois que nous avons vu l'installation, nous en avons eu le souffle coupé. La lumière et les couleurs étaient au rendez-vous, mais pas la vilaine vue.

Au bout d'un an seulement, cet artiste était déjà connu et méritait divers prix. On parla même de lui dans une revue d'architecture, et la présence d'un de ses vitraux dans notre maison a contribué à en augmenter la valeur lorsque nous l'avons revendue.

Quant à mon auxiliaire romain, eh bien…, je ne l'ai plus jamais revu.

Le monde des esprits a aussi ses vedettes

Les auxiliaires les plus intéressants semblent être des gens célèbres décédés auxquels vous pouvez faire appel en cas de besoin. Personnellement, il m'arrive souvent de solliciter l'aide du médium et spirite Edgar Casey lorsque je pratique à mon tour la médiumnité, surtout pour ce qui a trait aux vies antérieures et aux problèmes de santé. Dans ces domaines, je dois dire qu'il m'a souvent aidée plus que tout autre guide.

Mon amie Julia Cameron, écrivaine et dramaturge de réputation internationale, invoque Rogers et Hammerstein lorsqu'elle compose des chansons pour des comédies musicales, ainsi que le célèbre metteur en scène John Newland lorsqu'elle travaille sur des pièces de théâtre. De la même façon, une de mes clientes qui pratique depuis peu la médecine invoque régulièrement Marie Curie lorsqu'elle pose des diagnostics.

Les guides auxiliaires célèbres n'ont pas leur égal pour nous inspirer ; à preuve, mon ami le chanteur rock Billy Corgan. Lorsqu'il travaillait à son album *The Future Embrace*, il a eu l'impression de canaliser de magnifiques compositions signées par de grands musiciens évoluant dans l'Au-delà. En entendant cette musique, j'ai été si impressionnée par son caractère céleste que je me suis dit que Billy avait certainement été aidé.

Je connais un autre jeune compositeur qui, lui, invoque l'esprit de John Lennon quand il écrit des chansons. De plus, je sais que de nombreuses personnes font appel à Elvis Presley. À en juger par la vitalité de l'industrie du rock, ainsi que par le nombre de personnes qui perpétuent le style d'Elvis, en vivent et y prennent immensément plaisir, je crois bien que le chanteur accède aux demandes qui lui sont faites.

Lorsque j'étais jeune, ma mère a commencé à étudier la peinture par correspondance. Sa détermination était telle qu'elle a réalisé des progrès fulgurants qui lui permirent de participer à divers concours. Chaque fois qu'elle manquait d'inspiration, elle s'arrêtait et priait. Alors qu'elle était dans un état proche du rêve, Fra Angelico, célèbre peintre de la Renaissance, vint lui donner des conseils sur la manière d'améliorer son œuvre. Ma mère a même été guidée par ce grand artiste tout au long de la réalisation d'une œuvre particulièrement difficile qui lui a valu de remporter un concours d'envergure nationale !

L'idée d'invoquer des personnages célèbres pour vous aider vous paraît peut-être outrancière, mais qu'est-ce qui vous en empêche ? Ces âmes, qui ont réussi à faire fructifier leur talent de façon extraordinaire, ne demandent pas mieux que d'en faire profiter d'autres. Hillary Clinton, par exemple, a invoqué Eleanor Rosevelt lorsque son mari était président. Bien des gens trouvaient cela ridicule, mais, personnellement, je trouvais cela génial… Si l'on songe à ce qui s'est passé dans la vie d'Hillary à l'époque et à tout le chemin qu'elle a parcouru depuis, je dirais que cette femme a certainement reçu de l'aide.

Même ma fille, qui éprouve des difficultés en sciences et en mathématiques, ne se gêne pas pour demander l'assistance des meilleurs tuteurs, y compris Einstein (à qui elle fait appel régulièrement). Répond-il à sa requête ? Je dirais que oui, car non seulement réussit-elle ses examens, mais aussi a-t-elle obtenu des A cette année.

Si vous avez besoin d'un coup de pouce dans un domaine en particulier et que vous connaissez un personnage célèbre qui est passé dans l'Au-delà, invoquez-le. Essayez d'en obtenir une photo, sinon écrivez simplement son nom sur un bout de papier, méditez en pensant à son esprit, puis demandez-lui de voler à votre secours. Il n'est pas nécessaire de l'implorer, car il est maintenant dépourvu d'ego : c'est un esprit ! Contentez-vous de lui demander son aide en essayant d'être le plus précis possible.

Voici un conseil : il arrive qu'on se sente « petit » en présence d'un grand esprit... même s'il n'est plus incarné, mais rappelez-vous que dans le monde des esprits, nous formons tous une seule et même famille dont les membres vibrent à des fréquences différentes sans être séparés pour autant. Lorsque vous adressez une demande à des vedettes du monde des esprits, sachez qu'il leur incombe de vous soutenir dans l'épanouissement de votre créativité et que leur rôle ne consiste pas simplement à vous transmettre leurs idées. Les auxiliaires (même les plus célèbres) ne considèrent pas que vous êtes « petit » : ils perçoivent votre magnificence et souhaitent vous aider à la découvrir.

À vous, maintenant

Pour invoquer vos guides auxiliaires, qu'il s'agisse de personnages célèbres, de parents ou d'amis, déterminez avec précision le type d'aide que vous recherchez et demandez à bénéficier du plus haut niveau d'expertise en la matière. Malgré tout le plaisir qu'on peut avoir à faire appel à des parents ou amis décédés, il faut se rappeler que le fait d'avoir traversé de l'autre côté ne fait pas nécessairement de ces personnes des êtres éveillés.

S'ils avaient un certain talent de leur vivant, vos proches qui sont décédés peuvent certainement vous aider. Cependant, si votre mère était une joueuse invétérée, ne prenez pas conseil auprès d'elle pour tenter de liquider vos dettes. Par contre, si votre grand-mère a vécu heureuse avec son mari pendant plus de 60 ans, n'hésitez pas à recourir à elle pour régler vos différends avec votre conjoint ou votre amoureux. Il suffit de faire preuve de jugement lorsque vous demandez de l'aide, comme dans le monde des vivants. Ouvrez votre cœur, apaisez votre esprit et écoutez…, l'aide viendra jusqu'à vous, n'en doutez *jamais*.

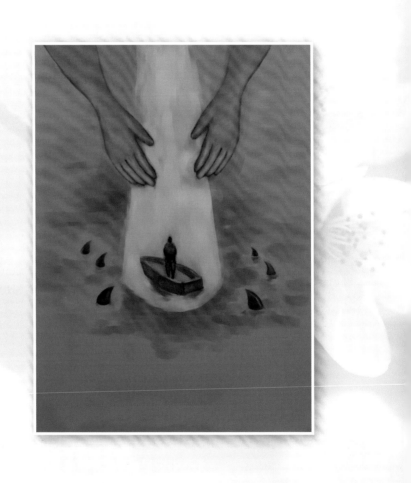

CHAPITRE 15

Les guides guérisseurs

Vos guérisseurs sont parmi les guides les plus merveilleux avec qui vous puissiez entrer en contact. Ils se répartissent en deux catégories : ceux qui ont été guérisseurs, médecins ou soignants lors d'incarnations précédentes et qui s'occupent de votre corps ; ceux qui émettent des fréquences très élevées, qui ne se sont peut-être jamais incarnés et qui s'occupent de votre esprit.

En général, ils essaient de toutes les façons d'entrer en contact avec vous, que ce soit par la télépathie, les rêves, une légère poussée ou toute autre sensation corporelle. Ils recourent au besoin à des intermédiaires pour vous faire parvenir des messages et ils ont la réputation de déplacer des montagnes pour que vous soyez là où vous devez être au moment opportun. Ils ont recours à toutes sortes de ruses pour parvenir à leurs fins.

Leurs interventions sont subtiles au début, mais ils n'hésitent pas, au besoin, à « hausser le volume », suivant la gravité de la situation.

Ils font tout en leur pouvoir pour vous aider, et contrairement à vos guides auxiliaires, il n'est pas nécessaire de faire appel à eux, car ils se sont engagés, au royaume des âmes, à guider vos pas jusqu'à votre dernier souffle.

Les membres de ce groupe ne contrecarrent pas vos décisions, mais, lorsque vous faites des choix qui nuisent à votre santé et à votre bien-être, ils vous le font savoir. Tom, un client qui vient d'apprendre qu'il souffre d'un diabète de type 2, m'a avoué que depuis 15 ans, chaque fois qu'il tendait la main vers un deuxième morceau de gâteau ou une troisième bière, son corps se crispait et il entendait une voix lui souffler dans l'oreille gauche : « *C'est trop, c'est trop.* ».

Se disant que c'était simplement la voix de sa conscience, il s'empressait d'oublier le tout, mais il ne pouvait s'empêcher de penser qu'il s'agissait d'autre chose. La tension et la voix semblaient venir non pas de l'intérieur, mais de l'extérieur, comme si quelqu'un se tenait à ses côtés. Pourtant, personne ne lui avait jamais conseillé de se restreindre, car il était mince, et ses excès étaient somme toute modérés.

En apprenant de quoi il souffrait, il a demandé au médecin comment il en était arrivé là, et celui-ci lui a répondu que ce pouvait être génétique ou causé par de mauvaises habitudes alimentaires. Peut-être consommait-il en *trop* grande quantité certains aliments qui, à quantité égale, seraient inoffensifs pour quelqu'un d'autre. Lorsqu'il a entendu le mot *trop*, Tom s'est tout de suite rappelé les nombreuses fois où ses guides guérisseurs lui avaient murmuré : « *C'est trop, c'est trop.* ».

Loin de se contenter de vous prévenir lorsque votre comportement met votre santé en péril, ces esprits guides attirent votre attention sur les dangers environnementaux qui vous menacent. Ils ont déjà transmis à Patrick, mon mari, un message important qui allait nous sauver la vie. Nous habitions alors une maison de brique de deux étages où nous travaillions tous les deux : moi à l'étage et lui au sous-sol.

D'ordinaire, Patrick travaillait de longues heures d'affilée, mais, un jour, il ne tint plus en place : il était bombardé de messages le pressant d'aller vérifier la chaudière. Chaque fois, il trouvait tout en ordre, mais les messages n'en continuaient pas moins d'affluer.

Il me raconta tout cela un soir avant d'aller au lit et termina en disant qu'il allait joindre les techniciens en chauffage dès le lendemain pour vérifier le bon fonctionnement du système avant la saison froide.

Au jour dit, l'expert en chauffage s'est présenté et il a découvert une fuite lente de monoxyde de carbone qui n'était pas dangereuse aussi longtemps qu'on ouvrait régulièrement les portes et les fenêtres, mais qui serait devenue mortelle en hiver. Heureusement que les guides guérisseurs, ce jour-là, sont parvenus à alerter Patrick !

Lorsque les esprits délèguent

Ces assistants travaillent également par la bande. Ils vous font rencontrer des gens qui vous parlent de nouveaux tests de dépistage ou de traitements novateurs, ou alors ils se contentent de vous diriger vers le bon médecin. Ces événements qu'on attribue le plus souvent au hasard n'ont pourtant rien d'aléatoires. J'imagine qu'un véritable ballet cosmique doit être orchestré pour faire coïncider notre présence avec les événements nécessaires à la résolution de notre problème.

Un jour, j'ai décidé de prendre rendez-vous chez l'esthéticienne pour un soin du visage, ce que je fais rarement ; or, plutôt que d'aller au salon de beauté de mon quartier, je me suis sentie poussée à joindre une femme qui habite la deuxième banlieue voisine et qui travaille chez elle. Elle venait me voir depuis plusieurs années comme cliente, mais je n'avais jamais songé à recourir à ses services avant que mes guides guérisseurs ne me soufflent « *Va voir Erica* » aussi distinctement que si quelqu'un m'avait parlé à haute voix.

— *Erica ?* répétai-je, incrédule. *N'est-elle pas un peu loin pour un simple soin de beauté ?*

Va voir Erica, entendis-je de nouveau…

Alors, j'y suis allée. Ravie de me recevoir, la dame mit tout son savoir, sa générosité et son professionnalisme à me prodiguer les meilleurs soins possibles. Pendant la séance, je mentionnai le fait que ma fille cadette, Sabrina, était aux prises depuis des années avec des migraines, des maux de ventre et de l'insomnie qu'aucun médecin ne pouvait expliquer.

— J'ai la personne qu'il vous faut, fit Erica en s'empressant de me communiquer les coordonnées d'un célèbre nutritionniste susceptible de venir en aide à ma fille. Je n'avais jamais songé à recourir à ce genre de spécialiste et j'étais immensément soulagée de pouvoir enfin aider Sabrina.

Nous avons tout de suite pensé que cette recommandation — et la visite à Erica — avait probablement été orchestrée par les esprits guérisseurs ; ma fille et moi nous sommes rendues chez le nutritionniste pour apprendre que Sabrina était allergique aux produits laitiers et au blé. Le miracle instantané que j'espérais ne s'est pas produit, mais, après avoir cessé de consommer ces aliments pendant un mois, Sabrina a vu son état s'améliorer graduellement, si bien que 95 % de ses ennuis de santé ont disparu, réduisant d'autant le nombre de visites à l'urgence de l'hôpital.

Comme ce fut le cas pour ma fille, les guides guérisseurs interviennent fréquemment lorsque le monde médical ne peut apporter de réponse ; ils essaient autant que possible de seconder nos guérisseurs terrestres. Le cas de Louise, une de mes clientes, est éloquent à ce sujet. Âgée de 36 ans, Louise était resplendissante de santé. Elle s'adonnait fanatiquement à la course à pied, surveillait de près son alimentation ainsi que tout ce qui pouvait avoir un effet sur sa santé. Puis, elle se mit à aller mal, de plus en plus mal ; en un an seulement, à son grand désespoir, son état se détériora au point de faire d'elle une quasi-invalide… sans raison apparente. Elle était souvent trop faible pour sortir du lit, elle perdait ses cheveux, sa vision était embrouillée et elle avait du mal à se concentrer.

Les spécialistes posèrent toutes sortes de diagnostics allant de la dépression au virus d'Epstein-Barr, en passant par le syndrome de fatigue chronique et le trouble bipolaire, mais les tests se révélaient tous négatifs, et l'état de ma cliente ne cessait de s'aggraver.

Louise perdit son emploi, son conjoint et son désir de vivre et, lorsqu'elle se présenta devant moi, elle était désespérée.

— J'ai l'impression de devenir folle, m'avoua-t-elle en pleurant. J'ai peine à me lever pour aller aux toilettes, et les médecins affirment que je suis simplement déprimée. Vais-je un jour m'en sortir?

J'ai demandé à ses guérisseurs et aux miens quelle était la nature du problème, et la réponse fut claire : « *C'est son alimentation.* ».

— Mon alimentation, répéta-t-elle sur un ton railleur, comment est-ce possible? Je ne mange que des légumes et du poisson; je m'alimente beaucoup mieux que la plupart des gens.

— Les guides ont dit que c'était votre alimentation, insistai-je.

— Mais je ne mange ni viande, ni sucre, ni aliments transformés, répliqua-t-elle. Comment mon alimentation pourrait-elle nuire à ma santé?

— Le problème vient peut-être du poisson, lui fis-je remarquer.

— Comment cela se pourrait-il? me demanda-t-elle, étonnée. Le poisson est bon pour la santé.

— Je ne sais pas, me contentai-je de répondre. Vous devez en parler à votre médecin. Il en sait peut-être plus long que vous et moi sur le sujet.

Louise se prépara à partir et me laissa savoir qu'elle était déçue que ni ses guides ni les miens n'aient pu poser de diagnostic plus précis.

J'avais l'impression, moi aussi, que mes guides m'avaient laissée tomber. J'aurais aimé renseigner davantage ma cliente, mais je n'ai aucun pouvoir sur l'information que je reçois. Pourtant, le message était tellement clair que je soupçonnais qu'un jour, le voile serait levé.

— Je suis désolée de vous avoir déçue, dis-je en raccompagnant Louise, mais n'écartez pas la possibilité que cette réponse soit la bonne. Parlez-en à votre médecin la prochaine fois que vous le verrez et voyez ce qu'il en dit.

La semaine suivante, Louise m'appelait :

— Sonia, dit-elle, vous ne devinerez jamais. Les médecins pensent savoir ce qui me rend si malade, et c'est vous qui me l'avez dit la première : je souffre d'un empoisonnement au mercure à cause de tout le poisson que je mange. Je voulais vous remercier.

— Ne me remerciez pas, répondis-je, remerciez plutôt vos guides guérisseurs. Ce sont eux qui ont découvert la cause de vos ennuis.

Il est formidable de recevoir de l'aide pour résoudre des problèmes de santé, comme dans le cas de Louise, mais les guides guérisseurs s'occupent aussi de l'âme, qui peut devenir malade et fragmentée sous l'effet de l'alcoolisme, de la consommation de drogues, de la dépression, de divers traumatismes et de mauvais traitements, surtout ceux qui sont infligés au cours de l'enfance. Ils soignent également les champs énergétiques, qui parfois s'affaiblissent en raison d'un sentiment d'identité défaillant, d'un manque d'estime de soi, d'épuisement ou de limites personnelles fragiles.

C'est ce qu'ils ont fait pour Noah, un client aux prises depuis des années avec la dépression, ainsi qu'avec une dépendance à l'alcool et aux drogues. Les répercussions sur sa vie ont pris des proportions gigantesques : sa femme l'a quitté, il a fait faillite, et ses enfants refusaient de lui parler. Il avait pourtant essayé de se corriger et, pour reprendre ses termes, de « devenir adulte ». Il a pris des antidépresseurs, a suivi un programme en 12 étapes et même participé à une thérapie de groupe. En son for intérieur, cependant, il restait persuadé que c'était la faute des autres et il n'hésitait pas à blâmer tout un chacun plutôt que de voir la réalité en face, jusqu'au jour où l'un de ceux avec qui il avait l'habitude de boire et de s'apitoyer sur son sort mourut soudainement d'un anévrisme au cerveau.

Anéanti, il constata la vacuité de sa vie pendant toutes ces années où il n'avait fait que s'autodétruire et il s'endormit en pleurant. Pour la première fois, il a demandé s'il y avait « quelqu'un là-haut qui pouvait l'aider » et il était sincère.

Un jour, Noah s'est assoupi et il a fait ce qu'on appelle un « rêve éveillé », dans lequel il rencontra un homme barbu vêtu d'un long manteau rouge et gris et chaussé de bottes noires. Les deux hommes se tenaient devant le corps assoupi de Noah.

Mon client s'adressa à l'homme barbu en ces termes :

— Je ne me supporte plus moi-même. Auriez-vous un conseil à me donner ?

L'homme lui adressa un sourire chaleureux qui lui alla droit au cœur et il dit :

— Oublie ton passé, aide ton prochain, purifie ton corps et ton esprit de toutes leurs toxines et mets-toi au service de Dieu... Sache également que nous sommes là pour t'aider.

Lorsque Noah s'est réveillé, des échos de la voix de l'homme résonnaient encore dans sa tête et il eut enfin le sentiment d'être important aux yeux de quelqu'un et d'avoir de l'aide à portée de main. Il put cesser ses comportements autodestructeurs et mettre fin à sa vie de débauche, car la profonde blessure qui l'habitait depuis toujours était guérie.

Il considérait — et moi aussi — qu'un véritable miracle s'était produit. À 46 ans, il reprit ses études en pédagogie, chose à laquelle il avait souvent pensé, mais qu'il n'avait jamais trouvé le courage de faire.

J'ai vu de nombreux miracles s'accomplir grâce à Dieu et à la collaboration de ses magnifiques guides guérisseurs. Leur travail consiste principalement à vous insuffler de l'espoir pour que vous puissiez sortir de vos ornières et laisser les forces divines universelles vous pénétrer pour guérir votre corps, votre âme et votre esprit.

La guérison par les mains

L'automne dernier, mon amie Lilly, tout juste débarquée de Bulgarie, souffrait affreusement d'une fissure à une dent. Elle chercha, à Chicago, un dentiste qui pouvait la voir d'urgence — et qui parlait bulgare —, mais seule une dentiste dont la réputation laissait à désirer pouvait la recevoir. N'ayant pas la force de poursuivre ses recherches, elle décida d'aller quand même la voir, mais, avant de prendre place dans le fauteuil, elle pria avec ferveur pour que ses guides guérisseurs viennent à son aide.

Lorsqu'elle ferma les yeux et ouvrit la bouche, elle vit dans sa tête un shaman d'allure féroce à la chevelure de flammes rouges qui disait s'appeler Zonu. Rassurée, Lilly lui demanda d'aider la dentiste à bien réparer sa dent et, si possible, de sauver cette dernière. Quelques secondes plus tard, une autre guide apparut : une femme du nom de Madame Q, qui conversa avec Zonu.

Ils commencèrent aussitôt à travailler et à guider la main de la dentiste, se chargeant pour ainsi dire de la procédure. Au bout d'à peine 20 minutes, la dentiste, elle-même étonnée, annonça avoir terminé. Elle avait réussi en un temps record non seulement à sauver la dent de Lilly, mais aussi à la reconstruire à la perfection, ce qui constituait pour elle un nouvel exploit.

Cependant, Lilly n'était nullement surprise, car elle savait qu'il y avait du Zonu et du Madame Q là-dessous. Elle n'en remercia pas moins la dentiste avec effusion, en ajoutant qu'elle n'avait jamais douté que la spécialiste fût capable d'exécuter un travail aussi parfait.

Flattée et quelque peu perplexe d'avoir travaillé si bien et si vite, la dentiste s'est ouverte à Lilly :

— À vrai dire, je ne m'explique pas très bien ce qui s'est passé. Cela me rend mal à l'aise, mais je dois vous avouer que je n'étais pas aussi concentrée que j'aurais dû l'être et que, tout au long de la procédure, je n'ai pas cessé un instant de penser à la façon dont j'allais repeindre ma maison. Sans bien comprendre comment j'en étais arrivée là, j'ai constaté à un certain moment que j'avais terminé et j'avoue que c'est le plus beau travail que j'ai jamais fait de ma vie.

Éclatant de rire, Lilly a répondu :

— Peu importe comment les choses se sont déroulées, le fait est que vous avez fait de l'excellent travail et que je suis maintenant heureuse de rentrer chez moi. Alors, merci infiniment !

En son for intérieur, Lilly adressait ces remerciements à Zonu et à Madame Q, car elle savait qu'elle devait sa dent à la maîtrise de leur art. Ce qui l'a épatée, surtout, c'est la façon dont les guides ont emprunté les mains de la dentiste, pendant que cette dernière rêvassait, pour réparer la dent. Quand on connaît le milieu de l'art dentaire, on ne peut s'empêcher de penser que les guides de Lilly ont réalisé un véritable petit miracle : sauver une dent à prix plus que raisonnable !

Les guides guérisseurs ont pour mission première de vous aider à renouer avec votre nature divine, à vous sentir valorisé par cette filiation, et à accepter l'amour et les mille et un bienfaits que Dieu vous réserve. Il n'y a pas de guérison plus complète que lorsque vous vous ouvrez, cœur et esprit, à l'expérience de la valorisation de soi.

À preuve, une cliente de 37 ans ayant perdu sa maison et la garde de ses deux fils à l'issue d'un divorce prononcé au bout de cinq ans d'acrimonie. L'encre n'avait pas encore séché sur le jugement de divorce que Julie apprenait une nouvelle accablante : après la découverte d'une bosse sur son sein droit, on lui annonça qu'elle souffrait d'un cancer de stade IV et que ses chances de survie étaient minces. À peine relevée des épreuves qui avaient bouleversé sa vie de famille, voilà qu'un coup supplémentaire lui était assené : c'en était trop ! Rassemblant tout ce qui lui restait de courage, elle se soumit immédiatement à tous les traitements nécessaires — double mastectomie, radiation et chimiothérapie — mais, après, elle se sentit brisée, malade et n'avait plus le goût de vivre.

Un soir qu'elle était dans son lit, livide, malheureuse et souffrant de nausées, Julie décida qu'il ne valait plus la peine de vivre et elle renonça à lutter. Elle avait perdu son corps d'autrefois, ses deux fils, sa maison et même son identité d'épouse et de mère, et elle se sentait totalement dépossédée. Il ne lui restait plus qu'une envie : mourir.

Lorsqu'elle finit par trouver le sommeil, elle rêva qu'elle était entourée de 10 magnifiques femmes de tous âges qui chantaient de mélodieuses berceuses, peignaient sa chevelure et lui massaient les pieds et les orteils comme si elle était l'enfant la plus précieuse de la Terre. En larmes, elle leur demanda pourquoi elles étaient si bonnes pour elle.

La plus âgée sourit et lui dit qu'elles étaient venues l'aider à guérir et à retrouver le goût de vivre. Julie répondit que plus rien ne la rattachait à la vie et qu'elle avait échoué sur toute la ligne, mais la femme se contenta de sourire, de continuer à la peigner et à chanter.

S'abandonnant à leurs soins, Julie commença réellement à se relaxer. Jamais de sa vie elle n'avait ressenti une telle paix. Puis, elle s'éveilla : c'était déjà le matin. Son rêve s'était évanoui, mais il lui restait au plexus une douce chaleur. Chose remarquable, elle sentait au fond d'elle-même une profonde paix et une irrépressible envie de vivre. On aurait dit que ces femmes l'avaient délestée du poids qui l'accablait.

Julie décida de foncer droit devant elle, sans regarder en arrière, et de laisser la honte de côté. Elle changea son alimentation, dénicha un groupe de soutien et un thérapeute, et s'offrit un mentor. Deux ans plus tard, les médecins la déclaraient guérie. C'était il y a sept ans.

— Ces femmes ont fait un miracle pour moi, me dit-elle.

— Ce sont vos guérisseuses, répondis-je. Le miracle fut de faire en sorte que vous commenciez à éprouver de l'amour pour vous-même. C'est *ça* qui a guéri votre corps.

Saviez-vous que les guides guérisseurs…

*… font en sorte que vous vous sentiez toujours paisible,
en harmonie et rempli d'amour pour vous-même ?*

… sont doux, non coercitifs et indulgents ?

*… s'adressent à votre cœur et non à votre ego,
à votre essence éternelle et non à votre moi mortel ?*

Si vous n'avez pas suffisamment la foi, c'est parce qu'en chemin, vous vous êtes détaché de la Source divine qui vous a créé. De même qu'une fleur sans jardin n'arrive pas à pousser, une vie sans foi est synonyme de lutte. C'est peut-être ce qui taxe le plus la santé, aussi bien celle du corps que celle de l'âme et de l'esprit, et c'est ce que vous devriez demander en priorité à vos guides guérisseurs : la foi.

Ils commenceront par attendrir votre cœur, apaiser votre esprit et élever vos vibrations. Mon guide guérisseur Joseph m'a dit un jour que son travail ressemblait à celui d'un technicien en informatique qui réinitialise un ordinateur, élimine tous les virus et vieux programmes inutiles. Ainsi, le guérisseur nous libère des anciens schémas de comportement néfastes et rétablit l'équilibre.

Vos guérisseurs peuvent beaucoup pour vous, mais à condition que vous suiviez leurs directives et acceptiez de commencer à vous aimer. Dites-vous que chaque maladie vous donne l'occasion d'apprendre, de vous aimer, de célébrer qui vous êtes et d'accepter l'amour de Dieu. Lorsque cet amour divin n'est pas entravé, la guérison est possible.

Comprenez-moi bien : le fait de souffrir d'une maladie ou d'être aux prises avec de graves problèmes n'est pas synonyme d'échec. Notre âme choisit elle-même de relever certains défis qui échappent à notre compréhension et que nous devons nous abstenir de juger. Si l'on considère qu'à cela s'ajoutent les toxines environnementales, le stress émotionnel et les conséquences des mauvais choix que nous faisons dans cette vie-ci et de ceux que nous avons faits dans nos vies antérieures (le karma), il est impossible de réduire à une seule et même cause le déséquilibre dont nous souffrons. Toutes les maladies renferment une leçon pour la personne qui en souffre ou pour ses proches.

Les guides guérisseurs sont catégoriques : 1) quand il y a maladie (comme dans la vie en général), il ne faut *jamais* juger qui que ce soit, ni soi-même ni personne d'autre ; 2) il faut pardonner, d'abord à soi-même, ensuite aux autres. Si vous acceptez de mettre en pratique ces deux leçons, vous ouvrirez la voie aux guérisseurs pour qu'ils puissent faire leur travail.

Sachez cependant que l'intervention des guérisseurs ne vous dispense jamais de consulter au besoin des professionnels de la santé, des psychologues ou toute autre personne pouvant vous venir en aide sur le plan émotif. En fait, les guérisseurs ont également pour mission de vous orienter vers le bon professionnel.

C'est d'ailleurs ce qu'ils ont fait après la naissance de ma deuxième fille lorsque je me suis mise à souffrir de fatigue chronique. J'avais beau dormir le plus possible, mon état s'aggravait. Je me suis traînée de médecin en médecin et j'ai subi toute une batterie de tests sans que rien n'indiquât la cause de mon malaise.

J'ai donc demandé l'aide de mes guérisseurs, et le lendemain, alors que j'étais chez Barnes & Noble en train de faire des courses pour ma fille aînée, un livre sur l'hypothyroïdie est tombé d'un rayon, me frôlant la tête de quelques centimètres. Cela ne manqua pas d'éveiller ma curiosité, même si j'avais déjà subi des tests de dépistage pour cette carence. À l'époque, mon médecin m'avait dit que mon niveau d'hormones thyroïdiennes était suffisant, quoique limite, et que ma santé n'en souffrait pas, mais, à la lecture de ce livre, j'ai compris que quelque chose clochait.

Mes guérisseurs m'ont ensuite conduite vers un médecin en santé holistique, que j'ai consulté pour obtenir une deuxième opinion. Les résultats des tests furent identiques aux premiers ; néanmoins, le professionnel décida de me prescrire une très faible dose d'hormones thyroïdiennes naturelles, et ma fatigue s'envola. En un mois seulement, j'ai retrouvé toute mon énergie et ma vitalité. Les guides guérisseurs m'avaient de nouveau dirigée vers la bonne information, puis vers le bon spécialiste.

L'anecdote du manuel qui m'est littéralement tombé sur la tête n'est pas exceptionnelle, car les livres sont un des outils de communication préférés des guides guérisseurs. Mon guérisseur Charlie m'a dit que, lorsqu'une personne nous conseille un livre, il se peut que ce soit un signe de nos guérisseurs. Si deux personnes nous le conseillent, ça l'est sûrement. Et si nous en entendons parler trois fois, c'est que nos guérisseurs essaient réellement, par tous les moyens, d'attirer notre attention !

Ces esprits relèvent des anges guérisseurs et travaillent à des fréquences très élevées dans un océan d'amour et de compassion. Un peu comme les guides auxiliaires, plusieurs d'entre eux ont déjà revêtu la forme humaine, ce qui leur permet de comprendre les défis propres aux humains ainsi que les causes des maladies et des autres déséquilibres qui les affligent. Bon nombre sont issus d'anciennes civilisations comme Atlantis et la Lémurie, heureux de nous faire bénéficier de connaissances qu'ils ont gaspillées lors d'incarnations précédentes. Tous ceux avec qui j'ai travaillé se sont montrés infatigables, dévoués et éminemment reconnaissants de pouvoir aider.

Cependant, ils ne peuvent, pas plus que les autres guides, vous forcer à guérir et à retrouver votre équilibre : c'est à vous de le faire. Ils ont pour devise « Dieu aide ceux qui s'aident », mais ils vous accompagnent dans votre quête et, si vous voulez bien les suivre, ils vous ouvriront la voie.

À vous, maintenant

Pour invoquer vos guérisseurs afin qu'ils vous aident à attendrir votre cœur ou à soigner votre corps, vous devez d'abord éprouver de la compassion et de l'amour pour vous-même, ainsi que le désir de guérir. S'ils bénéficient de votre collaboration, ils sauront exactement quoi faire.

Pour invoquer les guérisseurs au nom de quelqu'un d'autre, ressentez pour cette personne de la tendresse, de l'amour inconditionnel et de la compassion. Ne pensez pas à sa maladie, car ce serait comme d'arroser les mauvaises herbes du jardin. Pensez uniquement à son rétablissement, tel que Dieu l'a prévu.

Dans les deux cas, la prochaine étape consiste à prier, ce à quoi les guérisseurs réagissent immédiatement. D'innombrables études confirment le pouvoir de la prière : ceux qui prient ou pour lesquels on prie guérissent mieux et plus rapidement que les autres.

Voici ma prière préférée pour invoquer la guérison :

Dieu la Mère, Dieu le Père et Divines Forces de guérison universelles,
aidez-moi à retrouver mon équilibre, tant dans mon corps
que dans mon âme et dans mon esprit.

Retirez de ma conscience et de mon corps tout ce qui entrave
le déroulement harmonieux de mon destin
tel que vous l'avez conçu dans votre Amour infini.

Je permets à toutes les forces de guérison mues par
le grand principe de l'Amour divin de s'unir pour favoriser
mon bien-être et je leur offre mon entière collaboration.

Amen

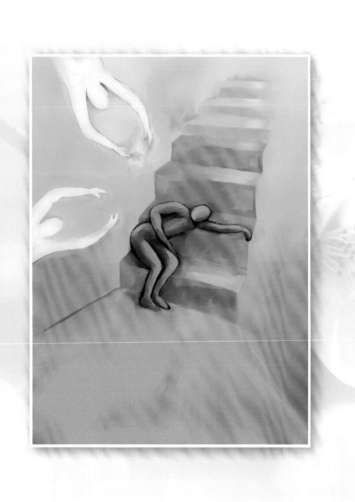

CHAPITRE 16

Les guides enseignants

Les enseignants comptent parmi nos guides les plus dévoués. Leurs vibrations sont très élevées, et ils travaillent de près avec nous pour nous éveiller à notre véritable nature et nous faire comprendre que nous sommes des êtres spirituels. Ils souhaitent nous aider à découvrir notre mission de vie et notre karma, c'est-à-dire les leçons que nous sommes venus apprendre ici-bas. En fait, le mot *karma* signifie « apprendre » et il évoque l'atmosphère d'une salle de classe.

Contrairement aux coursiers et aux auxiliaires, ces esprits ne s'intéressent pour ainsi dire pas au train-train quotidien. Les questions comme « Vais-je me marier un jour ? » ou « Devrais-je acheter une nouvelle voiture ? » ne sont pas de leur ressort. Ils font tout en leur pouvoir pour que vous soyez un jour libéré des limites imposées par votre ego et suffisamment éveillé pour jouir pleinement de votre capacité illimitée de vivre dans la joie en votre qualité d'être divin. De plus, ils se sont engagés à vous aider à être le plus utile possible à vos semblables. Ils vous apprennent à ouvrir votre cœur et à vous débarrasser de vos illusions, de vos peurs, de votre tendance à juger, de vos idées fausses et des limites que vous vous imposez.

Il arrive souvent que les mêmes guides enseignants supervisent votre âme durant plusieurs incarnations. Ils se regroupent de manière à former un bassin d'enseignants capables de vous suivre dans votre évolution. Chaque incarnation sur Terre représente un niveau de perfectionnement distinct, un peu comme nos années d'école.

Parmi eux, certains furent des mortels lors de vies antérieures, ce qui les rend sympathiques aux difficultés que rencontrent les humains dans leur cheminement. Sages, mentors ou saints, ils ont choisi de poursuivre leur travail en tant qu'esprits. C'est avec beaucoup de patience, de compassion — et souvent d'humour — qu'ils vous incitent à opter pour la voie qui comblera votre âme.

Bien que ces guides vous aient déjà enseigné lors de vies antérieures, ils attendent que vous leur fassiez signe pour intervenir de nouveau. Certains, récemment décédés, vous ont peut-être même enseigné dans cette vie-ci. Presque tous les médiums et les autres messagers spirituels avec qui j'ai conversé m'ont affirmé qu'au moins un de leurs professeurs, une fois décédé, continue d'avoir sur l'évolution de leur âme une influence décisive. Certaines âmes sont liées par des contrats qui s'échelonnent sur plusieurs vies.

Charlie Goodman et le docteur Tully m'ont tous deux enseigné dans cette vie et ils continuent de le faire alors qu'ils sont décédés depuis longtemps. Je les sens tout aussi proches de moi aujourd'hui que lorsque j'assistais, jeune et timide, à leurs cours respectifs.

Charlie, mon premier professeur, m'a enseigné presque tout ce que je sais sur le monde des esprits. Il a été le premier à m'apprendre le protocole à suivre pour travailler avec bon nombre de mes guides. Je suis très consciente de sa présence à mes côtés lorsque j'enseigne aux autres et même au moment où j'écris ces lignes. Il avait pour signe distinctif — et cela n'a pas changé — un rire en cascade, accompagné d'une énergie bouillonnante. Ses gloussements ne cessent de me rappeler que, sur le plan de l'âme, tout est toujours bien et qu'il ne faut jamais prendre les choses trop au sérieux.

J'adorais Charlie et je suis reconnaissante d'avoir pu rester connectée à lui après sa mort. Il connaît mes forces et mes faiblesses, et, chaque fois que l'insécurité, la peur, le jugement des autres, l'impatience, la satisfaction de soi ou la colère me font dévier de ma route, son rire me délivre du sort qui m'emprisonne, et je sais que cela me ramène inévitablement à mon centre.

Ma relation avec le docteur Tully, mon autre professeur, était beaucoup plus formelle, mais son impact sur mon cheminement n'en fut pas moins grand. Cet homme m'a démontré maintes et maintes fois qu'il existe une corrélation directe entre mes pensées et mes expériences. Il tirait son pouvoir en partie de son style détaché, et sa fréquentation m'a appris à réagir avec moins d'émotivité et davantage d'objectivité. Je lui en serai toujours reconnaissante, et j'avoue qu'il m'arrive encore d'avoir besoin d'un coup de pouce pour y arriver. Son signe distinctif ? Une voix puissante qui met instantanément fin au bavardage inutile qui m'encombre l'esprit.

Le docteur Tully m'a enseigné à dompter mon mental plutôt que d'ajouter à sa confusion. C'est également lui qui m'a appris que mon âme était sur terre pour développer sa créativité, et que je devais prendre l'entière responsabilité de ma vie. Encore maintenant, lorsqu'il m'arrive d'avoir de nouveau le sentiment d'être une victime, j'entends la voix tonitruante du docteur Tully me rappeler les paroles de Shakespeare : « Rien n'est ni bon ni mauvais en soi, tout dépend de ce que l'on en pense. ». Mieux vaut donc surveiller vos pensées !

Mes guides enseignants les plus impressionnants sont les Trois Évêques. J'ai étudié auprès d'eux alors que j'étais prêtre en France, au Moyen Âge, et que je m'intéressais aux mystères anciens. Ils m'accompagnent depuis de nombreuses incarnations. Les Trois Évêques nous guident, mes clients et moi, lorsque vient le temps de prendre des décisions. Ils interviennent surtout pour aider quelqu'un à renforcer son intégrité et à forger son caractère. Ils s'y prennent de manière très directe pour signaler les mauvais choix et les erreurs du passé. Bien qu'ils ne mâchent pas leurs mots, c'est toujours avec beaucoup d'amour et de compassion — quand ce n'est pas avec humour — qu'ils s'adressent au potentiel suprême qui réside à l'intérieur de mes clients et de moi-même.

Peut-être avez-vous en tête quelqu'un qui vous sert de professeur dans le monde des esprits. En fait, certains de ces guides sont encore vivants. Non seulement vous guident-ils alors que vous en êtes conscient, mais aussi le font-ils pendant que vous rêvez et même que vous rêvassez. La plupart de nos contacts avec nos guides enseignants passent par cet état onirique, car nous sommes généralement beaucoup trop pris par le quotidien pour réfléchir à notre mission de vie. Il arrive aussi que les guides profitent de ce que nous méditons pour communiquer avec nous : c'est une merveilleuse façon d'être en contact avec eux alors que nous sommes conscients. Ils continuent généralement à nous aider depuis l'Au-delà.

Comme guide spirituelle et enseignante, il m'est arrivé des centaines de fois d'apprendre que j'étais apparue en rêve à l'un de mes étudiants ou que j'étais soudainement entrée dans son champ de conscience sans raison particulière. Certains m'auraient même rencontrée en esprit alors qu'ils étaient aux prises avec des difficultés, et je n'hésite pas à le croire. L'esprit n'étant pas limité par le corps, je peux me trouver à deux endroits en même temps.

J'avoue que je me réveille parfois le matin avec l'impression d'avoir passé la nuit à aider et à guider mes étudiants, ce qu'ils me le confirment plus tard. Peut-être cela vous est-il arrivé aussi ? Sur le plan de l'âme, vous aidez quelqu'un et, pendant que votre corps est endormi, vous travaillez dans le monde des esprits.

Parmi les guides enseignants qui me sont les plus chers, deux sont encore vivants. Il s'agit de Lu Ann Glatzmaier et de Joan Smith, deux âmes d'une grande profondeur que j'ai rencontrées à l'âge de 14 ans. Je communique avec elles non seulement sur le plan physique, mais aussi en rêve. Pendant mon sommeil, il m'arrive régulièrement d'avoir avec elles de longues conversations qui me font du bien à l'âme et qui me sont aussi précieuses que celles que j'ai avec elles au téléphone ou face à face. C'est alors moi qui suis l'élève, et je « vais en classe » souvent jusqu'aux petites heures du matin, ce qui explique que je sois épuisée au réveil. Peut-être cela vous arrive-t-il aussi lorsque vous apprenez d'un autre ou que *vous* êtes le professeur.

Il se peut que vous soyez surpris d'apprendre que certains de vos guides sont vivants ou que vous serviez vous-même de guide à quelqu'un d'autre, mais n'oublions pas que notre âme a déjà vécu et que nous pouvons avoir acquis de l'expérience et même être passés maîtres dans certains domaines et avoir encore beaucoup de choses à apprendre dans d'autres. Charlie et le docteur Tully m'ont appris que nous sommes tous à la fois élèves et professeurs les uns des autres et que nous formons, ensemble, un grand tout dont chacun est une cellule.

Vous pouvez également vous connecter à d'anciens sages qui possèdent la conscience et la discipline spirituelles nécessaires pour faire taire le mental et entrer directement en contact avec le divin. Ce sont des êtres doux, aimants et extrêmement patients qui viennent à vous lorsque vous vous interrogez sur votre nature véritable et votre mission de vie et que vous souhaitez vivre au plus près de ce que vous êtes. Ils préfèrent souvent taire leur identité, car ils ont dû travailler très fort et très longtemps par le passé pour parvenir à dissoudre leur ego.

Ces guides ont tendance à vous orienter vers des conférences, des ateliers, des séminaires ou des groupes à caractère spirituel. Bon nombre d'entre eux s'efforcent depuis les années 1950 d'élever la fréquence de la conscience collective, et les résultats sont probants. Alors que, dans les années 1960, seul un groupe relativement restreint de « hippies » s'intéressait à la spiritualité, ses adeptes se comptent aujourd'hui par milliers grâce en grande partie à ces guides, qui ont fait connaître la méditation, la relaxation, les massages thérapeutiques et l'utilisation de l'intuition comme outil d'exploration. Les guides enseignants sont également responsables, aux côtés de leurs confrères guérisseurs, du pont qui a été jeté entre les sciences et la religion, grâce auquel la spiritualité est « descendue dans la rue », donnant naissance à des groupes de soutien à caractère thérapeutique fondés sur les 12 étapes et ouvrant la porte aux médecines douces et holistiques, autant de portails menant vers l'éveil de l'âme.

Saviez-vous que les guides enseignants...

... viennent maintenant à nous en très grand nombre dans pratiquement tous les domaines de la connaissance ? Ils se servent entre autres de la physique quantique pour nous apprendre que nous sommes de l'énergie pure, de purs esprits et que seules nos pensées nous limitent. Ils introduisent de nouvelles découvertes et balaient d'anciens préjugés dans presque toutes les disciplines.

... nous font signe maintenant que notre monde est menacé et s'efforcent de faire évoluer notre vision des choses sur le plan spirituel ?

... ont pour principal objectif de nous aider à perdre la fausse identité que nous nous sommes créée et qui correspond à notre ego ?

... nous incitent à vivre pleinement et dans la vérité, en accord avec notre esprit ?

Les guides enseignants se servent souvent de messagers qui nous suggèrent de prendre des ateliers ou de suivre des séminaires. Un jour que j'étais dépassée par les événements, luttant pour conjuguer mariage, enfants et travail, j'ai demandé à mes guides enseignants comment faire pour mettre un peu d'ordre et d'harmonie dans tout cela. Dès le lendemain, j'ai été invitée à suivre le Hoffman Quadrinity Process, un atelier intensif de huit jours où l'on m'a enseigné des stratégies originales me permettant de vivre en harmonie avec mon esprit. Ce fut l'un des cours les plus intéressants qu'il m'ait été donné de suivre (vérifiez par vous-même au www.hoffmaninstitute.org).

Vous saurez que vos guides enseignants sont près de vous lorsque vous ne retirerez plus autant de satisfaction de votre vie et que vous vous sentirez prêt à évoluer. Max, par exemple, avait tout pour lui... en apparence. Ce pilote de ligne célibataire âgé de 40 ans possédait argent, succès et gloire. Il était également le fils unique d'une mère d'origine italienne plutôt vieux jeu qu'il trouvait exigeante, mais qui l'adorait. Secrètement cependant, il était malheureux et aux prises avec des conflits ; il s'ennuyait profondément et cherchait un sens à sa vie. Tout cela faisait de lui un être légèrement dépressif.

Un jour qu'il attendait dans un avion vide que le personnel et les passagers commencent à embarquer, il ferma les yeux pour se détendre quand, soudain, il sentit à l'intérieur de lui une puissance supérieure qui sembla ouvrir dans sa tête une porte barricadée. C'était comme si une force aimante lui avait ouvert les yeux et le cœur, et il comprit instantanément que son insatisfaction provenait de son égoïsme et de son égocentrisme.

Il n'a pas entendu de voix, et aucun fantôme n'est venu lui rappeler ses Noëls d'antan. Il a simplement senti une ouverture à l'intérieur... et il a vu là où ses anciens choix le mèneraient s'il poursuivait dans la même direction. Comprenant à quel point il s'était mal comporté, il eut honte, et la tristesse l'envahit.

Il était si ahuri de voir ce qu'il était devenu qu'il eut du mal à se concentrer sur son travail ce jour-là. Il put se rendre à Chicago (où il était affecté), mais fut incapable de se présenter à son prochain vol ; alors, il se porta malade, car c'est ainsi qu'il se sentait.

Il entra ensuite dans une sorte de nuit noire de l'âme. Toujours en présence de ses guides, il put remonter jusqu'à la mort de son père alors qu'il n'avait que 11 ans et qu'il a décidé ce jour-là de ne plus jamais souffrir de la perte de quelqu'un. Dorénavant, il ne penserait qu'à lui-même.

Devant cette constatation, il s'est écrié « *Que dois-je faire maintenant ?* », mais aucune réponse ne lui parvint. Le lendemain matin, toujours en congé de maladie, il décida d'aller faire une promenade en voiture et se retrouva, sans trop savoir comment, devant ce qui était à l'époque une toute petite librairie spécialisée dans le Nouvel Âge. Jusque-là, il ne savait même pas ce qu'était un livre de croissance personnelle, et, pour lui, le mot *esprit* était plus proche de « spiritueux » que de « spiritualité ». Fasciné, il passa trois heures à bouquiner et ressortit avec, sous le bras, une dizaine de livres portant sur l'âme, les missions de vie et la méditation.

Le voyage spirituel de Max a débuté le jour où ses guides l'ont conduit devant le « miroir » pour qu'il constate ce qu'il était devenu. Il fut ensuite dirigé vers des ressources qui lui firent entrevoir la possibilité de vivre de façon plus authentique. Il commença par les livres, puis il suivit des cours, prit des ateliers et consulta des thérapeutes et des mentors intuitifs pour aboutir finalement dans mon bureau.

L'évolution de son âme fut lente mais constante. Ses guides enseignants le mirent en contact avec un groupe de bénévoles qui aident des enfants de pays en voie de développement ayant un urgent besoin de soins médicaux. Max en accompagna plusieurs dans l'avion qui les amenait aux États-Unis. Il en retirait tellement de satisfaction qu'il décida de ne travailler qu'à temps partiel pour se consacrer davantage à cette activité. Au contact de ces enfants, il a ouvert son cœur et appris à aimer de nouveau, sans restrictions et sans armure. Ses guides avaient bien fait leur travail.

Il a saisi quel était leur but ultime : nous redonner la capacité de nous attendrir, d'aimer le monde dans lequel nous vivons, de nous aimer nous-mêmes et de comprendre que, bien que différents les uns des autres, nous faisons tous partie de la même famille. Lorsque nous faisons du mal aux autres, c'est à nous que nous en faisons ; lorsque nous aidons les autres, c'est nous que nous aidons.

À l'écoute des maîtres

Outre nos guides enseignants actuels et ceux qui nous viennent du passé, nous communiquons avec au moins un mais jamais plus de deux grands maîtres spirituels. Ces derniers font partie d'un groupe que l'on appelle les « Maîtres ascensionnés » ou la « Confrérie de la lumière blanche » et ils travaillent avec nous aussi bien personnellement que de façon plus globale pour élever notre niveau de conscience. Les plus connus ont vécu sur Terre, comme Jésus, Marie Mère de Dieu, Quan Yin, Bouddha, Mohammed, Wakantonka et sainte Germaine, pour ne nommer que ceux-là.

Beaucoup de gens, et c'est mon cas, ont comme grand maître un des deux premiers, et leur attachement pour lui est très grand. J'ai une cliente qui se sent si proche de Marie qu'elle récite trois rosaires par jour. C'est la femme la plus aimante que je connaisse : elle a servi de famille d'accueil à plus de 14 enfants et en a adopté 8 autres. Elle croit que c'est Marie — notre mère à nous tous — qui lui donne l'énergie, la patience et la foi nécessaires pour poursuivre dans la joie.

Un autre de mes clients, Maurice, raconte tout à Jésus, et je comprends sa dévotion. Après avoir perdu toute sa famille dans l'incendie de sa maison et avoir subi des brûlures sur plus de 40 % du corps, il dit que c'est Jésus qui lui a appris à pardonner et à regarder devant. Il est maintenant tuteur auprès d'enfants handicapés et vit en paix avec lui-même.

Le cours est commencé

Vous saurez que vous avez pénétré dans la classe d'un guide enseignant si votre cœur s'attendrit et que vous vous sentez plus réservé, plus enclin à écouter qu'à parler. Vous êtes « sous influence » si vous avez envie de lire des livres sur la spiritualité ou de devenir membre d'un groupe pouvant vous aider à évoluer ou que vous travaillez avec un mentor. Cela est encore plus vrai si vous vous sentez appelé à servir l'humanité de manière engagée et totalement désintéressée.

Les leçons que vous recevrez seront adaptées aux besoins de votre âme. Les guides enseignants savent qu'en matière d'éveil spirituel tout le monde ne chausse pas la même pointure. Les guides de l'un l'envoient à l'église, tandis que les guides d'un autre l'en éloignent afin qu'il puisse développer un contact plus personnel avec Dieu et l'Univers.

Les guides enseignants insistent pour que vous sachiez qu'il existe *plus d'une façon* de vous connecter à votre âme. Vous devez écouter votre cœur, suivre ce qu'il vous dit, accepter d'être vous-même et vivre en acceptant qui vous êtes et en ressentant de l'amour pour vous-même plutôt que d'avoir toujours peur de déplaire.

Ne craignez jamais de faire trop souvent appel à vos guides enseignants. Ils sont d'abord là pour vous qui cherchez votre chemin dans la nuit noire. Demandez et vous recevrez.

À vous, maintenant

Choisissez un endroit tranquille et demandez à votre Moi supérieur d'ouvrir votre cœur pendant que vous respirez profondément et de manière détendue, puis invitez vos guides enseignants à venir à vous. Ensuite, demandez-leur ceci : « Qu'ai-je à apprendre en ce moment, et comment pouvez-vous m'aider à le faire ? De quoi est-ce que je me cache ? De quoi ai-je peur ? ».

Écoutez en silence et, si vous vous sentez capable de répondre à ces questions à voix haute, laissez parler votre cœur tandis que vos guides vous aideront à répondre.

Plus que tout autre esprit, vos guides enseignants obéissent à des normes très strictes. Jamais ils ne vous isolent ni ne vous flattent, même s'ils font tout en leur pouvoir pour que votre expérience d'apprentissage soit des plus positives. Ils ne vous comparent jamais à d'autres. Ils se contentent de vous donner des suggestions, jamais des ultimatums, mais ils *exigent* de vous un maximum d'efforts. C'est bien eux qui vous ont conduit vers le livre que vous avez entre les mains, n'est-ce pas ?

Comme tous les guides, les guides enseignants savent exactement ce que vous voulez. Ils s'assurent que votre apprentissage s'effectue graduellement et vous accompagnent aussi longtemps que vous avez besoin d'eux. N'oubliez pas ceci : lorsque l'élève est prêt, les professeurs se présentent. Si vous êtes prêt, ils le sont eux aussi.

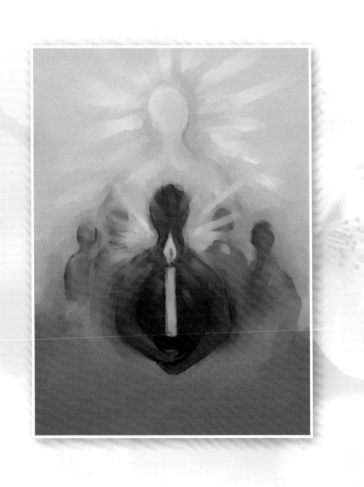

CHAPITRE 17

Les guides animaux

I l y a des guides que nous avons tendance à oublier même s'ils comptent parmi les plus puissants et les plus importants : ce sont les animaux. À une époque reculée, les humains entretenaient des liens étroits avec la nature et n'hésitaient pas à consulter les animaux pour leur sagesse et leur puissance. Depuis, nous nous sommes éloignés de ce royaume, mais le lien existe encore, et différentes créatures communiquent régulièrement avec nous, aussi bien dans le monde matériel que dans nos rêves, alors qu'elles tentent de s'adresser à notre âme et à notre esprit.

Les animaux font partie du monde des enseignants. Certains nous transmettent la sagesse et les compétences nécessaires à notre survie, d'autres nous montrent à nous métamorphoser et à nous adapter, ce qui est parfois très utile. Drôles et enjoués, ils peuvent nous inciter à prendre la vie un peu moins au sérieux et à rire de nos difficultés. Beaucoup sont reconnus pour leur fidélité et leur amour inconditionnel, alors que d'autres cultivent le détachement et préfèrent rester fidèles à eux-mêmes plutôt que de faire plaisir aux autres. Il y a aussi des détectives et même des animaux qui ont le pouvoir de disparaître. Quoi qu'il en soit, ils sont tous capables d'éveiller notre âme et possèdent une manière bien à eux de s'adresser à nous.

Les animaux accomplissent leur travail d'esprits guides de trois façons : 1) en communiquant directement avec nous ; 2) en s'adressant à nous dans nos rêves, par l'intermédiaire du plan astral ; 3) en offrant leur esprit comme totem ou portail d'accès à la puissance ou à l'énergie qui leur est propre pour nous aider à atteindre nos buts.

Il est possible d'apprendre à se connecter aux guides animaux si l'on s'exerce d'abord à percevoir l'esprit de ses propres animaux de compagnie. Choisissez un animal avec lequel vous vivez ou avez déjà vécu et essayez de déterminer ce que son essence vous apporte ou vous a apporté en cadeau. Nous avons à la maison un caniche noir miniature du nom de Miss T, une créature adorable, dévouée et sensible qui travaille sans relâche à donner exactement la même quantité d'amour inconditionnel à chaque membre de la famille. La nuit, par exemple, elle s'assure de passer du temps avec chacun : elle commence dans mon lit, puis elle passe quelques heures dans le lit de Sabrina pour aboutir dans celui de Sonia, mon autre fille. Le jour, elle reste avec moi lorsque je donne des consultations, se couche au pied du pupitre de chacune de mes filles lorsqu'elles étudient et passe l'après-midi dans le bureau de mon mari. En vérité, nous sommes tous les quatre plus calmes et plus heureux en sa compagnie.

Nous sommes conscients de ses pouvoirs de médium et comprenons sa façon de communiquer avec nous, peu importe l'heure. Lorsque je suis éveillée, je n'ai qu'à jeter un coup d'œil rapide à Miss T pour savoir si je peux faire confiance à quelqu'un. Lorsqu'elle grogne ou montre les dents, ce qui est très rare, je sais immédiatement que je dois me méfier de l'inconnu en question.

Un jour, nous avons retenu les services d'une baby-sitter à la personnalité très attachante et que l'on nous avait chaudement recommandée. Or, Miss T n'était pas du même avis. C'est tout juste si elle tolérait sa présence parmi nous, et elle ne la quittait pratiquement pas des yeux, laissant entendre qu'on ne pouvait pas faire confiance à cette étrangère. Au bout de quelques jours, nous avons reçu un appel de son père, furieux, qui nous expliqua qu'elle avait fugué et qu'il exigeait qu'elle rentre tout de suite à la maison. Nous avions *senti* que quelque chose clochait, mais notre petite chienne, elle, le *savait*. Nous avons donc renvoyé la jeune fille chez elle.

Miss T possède un esprit très enjoué. Elle danse, fait des tours et joue à la balle et à la cachette pour nous remonter le moral. Elle a déjà aidé Patrick à se détendre, m'a empêchée de trop travailler et a tenu compagnie à mes filles tout en les rassurant. Ses cadeaux sont innombrables.

Il y a quelques années, j'avais remarqué sans trop m'y attarder que Miss T n'était pas tout à fait dans son assiette. Puis, j'ai rêvé qu'elle était malade et qu'il fallait l'emmener chez le vétérinaire, ce que Patrick s'est empressé de faire dès le lendemain matin. Malheureusement, l'examen ne révéla rien d'anormal. Le soir même, Miss T se rendit dans la chambre de ma fille Sonia et lui fit comprendre qu'elle avait besoin d'aide. En regardant dans sa gueule, Sonia découvrit un petit os de poulet logé tout au fond de sa gorge et elle le retira. Miss T aurait pu en mourir mais, dès que l'os fut délogé, elle fut soulagée et redevint elle-même.

Les chats sont, eux aussi, d'excellents enseignants et ils communiquent avec notre âme. Personnellement, j'y suis allergique, mais mon frère Anthony a eu deux tigrés, Summer et Winter Girl, qui l'ont souvent réconforté et amusé lorsqu'il était malade ou stressé. Leurs cabrioles et leur présence apaisante l'ont gardé heureux et ouvert alors qu'il aurait tout aussi bien pu se replier sur lui-même. À bien des égards, ils furent ses guérisseurs, ce qu'il n'hésite pas lui-même à affirmer.

Les oiseaux, eux aussi nous parlent. Marion, un de mes clients, leur demande régulièrement conseil. Il s'apprêtait à se lancer en affaires avec son beau-frère dans un projet d'ouverture de salles de cinéma lorsqu'il remarqua, deux soirs d'affilée, la présence d'un hibou dans son jardin. Comme les oiseaux de ce genre sont des prédateurs, il pensa immédiatement à son beau-frère, ayant déjà pressenti chez lui de la ruse et de l'agressivité latentes. Il remercia le hibou de cet avertissement et déclina l'offre de partenariat. Une fois sa décision prise, l'oiseau a quitté son jardin.

Déçu, le beau-frère de Marion se trouva un autre associé, et, au bout d'un certain temps, la mésentente éclata lorsque les deux hommes se mirent à se disputer des parts de l'entreprise et furent trouvés coupables d'avoir caché des irrégularités comptables. Les salles de cinéma furent fermées, et des poursuites, engagées. Quant à mon client, grâce au hibou, il a continué d'entretenir des rapports harmonieux avec son beau-frère.

Je suis, moi aussi, guidée par des oiseaux, et ce, depuis de nombreuses années. Ils m'ont aidée entre autres à rester dans ma voie et ont guidé mon esprit. Il y a quelques années, les parents de Patrick ont eu un grave accident, et, peu de temps après, les arbres devant notre maison se sont remplis de corbeaux qui croassaient à qui mieux mieux, comme pour nous dire quelque chose. Ayant toujours cru que les corbeaux étaient un signe de puissance et de magie, j'ai pris leur présence au sérieux.

Ils croassèrent pendant 10 bonnes minutes, puis détalèrent tous en même temps. Je savais qu'ils voulaient nous faire savoir que mes beaux-parents s'en tireraient et qu'il ne fallait pas nous inquiéter. Bien sûr, je ne parle pas leur langage, mais je savais au fond de moi que c'était là leur message. Forte de la sagesse de ces oiseaux, j'ai dit à mon mari que ses parents se remettraient tout à fait de leurs blessures même si, à ce moment-là, les espoirs étaient minces. L'avenir a donné raison aux corbeaux, et je les remercie encore aujourd'hui d'avoir fait luire un espoir alors que tout autour de nous s'était assombri.

Une autre fois, alors que je n'arrivais vraiment pas à décider si j'allais ou non écrire mon autobiographie comme on m'avait invitée à le faire, je suis allée au lit (toute la famille passait des vacances en France, et nous logions chez les gens qui m'avaient hébergée lorsque j'y étudiais) en demandant à mes guides de me signaler très clairement ce que je devais faire, car je doutais à l'époque que cela intéresse qui que ce soit.

À cinq heures du matin, j'ai été tirée d'un sommeil profond par ce que j'appellerais une force supérieure et j'ai regardé dehors. Fonçant droit sur moi, une magnifique colombe blanche est entrée par la fenêtre pour venir se cogner sur ma tête ! Ayant appris de mes professeurs que les oiseaux sont les messagers de l'âme, ce signe étonnant m'a tout de suite fait comprendre que je devais écrire ce livre, ne fût-ce que pour le bien de mon âme.

Abasourdie, la pauvre colombe échoua dans un coin de la chambre, à moitié sonnée. Au bout d'un moment, elle revint à elle et prit son envol en direction du soleil levant. Quant à moi, j'ai fini par écrire ce livre ; je ne sais pas ce que les autres en ont retiré, mais je sais que, personnellement, ça m'a fait du bien à l'âme.

Voici une belle histoire d'oiseaux que mon neveu Jacob m'a racontée. Le jour de l'anniversaire du décès de son père, Jacob, triste et contrarié, a décidé d'aller marcher sur une plage déserte du Michigan près de chez lui. Pendant qu'il se promenait, il vit dans le ciel un magnifique aigle à tête blanche alors qu'il n'en avait jamais vu auparavant dans cet État. Puis, il regarda par terre et aperçut une rose figée dans la glace. Bien que saisi, il n'en fut pas moins réconforté, car il savait que l'aigle était un messager.

Cet oiseau est également apparu à ma très chère amie Julia Cameron alors qu'elle était tiraillée entre l'envie de quitter le quartier Riverside Drive, en périphérie de New York et le désir de prendre un appartement plus près du centre-ville. Craignant de s'ennuyer des espaces verts qu'elle affectionnait beaucoup, elle décida néanmoins de quitter son quartier. Le jour du déménagement, elle fut accueillie par un magnifique aigle juché sur l'escalier de secours juste sous sa fenêtre. Plusieurs autres personnes aperçurent également l'oiseau. Il resta juché là toute la journée, comme pour signifier à Julia qu'elle avait fait un bon choix, ce qui se révéla juste. En effet, elle n'a jamais aussi bien travaillé que depuis qu'elle habite cet appartement.

Les animaux nous envoient des foules de messages que nous percevons si nous sommes à l'écoute. Ma sœur Cuky, habituée à prendre soin des autres (elle était l'aînée d'une famille de sept enfants), venait d'amorcer sa carrière comme guérisseuse. Or, elle savait que, pour progresser, elle devait surmonter sa peur de se retrouver en pleine nature. Bien qu'elle aimât ses chats, elle avait toujours évité de communier avec la nature et n'avait même jamais dormi sous la tente. Décidée à faire face à ses peurs et à devenir une véritable guérisseuse de l'âme, elle prit le chemin du Nouveau-Mexique en direction des ruines Anasazi en compagnie de sa meilleure amie et apprentie shaman, Debra Grace.

Un jour qu'elles se promenaient dans les bois, les animaux semblèrent sortir un à un de derrière le feuillage pour épier Cuky lorsque, tout à coup, un écureuil roux l'aperçut et s'élança vers elle. Il courait tellement vite qu'elle était persuadée qu'il allait sauter sur elle. Muette de peur, elle figea sur place.

— Il fonce sur moi, marmonna-t-elle. Il fonce sur moi.

— Oh, mon Dieu, tu as raison, acquiesça Debra.

Ne sachant que faire, elles restèrent là sans bouger pendant que l'écureuil fonçait vers elles. Et à quelques centimètres seulement du visage de Cuky, il s'arrêta et lui sourit. Au bout d'une dizaine de secondes si ce n'est plus, il fit demi-tour et s'enfuit. C'était tellement drôle et inattendu que les deux femmes éclatèrent de rire. Cette petite bête était bien trop mignonne pour faire peur, et ma sœur s'était rendu compte que la charmante créature lui avait permis de surmonter sa crainte de la nature en la regardant littéralement droit dans les yeux.

Un an plus tard, Cuky passa un mois sous une tente à Hawaï, vivant uniquement des produits de la terre, pour apprendre le Lomi-Lomi, un ancien art de guérir. Il va sans dire que cela n'aurait pas été possible sans son voyage préalable au Nouveau-Mexique.

Les animaux, cependant, ne sont pas toujours mignons. Alors qu'il faisait une retraite de méditation dans les montagnes californiennes il y a quelques années, Patrick sortit se promener tout en réfléchissant à l'emprise de la peur sur sa vie. Aussitôt, un méchant pitbull à l'air menaçant surgit de nulle part, se posta devant Patrick et se mit à grogner en montrant les dents, prêt à bondir. N'ayant rien sur lui pour se défendre et voyant à quel point sa peur ne faisait qu'alimenter la férocité de l'animal, Patrick a pensé à faire appel à des techniques de méditation, ce qui lui a permis de calmer sa peur en respirant et en songeant à la paix.

Dès que Patrick fut détendu (ou en voie de se détendre), le chien a cessé de grogner, a fait demi-tour et est retourné voir son propriétaire, qui, lui aussi, semblait surgir de nulle part. Cette bête féroce a aidé mon mari à faire face à sa peur et à choisir de la maîtriser au lieu de se laisser dominer par elle. Dès qu'il y parvint, le chien se retira, et Patrick put réintégrer sa chambre en toute sécurité.

Ce ne sont là que quelques exemples de l'étroitesse des liens possibles entre vous et les guides animaux, ainsi que de la façon dont s'y prennent parfois ces derniers pour vous apprendre à mieux connaître votre esprit. Lorsque vous serez sensibilisé à ce type de rencontres, votre esprit s'ouvrira aux moyens extraordinaires empruntés par ces êtres pour vous guider. Ceux-ci n'ont même pas besoin d'être vivants pour y arriver!

Un jour que je me promenais à bicyclette au bord du lac, à Chicago, j'ai failli rouler sur un très gros rat écrasé. L'ayant évité de justesse, je me suis interrogée sur le sens de ce signe des plus perturbants, et deux réflexions me sont venues : 1) les rats sont loin d'être ragoûtants ; 2) il y en a dans mon quartier. En réfléchissant à tous les signes autour de moi, j'en ai conclu que l'esprit du rat mort m'avertissait du caractère peu recommandable de mon quartier et de ce vers quoi j'allais si je n'étais pas prudente. Plus j'y pensais, plus je me rendais compte qu'il y avait en effet, dans mon entourage immédiat, plusieurs personnes qui n'avaient pas le même sens des valeurs que moi et qui, à bien des égards, me faisaient penser à des rats. Le rongeur écrasé sur la piste cyclable m'invitait à m'éloigner de ces gens avant que les choses ne tournent mal (comme ce fut le cas pour l'animal), ce que je fis.

Quelques mois plus tard, j'appris qu'un de ces « rats » avait volé de l'argent et des cartes de crédit à des amis communs avant de quitter la ville pour éviter les poursuites. En effet, les choses avaient mal tourné, mais, grâce à l'avertissement que m'avait donné le rat mort, j'ai été personnellement épargnée.

Comme le prouve cette expérience, tous les animaux sont des enseignants et nous apportent des messages de guérison. Il suffit de rester vigilant. D'autres exemples me viennent à l'esprit. Je pense au profond bien-être que nous ressentons lorsque nous regardons des poissons glisser dans l'eau d'un aquarium (un seul poisson dans un bocal fait le même effet). Prenons les tortues : elles sont la protection incarnée. Elles vous montrent comment vous mettre à l'abri du monde en vous retirant en vous-même lorsque vous êtes stressé ou submergé. Les hamsters, eux, vous enseignent à coopérer et à avoir du plaisir. Il suffit de les observer lorsqu'ils s'amusent dans leur roue et dorment les uns contre les autres.

Saviez-vous que les guides animaux...

... comptent parmi vos esprits guides les plus puissants ?

... vous dotent de qualités qui enrichissent votre vie et réveillent votre créativité et votre intuition ?

... vous aident à retrouver les parties manquantes de votre âme et à vous reconnecter à la nature ?

Lorsque vous vous connectez à vos guides animaux, remarquez comment les différentes créatures communiquent avec vous par le rêve ; lorsqu'elles vous apparaissent, c'est un signe que leur esprit a quelque chose d'important à vous dire. En outre, il leur arrive souvent de se manifester sous forme de totems afin de vous donner l'énergie dont vous avez besoin. Tom, un client, rêva toute la nuit qu'il chevauchait un magnifique étalon blanc. Au réveil, il se sentit plus en forme que jamais. L'impact fut tel qu'il sut que l'animal ne lui avait pas rendu visite sans raison valable.

En y repensant, il se rappela à quel point il s'était senti puissant sur le dos du cheval, un sentiment qui s'était évanoui à son réveil. L'esprit du cheval était venu lui donner de la puissance. Tom accepta le cadeau et rassembla toutes ses forces pour avoir le courage de quitter l'emploi sans avenir qu'il occupait, de rompre une relation amoureuse sans issue et de déménager en Californie, projet qu'il caressait depuis longtemps. Le rêve lui permit de concrétiser chacune de ces actions décisives et de poursuivre sa route.

Si vous faites du sur-place ou que vous cherchez la guérison, vous pouvez demander aux esprits des animaux de vous aider à modifier votre vibration de manière à accroître votre énergie. Sachez cependant que c'est l'esprit de l'animal qui vous choisira, et non l'inverse.

Ce chapitre ne vous donne qu'un aperçu de l'univers de ces esprits guides peu communs. Il existe sur le marché de nombreux livres qui traitent du sujet en profondeur. Pour l'instant, cependant, soyez ouvert à toutes les créatures : celles qui meublent votre vie, celles que vous croisez en chemin, celles qui vous apparaissent en rêve et les guides animaux qui vous servent de totems. Il faut les aimer, les respecter et les apprécier grandement pour leur aide et les services qu'ils rendent à votre âme. Si vous leur permettez de vous aider, vous ne le regretterez pas.

À vous, maintenant

Possédez-vous un animal de compagnie ou vivez-vous à proximité d'animaux ? Commencez à vous connecter en apprenant à reconnaître la nature unique de l'esprit de votre petit compagnon ou de tout autre animal de votre entourage.

Comment décririez-vous son esprit ? Quelles leçons pouvez-vous en tirer ? Vous apporte-t-il des messages ou favorise-t-il votre guérison ? Laissez parler votre cœur, pas votre tête. Faites confiance à ce qui émerge et ne censurez pas vos émotions.

Attardez-vous ensuite aux autres animaux qui surgissent dans votre vie. Avez-vous, par exemple, remarqué des oiseaux récemment ? Avez-vous aperçu des chevreuils ou des chevaux ?

Essayez de vous souvenir de tout animal que vous auriez aperçu plusieurs fois dernièrement. Peut-être voyez-vous régulièrement des faucons, des lapins ou un autre animal sauvage. Demandez à votre esprit quel est le message transmis par ces animaux et faites confiance à ce que vous ressentirez.

Pour tirer le meilleur parti possible des cadeaux offerts par les guides animaux, gardez un cahier à portée de la main et, au réveil, notez-y tous vos rêves d'animaux et d'oiseaux ou, à tout le moins, racontez-les à quelqu'un (en qui vous avez confiance, bien entendu), car, lorsque ces créatures vous rendent visite, c'est pour apporter un message destiné à votre esprit.

Si vous souhaitez entrer en contact avec votre esprit animal totem, vous devrez utiliser le pouvoir de votre imagination. Voici comment procéder.

1. Choisissez un endroit où vous ne serez pas dérangé et détendez-vous.

2. Imaginez que vous entrez dans une caverne ou un vieux tronc d'arbre creux débouchant sur une prairie ou un champ.

3. Laissez-vous imprégner de la paix et de la puissance qui se dégagent de la nature en cet endroit.

4. Demandez à votre guide animal de vous apparaître dans ce magnifique décor et de communiquer avec vous. Quelle que soit la forme sous laquelle il se présente et la façon dont il s'adresse à vous, acceptez-le. Vous pourriez le sentir, le voir, l'entendre ou simplement savoir dans votre cœur qu'il est présent.

5. Une fois que vous aurez établi le contact en vous servant de votre imagination, retraversez la prairie ou le champ qui mène à la caverne ou au tronc d'arbre et revenez à la réalité. Prenez quelques instants pour vous recentrer et ouvrez lentement les yeux.

6. Lorsque vous connaîtrez votre guide animal, étudiez-le de manière à savoir tout sur lui. Il existe de nombreux ouvrages sur le sujet, dont ceux de Ted Andrews.

7. Quand le contact aura été établi, remerciez votre guide animal et demandez-lui de vous envoyer un signe qui confirme qu'il est bel et bien votre esprit guide. Surveillez tout ce qui vous tombe sous la main, car vous pourriez le voir sur une carte postale, une photo, dans une revue, à la télévision ou pour de vrai. Soyez patient et vous le rencontrerez. Demandez à recevoir plusieurs signes afin d'être absolument certain que c'est là votre totem. Votre guide s'exécutera avec plaisir.

8. Efforcez-vous de détecter la présence de l'esprit de votre animal dans votre quotidien et permettez à l'énergie qui l'habite de vous soutenir et de vous transmettre des connaissances. Soyez conscient de la multitude de façons dont il exprime sa force et n'oubliez surtout pas de le remercier de son aide.

CHAPITRE 18

Les gardiens de la joie

J'ai une affection toute particulière pour les guides gardiens de la joie, ces enfants du monde des esprits dont la mission consiste à assurer la vitalité et le bien-être de notre enfant intérieur. Ce sont parfois des enfants qui, très tôt dans la vie, ont traversé dans l'Au-delà, mais, la plupart du temps, ce sont des esprits qui n'ont jamais pris la forme humaine. Leurs vibrations sont légères, élevées et joyeuses ; ils sont très proches de la nature et s'efforcent de nous empêcher, nous, les humains, de nous prendre — et de prendre la vie — trop au sérieux. En fait, ils nous empêchent de nous noyer dans notre propre misère.

Les gardiens de la joie se manifestent généralement de façon très inopinée lorsque notre ego est si absorbé par sa propre souffrance que nous en perdons tout sens des proportions et que nous nous sentons coupés du monde. Je sais que nous ne sommes pas toujours les auteurs de notre propre souffrance, car il y a dans la vie des événements et des pertes réellement tragiques que nos guides et nos anges nous aident à surmonter. En ces temps difficiles, les gardiens de la joie nous distraient de notre douleur par leurs pitreries et gagnent ainsi notre reconnaissance.

Je dirais cependant qu'ils interviennent surtout lorsque nous avons succombé à notre ego et que nous en payons le prix, comme lorsque nous travaillons trop et que nous refusons d'avoir une vie équilibrée. Ils sont les ennemis de la boulotmanie et l'antidote de cette vilaine dépendance. Lorsqu'ils se manifestent pour vous interrompre, votre première réaction est généralement l'irritation. Leur méthode préférée consiste à vous envoyer vos enfants pour vous parler, jouer et rire avec vous. Il arrive que cela fonctionne, mais, si vous ne cédez pas ou que vous n'avez pas d'enfants, ils se serviront de votre animal de compagnie pour vous forcer à prendre une pause.

Mon amie Julia Cameron m'a dit que lorsqu'elle était si enlisée dans le travail qu'elle en perdait son sens de l'humour, son terrier Highland lui apportait son jouet miteux et insistait pour qu'elle le lui lance. Miss T, ma chienne, fait la même chose avec moi. Nos animaux de compagnie servent régulièrement d'émissaires aux gardiens de la joie. Avez-vous remarqué que de nombreuses vedettes hollywoodiennes croulant sous le poids de leur célébrité et de leur suffisance se promènent avec un petit chien folichon ? Les chihuahuas et les bichons maltais de ce monde semblent avoir pour mission divine de délivrer ces acteurs du poids de leur ego.

Si vous n'avez pas d'animal de compagnie, les gardiens de la joie utiliseront d'autres subterfuges. Le téléphone sonnera alors qu'il n'y aura personne au bout du fil ou vous croirez qu'on frappe à la porte mais personne ne sera là.

Le principal objectif des gardiens de la joie est de nous amener à nous moquer de notre propre ego. Lorsque les finesses de Fido, les rires de bébé ou l'insistance enjouée de notre petit dernier nous interrompent, nous sommes souvent contrariés de devoir cesser des activités que nous considérons, non sans orgueil, de la plus haute importance. Or, les gardiens de la joie sont persévérants et, plus vous résistez, plus ils vous taquinent. Si vous perdez votre sang-froid et tempêtez jusqu'à ce que leurs adorables petits auxiliaires aillent se cacher derrière les meubles, je vous assure que vous vous sentirez minable et ingrat. Ils sont là pour vous soulager de votre ego, pas pour lui faire la guerre. Contentez-vous de leur céder en riant et vous retrouverez votre équilibre et sortirez du marasme dans lequel vous vous étiez enlisé.

Conformément à leur mission, les gardiens de la joie interviennent quand bon leur semble. Ces esprits spontanés et joueurs de tours adorent vous réserver des surprises.

Tout récemment, une cliente m'a raconté une histoire cocasse mettant en scène ces esprits. Son mari et elle ne s'entendaient plus depuis longtemps, et chacun passait beaucoup de temps et d'énergie à essayer de manipuler l'autre. N'étant d'accord sur rien, ils pouvaient difficilement se parler sans s'engueuler et, lorsqu'ils n'étaient pas ensemble, ils se plaignaient à d'autres du comportement outrancier de leur conjoint. Un jour que la situation s'était particulièrement envenimée, ils ont convenu que cela devait cesser et qu'il leur fallait divorcer.

Enfin d'accord sur quelque chose, ils se sont mis à calmement (selon leurs critères à eux) discuter de la façon dont ils allaient s'y prendre. Dans l'intervalle, une mouche s'est posée sur le nez du mari pendant qu'il parlait le plus sérieusement du monde de son besoin de liberté. Lorsqu'il s'est mis à agiter frénétiquement les mains pour la chasser, sa femme le trouva si ridicule qu'elle éclata de rire.

L'absurdité de la situation lui arracha un sourire, mais, lorsqu'il eut repris son sérieux, la mouche est revenue pour atterrir cette fois entre ses yeux. Tentant de l'ignorer, il continua à se répandre en injures contre sa femme pendant que la mouche se promenait allègrement sur son front. N'y tenant plus, sa femme fut prise d'un fou rire gigantesque et, lorsque son mari riposta en se giflant furieusement dans l'espoir d'exterminer la bête, elle perdit toute retenue. Voilà qu'il s'infligeait à lui-même le traitement qu'elle rêvait depuis longtemps de lui faire subir!

Ce fut ensuite son tour de faire valoir ses griefs, et, tandis qu'elle énumérait à son mari tout ce qu'elle lui reprochait, la mouche s'est posée sur son visage. Elle avait beau essayer de chasser l'insecte, ce dernier revenait toujours à la charge. Son mari, évidemment, était plié en deux, et, devant le ridicule de la situation, elle se laissa à son tour gagner par le fou rire. Ils rirent tous les deux aux larmes, ce qui ne leur était pas arrivé depuis l'époque de leurs fréquentations.

Ils plongèrent alors dans leurs souvenirs et restèrent des heures à se rappeler d'autres épisodes où ils avaient beaucoup ri ensemble. À la fin, le mari a dit : « Je suis désolé ; je ne veux pas vraiment divorcer, mais je regrette le temps où nous avions du plaisir ensemble. ». L'épouse lui avoua que c'était réciproque, et ils votèrent en faveur d'une trêve, le temps de donner à leur mariage une deuxième chance.

Saviez-vous que les guides gardiens de la joie...

... bénissent votre vie pour que vos cœurs s'attendrissent et que votre enfant intérieur soit comblé ?

... vous aident à devenir un adulte aimant, c'est-à-dire facile à vivre, généreux et plus tolérant envers les autres ?

Cela fonctionnera-t-il ? Je n'en sais rien, mais, avec le concours des gardiens de la joie, qui sait ?

Les gardiens de la joie ont pour seul et unique objectif de nous aider à nous prendre moins au sérieux et à apprécier la vie. Ils aiment tout particulièrement se connecter aux bébés et aux très jeunes enfants, devant lesquels ils font toutes sortes de pitreries souvent imitées par les petits. Lorsqu'un poupon rit et qu'il s'amuse tout seul dans son lit, soyez certain que la chambre est remplie de gardiens de la joie.

Ma fille Sonia était très proche d'eux lorsqu'elle était bébé. Elle trouvait avec leur aide toutes sortes de façons de me distraire, surtout lorsque j'étais enceinte de ma deuxième fille alors qu'il m'arrivait de me sentir éreintée et submergée. À peine âgée de sept ou huit mois, elle voyait ses gardiens de la joie et se mettait à rire avec eux, sachant pertinemment que cela était contagieux. Il lui est arrivé des dizaines de fois alors que j'étais sur le point de me laisser aller à une bonne séance d'apitoiement sur moi-même, de se mettre à rire et de pousser des petits cris joyeux tout en faisant des grimaces tellement drôles qu'il m'était impossible de céder à la déprime. Je sentais à travers elle les esprits qui virevoltaient, et nous riions si fort que tous mes soucis s'envolaient.

Le rire, surtout le fou rire, est la carte de visite des gardiens de la joie. Si jamais vous souhaitez les côtoyer en grand nombre, allez là où il y a des enfants et des petits animaux, mais n'oubliez pas qu'ils ne sont pas attirés uniquement par eux. Comme je l'ai déjà mentionné, ils ont aussi pour mission d'alléger le cœur des adultes trop sérieux et de dissiper l'excès de stress, surtout lors de rassemblements solennels où la souffrance et la peine sont à la limite du supportable. C'est pourquoi vous les trouverez souvent aux veillées funèbres et aux funérailles.

Cela me rappelle le jour où j'ai assisté aux funérailles de la mère d'une amie, une femme joviale et directe qui avait toujours insisté pour avoir le dernier mot. Elle était décédée subitement d'un infarctus, et ses proches étaient plongés dans une grande douleur. Pendant que le prêtre faisait son panégyrique, la sonnerie d'un portable retentit, mais personne n'osa répondre. Le prêtre balaya l'assemblée d'un regard désapprobateur sans pouvoir identifier le coupable et attendit que la sonnerie cesse pour poursuivre.

Un peu plus tard, une autre sonnerie de portable retentit ailleurs dans l'église. Comme précédemment, personne ne bougea. Irrité au plus haut point devant cette deuxième interruption, le prêtre attendit de nouveau que la sonnerie cesse et il poursuivit non sans afficher son mécontentement.

Puis, une autre sonnerie se fit entendre. N'y tenant plus, le prêtre s'est écrié :

— Mais qu'est-ce qu'ils ont tous à sonner, ces malheureux portables ?

Emily, une des petites-filles de la personne décédée, a candidement levé la main :

— Moi, je le sais ! dit-elle, je pense que c'est grand-maman qui vous appelle du paradis pour vous dire que vous avez oublié de mentionner à quel point elle aimait la crème glacée au chocolat.

Tout le monde, y compris le prêtre austère, a éclaté de rire. Leur peine s'est adoucie, et, lorsque le prêtre a repris son panégyrique, il a cessé de parler de la douleur de la perte pour évoquer les nombreux événements cocasses vécus par la défunte en compagnie de ses proches. Je reconnais là le travail des gardiens de la joie, ces fameux joueurs de tours et humoristes de l'Univers !

Une de leurs bouffonneries préférées consiste à cacher des objets… sous nos yeux. Avez-vous déjà égaré vos clés d'auto alors que vous vous apprêtiez à sortir ? votre passeport juste au moment de l'embarquement pour un vol international ? ou vos billets, en route vers le théâtre ? Affolé, vous finissez par découvrir l'objet en question dans un coin de votre poche ou vous vous rendez compte que vous l'aviez dans les mains durant tout ce temps. C'est ainsi que les gardiens de la joie s'y prennent pour vous dire de « respirer par le nez », de vous détendre et de faire confiance au bon déroulement des choses. Ils ne sont ni malicieux ni méchants ; ils ne font que s'amuser avec vous pour vous faire lâcher prise.

Ils adorent aussi cacher vos bijoux, vos chaussures, votre porte-monnaie, votre sac à main, le dossier sur lequel vous étiez en train de travailler, vos livres à rapporter à la bibliothèque, votre maillot de bain et votre portable : en somme, tout ce qui peut vous forcer à délaisser le mode « pilote automatique » pour vous ramener dans l'instant présent. Si vous écoutez attentivement, vous les entendrez ricaner pendant que vous vous démenez comme un diable dans l'eau bénite pour mettre la main sur l'objet égaré.

Pour vous éviter tout ce stress et ce temps perdu, prenez acte de la présence des gardiens de la joie et jouez le jeu. Vous pouvez leur dire : « Bon, j'ai compris. J'ai besoin de lâcher prise. Merci de me le rappeler. ». Dès lors, l'objet manquant réapparaîtra comme par enchantement. Ces éternels enfants vont jusqu'à jouer à la cachette avec vos coursiers. Ils cachent des choses, et vos coursiers les retrouvent. Amusez-vous donc avec eux !

En plus de vous empêcher de prendre la vie trop au sérieux, ces esprits vous rapprochent de ce qui vous fait plaisir. Ils vous forcent par exemple à entrer dans un magasin de matériel d'artiste, de jouets ou de disques. Ils vous conduisent vers des cours de danse ou de théâtre, un cercle de joueurs de tambours ou une agence de voyages où vous réservez un billet pour la destination de vos rêves.

Ils sont la petite voix intérieure qui vous donne la permission de vous faire plaisir en passant tout un samedi à jouer avec vos enfants, en faisant vous-même l'enfant, en échangeant avec des amis autour d'un café ou en sortant un jeu de société au lieu de regarder la télé en famille sans parler. Ils vous rappellent de faire cette promenade à bicyclette dont vous parliez depuis longtemps, de prendre un cours de joaillerie ou de rester tranquillement chez vous à lire un bon roman sans vous sentir coupable.

Essayez d'apprécier les gardiens de la joie qui vous entourent : ouvrez les yeux, les oreilles et le cœur. « Laissez votre petite personne de côté », comme disait mon maître Charlie, et « assumez pleinement votre esprit » en remarquant non pas ce qui cloche, comme vous le dicte votre ego, mais ce qui va bien, comme vous le fait voir votre esprit.

Nourrissez votre enfant intérieur en vous adonnant à des activités agréables et créatives, et les gardiens de la joie entreront dans la danse. Ils adorent vous donner un coup de main en vous apportant des cadeaux. Ma mère aimait leur donner comme devoir (elle insistait pour que nous demandions la même chose) de nous apporter régulièrement des cadeaux. Alors que nous nous préparions à partir pour l'école, elle nous rappelait de demander des présents — et de nous attendre à en recevoir. « On ne sait jamais lorsqu'ils arrivent », se plaisait-elle à dire.

J'ai toujours suivi ses conseils et je continue à le faire. Au réveil, je récite une courte prière : « Mère divine, Père divin et Dieu, je vous suis reconnaissante d'être présents dans ma vie. Gardiens de la joie, je vous suis reconnaissante de tous les cadeaux que vous m'apporterez aujourd'hui. Merci. ».

J'adore m'amuser avec eux et les laisser me combler de présents. Lors d'une visite à ma sœur au Kansas, nous sommes sorties déjeuner sur les conseils de ma mère et nous nous attendions toutes les deux à recevoir des cadeaux. Nous avions choisi un très bon restaurant, mais il nous a fallu patienter plus que d'ordinaire avant d'obtenir une table. Nous avions tellement de plaisir à parler que nous ne nous étions pas vraiment rendu compte du temps qui filait. Finalement, lorsque la gérante s'en est aperçu, elle s'est excusée et nous a remis, à chacune, un chèque-cadeau donnant droit à un repas gratuit !

En sortant, nous avons vu une boutique de vêtements et nous y sommes entrées. Ma sœur dénicha un pantalon qui lui allait comme un gant mais qui était légèrement sali — la sorte de tache qui ne résiste pas à un bon nettoyage à sec. Elle montra le pantalon au propriétaire qui s'excusa et le lui offrit gratuitement à condition qu'elle achète autre chose. Il expliqua que la saison était finie et que ce ne serait pas rentable pour lui de payer le nettoyage. Ma sœur a choisi un chemisier assorti et s'est retrouvée avec un ensemble.

Lorsque nous sommes sorties de la boutique, nous avons vu deux adolescents en train de laver notre voiture. Ils expliquèrent que c'était la journée du travail communautaire et qu'ils faisaient cela gratuitement. Nous avons remis notre argent dans notre porte-monnaie et sommes rentrées à la maison en riant et en chantant. Merci, chers gardiens de la joie !

À vous, maintenant

Convoquez vos gardiens de la joie tous les jours. Donnez-leur des noms. Délectez-vous de leurs bouffonneries. Demandez-leur des cadeaux et donnez-leur un coup de main à vous aider en vous rappelant que rien n'est assez important pour que vous perdiez votre sens de l'humour. Si vous ne savez pas quels cadeaux vous aimeriez recevoir, dites-leur de vous surprendre, et ils le feront. Ils sont votre passeport pour le paradis.

CHAPITRE 19

Les êtres de lumière

E n avril dernier, alors que j'étais à Kauai avec mon équipe de guérisseurs et d'auxiliaires pour donner un atelier intensif de six jours sur la guérison de l'âme intitulé *Translucent You*, une nouvelle source de guidance extrêmement puissante s'est manifestée l'après-midi du troisième jour, lors d'une méditation réunissant 30 personnes.

Alors que nous nous relaxions en écoutant la merveilleuse musique composée par mon ami et musicien Mark Welch, j'ai demandé aux participants de fermer doucement les yeux et de se concentrer sur leur respiration. Peu après, j'ai perdu tout contact avec le groupe et j'ai vu sur mon écran intérieur un bataillon d'êtres cylindriques bleutés de grande taille s'approcher de moi les bras ouverts. Ils dégageaient un amour d'une grande intensité, et leur vibration était si élevée que je me suis sentie complètement immergée dans une puissante énergie de guérison.

Ma tête s'est graduellement renversée, j'ai perdu conscience de mon ego ; ces êtres de lumière se sont alors approchés de moi et ont investi mon corps pour s'adresser au groupe. J'étais devenue leur médium. Je restais consciente tout en me sentant très éloignée de mon corps physique, comme si je regardais la scène de loin, tout aussi fascinée que les participants.

Après s'être présentées comme étant les Émissaires du troisième rayon, ces créatures ont respectueusement demandé la permission de s'adresser au groupe. Perplexes, les participants ont néanmoins accepté, car ils percevaient la même vague d'amour profond que j'avais moi-même ressentie.

Les êtres de lumière ont alors commencé à livrer leur message en insistant clairement sur l'urgence de la situation. Par mon intermédiaire, ils ont dit que nous étions tous aimés et précieux, mais que nous devions changer notre vibration et passer de la peur à l'amour si nous voulions survivre en tant qu'individus et en tant que race. Avec beaucoup de compassion, les Émissaires ont expliqué qu'ils se connectaient à nous tous à travers moi pour nous aider, si nous le voulions, à réaliser cette transformation. Ma voix, en relayant leur message, prenait une autre tonalité et un autre rythme que d'habitude, sans que j'en sois troublée.

J'étais frappée par la puissance des vibrations qui me traversaient. Ces êtres dégageaient tellement d'amour et de lumière qu'on aurait dit que 10 000 watts d'énergie passaient par un canal de 200 watts, et je craignais à tout moment de me désintégrer. Puis, il est arrivé quelque chose d'incroyable : mon cœur s'est ouvert comme jamais il ne l'avait fait. J'étais comme ivre de tout cet amour ; chaque cellule de mon corps était énergisée et renouvelée, mes malaises et courbatures ont fait place à un paisible bien-être, toutes mes sources d'anxiété et d'inquiétude se sont envolées, et une grande aisance m'a envahie. Grâce à l'intervention de ces êtres de lumière, je faisais un avec Dieu et avec l'Univers.

Ils n'ont pas beaucoup parlé, mais cela importait peu. Les vibrations qui émanaient d'eux avaient un pouvoir de guérison tel qu'il n'y avait pas de mots pour le décrire. Les participants m'ont dit par la suite avoir ressenti la même chose. La puissante vibration d'amour de ces êtres de lumière a ouvert nos chakras du cœur comme jamais nous ne l'aurions cru possible. Pour recevoir ce message, il fallait pouvoir le sentir.

Après m'avoir utilisée comme médium pendant quelques minutes, les êtres de lumière se sont retirés, nous ont remerciés de notre attention et nous ont dit que pour sentir de nouveau leur présence, il nous suffisait d'ouvrir nos cœurs et de les laisser entrer en nous par les mains. Je suis ensuite graduellement revenue à moi.

Ce n'était pas la première fois que des guides se servaient de moi comme médium — les Trois Évêques et mes guides enseignants, entre autres, l'ont fait souvent —, mais jamais auparavant je n'avais connu d'état de conscience modifié aussi puissant sur les plans physique et énergétique.

Lorsqu'ils nous eurent quittés, nous sommes restés silencieux, encore sous le choc. Notre énergie avait changé, et toute trace de peur avait disparu, faisant place à un sentiment d'euphorie. La vibration de cette puissance remplie d'amour était radicalement différente de la fréquence à laquelle notre conscience vibre habituellement, et les mots nous manquaient. Il n'y avait rien à dire… nous étions dans un état de béatitude absolue.

J'étais particulièrement excitée par ce qui venait de se passer, car je sentais depuis cinq ans que des êtres de lumière tentaient de se manifester à travers moi, sauf que ma propre vibration n'était pas encore assez élevée ni assez enracinée pour canaliser la leur. Je me demandais si je pourrais un jour revivre l'expérience, et mon groupe se posait la même question.

Le lendemain après-midi, pendant que nous méditions, les Émissaires du troisième rayon sont revenus. Lorsque leur vibration incroyablement élevée m'a remplie d'amour et d'affection, j'ai failli perdre pied. Cette fois, le porte-parole de ce bataillon d'amour bleuté s'est avancé et s'est présenté comme étant Joachim.

Il nous a salués avec le même respect et la même affection dont avaient fait preuve les Émissaires la veille, et il nous a demandé la permission de parler, ce que nous nous sommes empressés de lui accorder. Lentement, délibérément et avec la plus grande concentration, il a commencé à nous livrer un message qu'il a qualifié d'urgent, comme le précédent. Il a dit que la race humaine ne survivrait pas, à moins d'élever sa conscience au-dessus du minimum requis pour subsister. Il a poursuivi en disant que la planète ne pouvait supporter toute la peur que nous faisons naître et que, sous l'effet de la terreur, nous devrions quitter la terre en grand nombre de manière à la rééquilibrer.

Cela, expliqua-t-il, pouvait être évité si tout le monde abandonnait son énergie de survie basée sur la peur et la retenue pour embrasser l'énergie de l'amour et de la générosité. Non seulement serions-nous protégés et en sécurité en ces temps de transformation, mais aussi servirions-nous de géniteurs à une nouvelle race plus évoluée. Pendant que Joachim parlait, un profond sentiment de paix et de calme m'envahissait, et il en était de même pour les autres.

Par l'entremise de mon corps et de mes bras, il nous a montré comment générer cette puissante énergie émergeant du chakra du cœur. Il a demandé à tous ceux présents d'ouvrir leur cœur et les paumes des mains afin de laisser la vibration d'amour les traverser et se déverser dans le monde. Nous pourrons ainsi, nous assura-t-il, créer et attirer à nous tout ce que nous désirons.

J'ai alors senti une puissante vibration parcourir mon corps (les autres aussi, appris-je ultérieurement) et j'ai compris comment cela pouvait être possible. Ce courant irrépressible de compassion que les Émissaires du troisième rayon aidaient chacun de nous à canaliser jusque dans le monde était si irrésistible et nous apportait une telle paix que j'ai su, intuitivement, que c'était la même vibration que celle dont le Christ s'était servi pour guérir. Si nous parvenions à nous connecter pleinement à cette source d'amour et à y élire domicile, nous pourrions, nous aussi, accomplir des miracles.

Joachim a dit que les Émissaires étaient venus nous aider à introduire le miracle de l'amour infini dont le monde a un si urgent besoin en ce moment. Puis, avec l'aide des autres Émissaires, il nous a guidés pendant que nous méditions sur l'ouverture du cœur, et nous avons vécu un état de conscience modifié durant plusieurs heures. Ils nous ont dit que d'apaiser nos esprits et d'ouvrir nos cœurs marquait le début d'une nouvelle humanité et qu'ils étaient ici pour nous enseigner à semer ces graines.

Avant de se retirer, Joachim nous a bénis une dernière fois et nous a assuré que les Émissaires du troisième rayon et plusieurs autres bataillons d'êtres de lumière sont à notre disposition en tout temps pour guider quiconque est prêt à se libérer de la peur et à accueillir la vibration de l'amour.

Saviez-vous que les êtres de lumière…

*… nous apprennent que l'Univers entend porter
la vibration de la terre à une octave supérieure,
là où règnent davantage l'harmonie et l'équilibre ?*

*… entrent en contact avec nous beaucoup
plus souvent qu'avant pour nous fournir
les renseignements et l'amour qui nous aident
à vivre les grandes transformations actuelles ?*

*… nous aident pendant que la Terre se débarrasse
des vieux modèles que nous avons entretenus
dans la confusion ?*

*… continueront de nous guider tout au long
de ces grands bouleversements ?*

Depuis, je suis restée très proche de Joachim et des autres Émissaires. Ils m'ont appris que mon esprit avait accepté d'être l'une des sages-femmes qui allaient présider à la naissance d'un nouveau genre humain baignant dans l'amour et non dans la peur. Ma mission consiste à aider les gens à éveiller et à ouvrir leur chakra du cœur, et à m'enraciner énergétiquement dans tout ce qui contribue à les soutenir. Je n'en doute pas un instant, car je m'y prépare depuis l'enfance. Depuis, les Émissaires se manifestent chaque fois que je parais en public afin de m'aider à activer cette vibration élevée en chacun des participants. Ils entrent en communication avec beaucoup d'autres personnes sensibles à la nécessité d'ouvrir la Terre à l'amour — et d'autres êtres de lumière en font autan —, car il faut être très nombreux pour accomplir cette mission.

Les êtres de lumière tentent peut-être d'entrer en contact avec vous. Vous le saurez si vous ressentez subitement un besoin urgent et profond d'oublier toutes les blessures que votre ego a subies et que vous choisissez de vous aimer, d'aimer les autres et de vivre conformément aux désirs de votre âme et de votre cœur.

Même si vous n'avez pas de lien aussi direct que moi avec les Émissaires du troisième rayon, ces derniers communiqueront probablement avec vous si vous vous sentez appelé à faire votre part dans l'accomplissement de leur mission. Dès lors, votre cœur s'apaisera et vous commencerez à sentir que nous partageons tous la même vie et le même esprit. Vous ne pourrez jamais plus regarder une autre personne et vous sentir séparé d'elle, la détester ou la juger. Il vous arrivera encore, bien sûr, de perdre patience, d'être contrarié ou irrité, mais ces sentiments et toute vibration ancrée dans la peur ne seront jamais assez importants pour que vous vous y accrochiez.

Ma connexion avec les Émissaires du troisième rayon étant encore très récente, j'ai d'abord hésité à en parler, mais ces derniers m'ont encouragée à le faire, car leur message est important. Il se résume à ceci : « Cessez d'être enracinés dans la peur et plongez dans l'amour. ».

Je suis touchée par l'urgence de cette invitation et j'espère que vous l'êtes également.

À vous, maintenant

Ouvrez votre cœur aux êtres de lumière et accueillez-les dans votre vibration, ce qui n'est en rien compliqué. Demandez-leur de vous aider et lorsque vous serez sous l'emprise de la peur, directement ou sous forme de colère, de jugement, de tristesse ou de quoi que ce soit du genre, respirez lentement en ouvrant les mains. Au début, vous pourriez avoir l'impression qu'il ne se passe rien, mais ne vous découragez pas. Continuez à respirer et restez ouvert en votre centre.

Vous sentirez bientôt le soutien que vous offriront les êtres de lumière, car leurs forces de bonté sont très puissantes. Faites-en maintenant l'expérience et voyez si vous avez conscience de leur présence. Si oui, profitez de leur vibration de guérison ; sinon, continuez à respirer et libérez-vous de votre peur.

Que vous les sentiez ou non, les êtres de lumière sont présents. Sur le plan personnel, vous éprouverez une grande paix intérieure indépendamment des circonstances. Sur le plan cosmique, vous vous unirez aux forces qui souhaitent que nous nous aimions et que nous sauvions notre belle planète. J'espère de tout cœur que vous vous joindrez à moi et aux autres dans cette quête.

CHAPITRE 20

Les entités négatives

Lorsque vous vous ouvrez à vos esprits guides, il est très important que vous soyez bien enraciné et que vous n'acceptiez pas n'importe quelle entité. Vous souhaitez attirer les guides aux vibrations les plus élevées, car ce sont eux qui vous aideront. Les entités dont les vibrations sont basses déforment la réalité et sèment la pagaille.

Il ne vous viendrait jamais à l'esprit d'inviter un étranger chez vous et de lui donner carte blanche, alors vous devez rester sur vos gardes en ce qui concerne les esprits guides et ne pas croire que ce sont tous de braves entités secourables. La plupart sont de merveilleux êtres de lumière, mais certains esprits dont la vibration est basse errent, perdus. Ils préféreraient, s'ils le pouvaient, s'emparer de la vie de quelqu'un et la diriger à sa place plutôt que de flotter sans but dans l'éther. La plupart de ces esprits inférieurs sont inoffensifs, mais ils dérangent et se reconnaissent facilement à leur vibration.

Les guides aux vibrations élevées sont discrets, patients, calmes et aimants ; ils ne disent jamais quoi faire. Ils se contentent de formuler des suggestions subtiles, généralement sur demande, et, lorsqu'ils vous quittent, vous vous sentez paisible et soutenu. Les entités aux vibrations peu élevées, quant à elles, sont arrogantes, tyranniques et négatives ; elles font tout en leur pouvoir pour vous contrôler. Il leur arrive souvent de recourir à la flatterie, de critiquer les autres ou de vous harceler psychiquement jusqu'à ce que vous fassiez ce qu'elles veulent, et ce, dans le seul but de semer la pagaille.

Elles aimeraient être perçues comme de formidables puissances auxquelles vous devez obéir, mais, en réalité elles ne possèdent aucun pouvoir, et il est facile de s'en débarrasser. Vous n'avez qu'à utiliser votre volonté pour les envoyer dans la lumière et leur demander fermement de partir. Ce sont de vulgaires pestes qui s'amusent à vos dépens et qui profitent du fait que vous n'êtes pas enraciné ou concentré pour s'infiltrer dans votre champ de conscience.

Vous reconnaîtrez les entités possédant des vibrations peu élevées à leur pouvoir de séduction. Elles vous suggèrent tout ce qui pourrait vous amener à vous sentir plus important, rusé ou spécial que les autres. Les entités aux vibrations plus élevées n'agissent jamais de cette façon, car elles savent que, sur le plan de l'esprit, nous sommes tous égaux, bien que nous nous déployions à divers degrés de conscience. Personne n'est supérieur à quiconque, car nous sommes tous liés les uns aux autres. Les entités négatives s'adressent à votre ego, alors que les guides aux vibrations élevées se connectent à votre esprit.

Ces formes d'énergie se plaisent à blâmer les autres pour vos difficultés et vous encouragent à faire de vous des victimes qui s'apitoient sur leur sort ; elles veulent que vous vous coupiez de vos pairs. Les guides fiables, quant à eux, vous incitent à considérer vos défis et vos expériences comme des leçons sur le plan de l'âme et à voir que les personnes et les circonstances en jeu servent uniquement votre évolution spirituelle. Ils vous demandent de considérer avec amour toutes les situations et d'en tirer une leçon, puis de poursuivre votre chemin. Ils ne cherchent à blâmer ni rien ni personne et vous encouragent à faire preuve de compassion et à pardonner.

Les entités négatives vous disent quoi faire et s'acharnent sur vous. Elles cherchent à vous influencer et vous donnent l'impression d'être harcelé, ce qui diffère totalement de la subtilité et de la lenteur avec laquelle les guides aux vibrations élevées pénètrent dans votre monde : ces derniers agissent avec respect et uniquement sur invitation.

Ce qui attire les entités négatives

De nombreuses personnes n'arrivent pas à s'ouvrir à leurs guides par crainte de rencontrer des entités négatives, se privant ainsi de merveilleuses ressources spirituelles. Il n'est pas si facile d'attirer des entités aux vibrations peu élevées, mais, si cela vous arrivait par hasard, vous pourriez vous en débarrasser facilement. Il est tout de même utile de savoir ce qui les attire si l'on veut éviter d'en subir les inconvénients.

La dépendance sous toutes ses formes — aussi bien l'alcoolisme que la boulotmanie — est le plus sûr moyen d'attirer ces entités. Elle affaiblit votre aura, dérègle votre volonté, sabote votre créativité et sème le chaos dans votre champ énergétique, un peu comme si vous aviez un envahisseur à la maison. La personne dépendante n'a pas la maîtrise d'elle-même, et les entités négatives en profitent pour s'infiltrer. Pour les en empêcher vous devez reconnaître le problème et y faire face.

Toute personne qui souffre de passivité chronique et d'éparpillement est également à risque. Vous n'avez pas nécessairement à savoir ce que vous voulez à chaque moment de la journée, mais vous devez connaître vos valeurs et vous y tenir afin de ne pas dériver vers des zones néfastes. Si vous êtes du genre à vous laisser mener par le bout du nez et à refuser la responsabilité de votre propre vie, les entités inférieures profiteront de vous, comme le fait votre entourage.

Il y a une loi universelle qui dit « Qui se ressemble s'assemble ». Si vous êtes en colère, que vous jugez les autres, que vous êtes agressif, jaloux et mal intentionné, vous vous attirerez des vibrations similaires dans l'invisible. Nous nous laissons tous aller de temps à autre à ce genre de comportement. Ce n'est pas de cela dont je veux parler, mais des gens qui sont toujours négatifs : ces personnes émettent des vibrations qui attirent les entités inférieures.

Si vous êtes épuisé, stressé outre mesure ou fragile sur le plan émotionnel, vous risquez qu'une entité inférieure s'empare de vous dans un lieu public, de la même façon qu'on attrape un rhume. Il m'est arrivé que de telles entités s'attachent à moi alors que j'étais en avion, dans un restaurant et même dans un hôpital. Ces énergies désagréables se pointent partout où elles captent une petite déprime ou un stress chronique. Passagers clandestins de gens qui, comme vous, ont des vibrations élevées, elles se laissent porter par ces dernières. En général, elles ne veulent pas nous faire de tort : elles tentent simplement de sortir des limbes où elles flottent.

Saviez-vous que les entités négatives...

... vous incitent à juger et à critiquer tout un chacun,
ainsi que tout ce qui vous entoure ?

... sont des énergies très faibles qui ne pourront
jamais écraser l'esprit humain ?

Vous pourriez soupçonner la présence d'une entité négative dans votre champ énergétique si vous devenez subitement extrêmement irritable, si vous vous adressez aux autres sur un ton brusque, si vous doutez de vous-même, si vous perdez toute votre énergie et que votre vision du monde tout d'un coup s'assombrit ou devient cynique alors que cela ne vous ressemble pas.

Hollywood a essayé de nous effrayer en nous présentant une version déformée des entités négatives et de ce qui se passe lorsqu'elles sont présentes, mais ne soyez pas dupe. Ce que vous voyez à l'écran est non seulement fantaisiste, mais aussi absurde. Ces entités ressemblent tout simplement à des mouches qui émergent dans la lumière ; elles n'ont rien à voir avec les personnages du film *La nuit des morts-vivants*. À propos, je n'ai jamais vu d'entités posséder qui que ce soit. Ces êtres peuvent vous effrayer, mais l'esprit humain est passablement fort et se laisse difficilement affaiblir.

Bannir les entités négatives

En général, les entités négatives se dissipent dès que vous entrez dans l'énergie positive. Or, si vous pensez en avoir attiré une, n'ayez pas peur, elles ne sont pas différentes d'un virus. Si vous la découvrez assez tôt, il vous sera facile de vous en débarrasser simplement en ayant des pensées positives ou en songeant à des êtres chers.

Si une entité est attachée à vous depuis un certain temps ou qu'elle est particulièrement tenace, vous pourriez être obligé d'avoir recours à un rituel pour vous en défaire. Commencez par demander à vos anges et à vos archanges de supprimer de votre aura toutes les forces négatives. Prenez ensuite un long bain de sels d'Epsom afin d'éliminer les déchets psychiques restants s'il y a lieu. Pour terminer, demandez à votre Moi supérieur de supprimer toutes les énergies désagréables qui pourraient encore subsister et dites à voix haute : « J'envoie maintenant toutes les entités négatives dans la lumière. Je suis entièrement libre de tout déchet psychique. ». Cette technique devrait fonctionner pour vous, car elle est efficace pour moi.

J'ai constaté que les gens les plus susceptibles de s'attirer des entités négatives sont ceux qui ont du mal à établir leurs propres limites parce que leurs valeurs sont faibles ou malsaines. Tout comme de laisser les fenêtres et les portes de votre maison ouvertes en tout temps risque d'attirer les cambrioleurs, le fait de laisser votre aura ouverte peut vous attirer des intrus sur le plan psychique. Les guides aux vibrations élevées ne franchiront jamais vos limites sans votre permission même si ces dernières sont déficientes, mais les êtres aux vibrations peu élevées le feront.

Pour tracer autour de vous de saines limites, dites simplement tout haut : « Je revendique ma vie, mes limites et mon droit d'être totalement moi-même en tout temps. Je n'invite que les sources de soutien les plus élevées à se connecter à mon cœur aussi bien dans le monde matériel qu'immatériel. ». Et dites-le de façon sentie et convaincue.

Exercez-vous à ne pas prendre de responsabilités qui ne vous appartiennent pas. Si vous rencontrez une personne négative, envoyez-lui de l'amour, mais n'absorbez pas sa vibration. Au besoin, éloignez-vous-en. Projetez une lumière blanche sur votre écran intérieur et servez-vous-en pour bloquer toute négativité.

Lorsque vous demandez d'être guidé ou que vous ouvrez vos canaux de perception extrasensorielle, posez clairement vos limites : celles-ci agissent comme un filtre qui élimine les particules de saleté. Pour ce faire, demandez que seuls les guides les plus aimants aient la permission d'entrer dans votre énergie et de l'influencer. Cela suffit à vous protéger.

Même si ce phénomène est rare, il arrive qu'une entité un peu plus maléfique que les autres s'attache à quelqu'un et qu'elle fasse des dégâts. J'ai déjà été témoin d'une telle situation et j'en ai été troublée. Les entités de cette nature sont polissonnes et elles manquent totalement de respect à votre égard. Certaines peuvent même vous mettre à l'épreuve, ce qui arrive surtout chez les adolescents qui consomment de la drogue et chez les gens qui s'ennuient, ont l'esprit dispersé, fuient l'engagement et espèrent mettre un peu de piquant dans leur morne existence en faisant des expériences de nature ésotérique.

Là encore, la victime peut chasser ces entités en demandant de l'aide, en s'adonnant à la prière, en invitant des gens à prier pour elle et en concentrant toute son énergie à atteindre son principal objectif du moment. Si vous soupçonnez qu'une personne de votre connaissance est importunée par une de ces entités, vous pouvez l'éloigner d'elle en lui demandant de partir immédiatement et d'entrer dans la lumière au nom de Dieu. L'entité n'aura pas le choix d'obéir, car Dieu est plus puissant qu'elle.

Évitez de converser avec ces entités, car vous les renforceriez. Ce sont de véritables voyous qui adorent faire peur aux gens et qui cherchent à tout prix à attirer l'attention. Ne tombez pas dans ce piège et insistez pour que ces êtres partent sur-le-champ, ce qui aura vite pour effet de disperser leur maigre puissance.

Je vous ai parlé des entités négatives, car ces véritables pestes peuvent vous occasionner des ennuis, mais il n'y a pas lieu de vous inquiéter outre mesure. Assurez-vous simplement de ne pas laisser entrer n'importe qui lorsque vous ouvrez vos canaux de perception extrasensorielle et d'avoir des limites solidement en place. Si vous savez ce que vous voulez, que vous êtes bien enraciné et que vous vous entourez de lumière et de protection divines, vous n'aurez rien à craindre.

À vous, maintenant

Si vous rencontrez une entité négative, voici ce qu'il faut faire :

- Restez solidement enraciné ;

- Posez vos limites ;

- Demandez à vos anges et à vos archanges de purifier votre aura ;

- Prenez un bain de sels d'Epsom ;

- Demandez de l'aide et invitez des gens à prier pour vous ;

- Tenez-vous-en à vos propres objectifs.

Ces actions devraient suffire. Vous pouvez également faire ce qui précède à titre préventif. Mieux vaut éviter un problème que d'avoir à le corriger.

Maintenant que vous connaissez les différentes catégories de guides et le rôle qu'ils peuvent jouer dans votre vie, voyons comment ils s'y prennent pour travailler avec vous.

CINQUIÈME PARTIE

Travailler directement
avec vos esprits guides

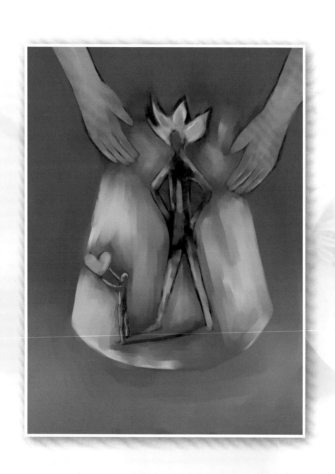

CHAPITRE 21

Vos esprits guides sont plus proches que vous ne le pensez

aintenant que vous connaissez les différents types d'esprits guides, voyons précisément comment travailler avec eux. Je suis persuadée que lorsque nous comprenons leur mode de communication, nous pouvons recevoir régulièrement leurs enseignements. Je n'insisterai jamais assez sur le caractère subtil de leurs messages et sur les risques de méprise : tout est dans l'art de reconnaître la nature de leurs communications.

Pourtant, je vous assure que lorsque vous inviterez vos esprits guides à intervenir dans votre vie, ils trouveront toutes sortes de façons de se faire entendre. Il s'agit simplement d'apprécier leurs efforts et leur détermination à entrer en contact avec vous.

Le plus souvent, les esprits guides communiquent avec vous par l'intermédiaire de l'inspiration. Ce sont eux qui vous inspirent lorsque vous avez une idée brillante, que vous trouvez une solution à un problème, que vous pensez à une nouvelle façon de procéder ou que vous découvrez un nouveau moyen d'expression. Le terme *inspiration* vient directement du mot « esprit », et, lorsque vous êtes inspiré, vous êtes en communication avec vos esprits guides.

Claire, une auteure-compositrice-interprète de talent, me parlait un jour de son expérience en France, où elle a fréquenté l'université (comme moi). C'était un jour de décembre froid et gris, et elle se sentait seule au monde. Elle pensait ne jamais pouvoir s'intégrer à son nouveau milieu et se disait qu'il valait mieux pour elle de rentrer au pays. Tout en réfléchissant à la question, elle se dirigea vers le métro, alors qu'elle avait l'habitude, par mesure d'économie, de parcourir à pied les six petits pâtés de maisons qui la séparaient de la pension où elle logeait.

L'inspiration lui vint lorsqu'elle passa devant une bouche de métro. Sans hésiter et sans même s'assurer que c'était la bonne ligne, elle s'y engouffra. Alors qu'elle se dirigeait vers le quai, quelque chose la fit sourire, ce qui ne lui était pas arrivé depuis un bon moment : on chantait à tue-tête, quelque part au loin, et en anglais de surcroît ! Attirée par la musique et l'énergie des chanteurs qui contrastaient avec le temps morne et froid de Paris, elle se retrouva en face de trois beaux jeunes gens qui jouaient de la guitare. À leurs pieds, les étuis de leurs instruments servaient à recueillir les dons des passants. Engageant la conversation avec eux, elle apprit que Jay et Skip venaient de Londres et que Tony (qui lui plaisait beaucoup) était originaire de Nouvelle-Zélande.

Lorsqu'ils l'invitèrent à se joindre à eux, elle accepta avec joie. Ils poussèrent même la gentillesse jusqu'à lui offrir de partager les pourboires. Pendant les six heures qui suivirent, elle eut tellement de plaisir qu'elle ne vit pas le temps passer, et ils se quittèrent en se donnant rendez-vous le lendemain au même endroit. Il en fut ainsi tous les jours jusqu'à la fin de l'année scolaire. Non seulement Claire resta-t-elle à Paris, mais aussi réussit-elle ses examens et tomba-t-elle amoureuse de Tony. Les deux tourtereaux finirent par se marier et par déménager en Nouvelle-Zélande, où ils créèrent une maison de disques et assurèrent la production de leurs propres enregistrements laser.

Le plus étonnant, c'est que Claire ne se doutait même pas qu'elle aimait chanter! Tout cela, expliqua-t-elle, est arrivé parce qu'elle avait été à l'écoute de son inspiration qui lui avait dit de prendre le métro au lieu de marcher.

Jacob, un autre de mes clients, est un musicien dans l'âme devenu directeur du service de création d'une agence de publicité. Dès la fin de ses études universitaires, il entra au service d'une agence de publicité où il occupa le même poste pendant 25 ans. Il se maria, eut deux enfants et acheta une maison en banlieue de Chicago. Il s'agit là d'un cheminement des plus classiques.

Jacob voyait son amour de la musique rester tapi au fond de lui, mais il y pensait chaque jour et en était attristé. Déchiré entre son rôle de père, sa responsabilité comme soutien de famille et son désir secret d'être musicien de blues, il devint de plus en plus déprimé au fil des ans.

Saviez-vous que les esprits guides...

... travaillent en catimini à introduire de merveilleuses idées dans votre champ de conscience sous forme d'inspiration?

... peuvent prendre des chemins inattendus pour nourrir votre inspiration?

Puis, un jour, il se sentit inspiré. Il alla voir le propriétaire d'un restaurant que sa famille et lui fréquentaient souvent et il lui suggéra d'organiser une soirée musicale de type familial les week-ends. Avec d'autres musiciens, il se chargerait de mettre de l'ambiance pendant que les clients, venus en famille, prendraient plaisir à manger, à s'amuser et à danser au son de la musique. Il savait qu'en présentant son idée il risquait d'essuyer un refus, mais il avait néanmoins décidé de suivre son inspiration.

Le propriétaire du restaurant se montra très intéressé. Le premier soir fut une telle réussite que le type demanda à Jacob de venir jouer régulièrement. Bientôt, les restaurants des environs l'invitèrent à leur tour, et il se retrouva avec un travail à temps partiel qui, en outre, lui permettait de conserver son emploi principal.

Reconnaître l'inspiration et mettre les idées en pratique nécessite une certaine ouverture d'esprit. Les esprits guides sont surtout utiles à ceux qui s'aident eux-mêmes. Ils fournissent l'inspiration, mais il vous appartient d'en faire quelque chose.

Il y a 20 ans, Patrick, grand amateur de cyclisme, a pensé importer et vendre des maillots et shorts français et italiens aux États-Unis, où ce genre de vêtements était pratiquement inexistant. Je trouvais l'idée géniale et je l'ai encouragé à faire immédiatement les démarches nécessaires, mais il a aussi parlé de son projet à un ami qui a trouvé l'idée ridicule, prétextant que jamais les Américains ne porteraient du spandex. Et Patrick a tout laissé tomber.

Deux ans plus tard, le spandex a envahi le marché américain, et les shorts et maillots les plus populaires étaient français ou italiens. Patrick avait reçu l'inspiration et l'avait rejetée ; l'idée a sûrement été refilée à quelqu'un d'autre qui s'est empressé d'en faire quelque chose.

Patrick n'est pas un cas isolé. J'entends régulièrement des clients se plaindre qu'on leur a volé leur idée, mais, en vérité, personne n'a dérobé quoi que ce soit à qui que ce soit. Votre esprit guide vous a simplement soufflé une idée qui était dans l'air, prête à être mise à exécution, et cette idée est allée vers quelqu'un d'autre parce que vous n'avez pas su saisir l'occasion. Je ne pourrais pas vous dire le nombre de personnes qui se plaignent de faire partie du club des « rateurs d'occasions » et qui ont choisi de rejeter leur inspiration, faute d'avoir compris qu'ils étaient dépositaires d'une idée géniale.

Beaucoup d'œuvres musicales, littéraires, picturales, de même que de nombreuses découvertes scientifiques, ont été inspirées par des esprits guides à quelqu'un qui a fait preuve d'ouverture et les a accueillies. Alors, soyez dès aujourd'hui à l'écoute de votre inspiration et, surtout, faites quelque chose des cadeaux qui vous viennent du monde des esprits. Les voyez-vous comme de précieux présents qu'il vous faut utiliser ou comme des idées farfelues que vous devez vous empresser d'écarter pour retrouver vos ornières ?

Cela me rappelle une blague mettant en scène un homme qui avait travaillé sans relâche pour sa paroisse et qui croyait que Dieu prendrait toujours soin de lui et le protégerait. Un jour, sa ville se trouva complètement inondée et l'ordre d'évacuation fut donné, mais il s'entêta à rester dans l'église, croyant que Dieu s'occuperait de lui. L'eau monta rapidement jusqu'au premier étage, et des secours arrivèrent en voiture pour le ramener, mais il refusa sous prétexte qu'il avait confiance en Dieu.

L'eau continua à monter, et le type se réfugia dans le jubé, mais bientôt l'église tout entière se trouva engloutie. Lorsqu'un bateau arriva pour le secourir, il était sur le toit, répétant à qui mieux mieux que Dieu s'occuperait de lui. Enfin, un hélicoptère lui lança une échelle qu'il refusa, et il se noya.

Une fois au paradis, il accosta Dieu sur un ton fâché : « Pourquoi n'avez-vous pas pris soin de moi et ne m'avez-vous pas protégé ? ». Dieu répondit alors ceci : « Comment ça ? Et que fais-tu de l'automobile, du bateau et de l'hélicoptère que je t'ai envoyés ? ».

Cette blague, je vous la raconte parce qu'elle illustre très bien la façon dont les forces supérieures s'y prennent pour entrer en contact avec nous : elles attirent notre attention une fois, deux fois et parfois plus. Charlie, mon professeur, m'a déjà dit ce qui suit : « Si la même idée te revient deux fois de suite, il te faut la suivre ; plus de deux fois, c'est que tes guides s'évertuent à essayer de te faire comprendre quelque chose. ». En d'autres termes, le monde des esprits fait tout pour nous aider, mais nous ne choisissons ni la nature de l'aide ni la façon dont le soutien nous sera apporté.

À vous, maintenant

Pour bénéficier de l'aide de vos esprits guides, soyez attentif à leurs méthodes de travail et ne refusez jamais leur secours sous prétexte que vous auriez procédé différemment.

Considérez chaque parcelle d'inspiration, chaque impulsion et chaque idée comme des messages importants qui viennent d'en haut et acceptez-les. Ne perdez pas une minute à les remettre en question, à les écarter ou à discuter avec vos guides… au risque de rater le dernier hélicoptère.

CHAPITRE 22

Les guides se servent aussi de messagers

Votre état émotif peut entraver les efforts que font vos guides pour entrer en contact avec vous. Si vous êtes stressé, inquiet ou perturbé d'une quelconque manière sur le plan émotif, vos guides auront énormément de mal à vous atteindre, et vous conviendrez que c'est là que vous en aurez le plus besoin.

Que font-ils, dans de tels cas ? Plutôt que de tenter de vous joindre ou de vous inspirer directement, ils passent par quelqu'un de votre entourage pour vous faire parvenir leurs messages d'encouragement. À l'inverse, il est fort possible que les guides de quelqu'un d'autre vous aient déjà utilisé pour aider un de leurs protégés.

Vous est-il déjà arrivé, par exemple, de téléphoner à quelqu'un qui vous dit que vous n'auriez pas pu mieux tomber ? Un de mes clients, Jeff, m'a raconté que, le printemps dernier, il était en route vers le chantier de construction où il travaillait lorsque l'envie lui prit soudain de passer un coup de fil à sa grand-mère qu'il adore, mais à qui il n'avait pas parlé depuis plus d'un an. Faisant fi de l'heure — il n'était que 6 h du matin — il obéit à son impulsion et lui téléphona pour trouver au bout du fil une grand-mère en larmes.

— Ça va, mamie?

— Oh, Jeff, j'ai cru que c'était le vétérinaire qui appelait. En fait, ça ne va pas du tout : Bob, le chat qui vivait avec moi depuis 20 ans, vient de mourir. Je n'ai plus personne et je suis toute bouleversée.

Peiné de l'énorme chagrin de sa grand-mère, il répondit :

— Je suis vraiment désolée, grand-maman, mais il y a un point sur lequel tu as tort : tu n'es pas seule. Je n'ai rien au programme ce week-end et, ce soir, je passerai te voir après le travail. Essaie de tenir le coup jusque-là si tu peux. Je t'aiderai à traverser cette épreuve.

Et il se rendit chez sa grand-mère à la fin de la journée, comme promis.

Jesse, une cliente, m'a raconté qu'un beau matin, elle travaillait paisiblement sur un dossier dans un café Starbucks lorsque l'envie lui prit tout à coup de demander à la femme assise à côté d'elle si elle était une habituée.

— En fait, non, répondit-elle. Hem, c'est-à-dire que oui... ou plutôt, non. Ce que je veux dire, c'est que je viens de déménager de l'Indiana il y a trois jours. J'habite pour l'instant chez une ancienne camarade d'université et je suis à la recherche d'un appartement dans ce quartier. J'aimerais beaucoup vivre autour d'ici, mais on m'a dit qu'il était très difficile de trouver un logement en cette période de l'année.

— Ça alors! s'est exclamée Jesse en pouffant de rire. Ma propriétaire m'a demandé ce matin même si je connaissais quelqu'un qui cherchait un appartement. Elle n'a pas envie de se donner du mal pour trouver un nouveau locataire. J'habite le quartier depuis cinq ans et j'adore cet endroit. L'immeuble est à trois pâtés de maisons d'ici. Tenez, voici le numéro de téléphone de la propriétaire.

La voisine de table de Jesse a signé le bail avant la fin du déjeuner, et les deux femmes se sont liées d'amitié. Les guides de cette femme ont utilisé Jesse pour aider leur protégée.

Dans la même veine, il y a mon ami Bill, présentateur à la télévision, qui souhaitait vivement rencontrer l'âme sœur. Il n'en est pas revenu lorsque cela s'est produit. Une très jolie femme prénommée Angela l'a un jour interviewé pour le compte d'un magazine local, et les deux ont tout de suite senti qu'ils allaient bien s'entendre. N'osant y croire, Bill a demandé à ses guides de l'aider à savoir si l'amour était vraiment au rendez-vous tandis qu'il marchait en direction du restaurant où il devait retrouver la dame.

En entrant, le maître d'hôtel lui remit une rose et, lorsque Bill lui demanda pourquoi, il répondit qu'il n'en savait rien, mais que quelque chose lui disait que c'était ce qu'il devait faire. Interprétant la rose comme le signe qu'il avait demandé à ses guides, Bill l'accepta, la remit à Angela et se maria avec elle dans l'année.

— La rose fut décisive, m'expliqua Bill. Lorsqu'on me l'a remise, j'ai tout de suite su que mon rêve allait devenir réalité. Et c'est effectivement ce qui s'est produit.

Saviez-vous que…

… chaque message qui attire votre attention a un sens,
peu importe qui en est le messager ?

À vous, maintenant

Souvenez-vous d'une occasion où c'est vous qui faisiez office de messager pour quelqu'un d'autre. Vous avez spontanément décroché le téléphone et appelé cette personne juste avant que sa journée ne soit gâchée, vous avez dit la chose qu'il fallait au bon moment ou trouvé la solution à son problème. De quoi s'agissait-il ? Quand cela s'est-il produit ? Comment cela s'est-il déroulé ? Qui était en cause ? Quel a été le résultat ? Avez-vous senti l'influence de l'Au-delà dans cette affaire ? Parlez-en à au moins une personne intéressée et voyez quel effet cela vous fait.

Ce sont des situations où les guides de quelqu'un vous ont utilisé pour transmettre un message visant à les aider, prouvant ainsi que notre Univers est une source d'amour infinie. Nous sommes tous interconnectés et nous pouvons à la fois aider et être aidés.

CHAPITRE 23

Le langage des guides

Les esprits guides qui s'adressent à nous le font subtilement et... indirectement : ils ont recours aux énigmes, aux métaphores, aux symboles, aux rêves et même aux blagues. Vous devez apprendre non seulement à capter leurs vibrations subtiles, mais aussi à déchiffrer leur langage unique. Vous seul pouvez décider d'agir en ce sens.

Ne vous laissez cependant pas intimider. Vos guides ne cherchent ni à vous tromper ni à semer en vous la confusion. En fait, leur mode de communication est souvent plus clair, plus puissant et plus humoristique qu'un message direct.

Une de mes clientes, agent de bord, aimait beaucoup les sucreries. À 4 h du matin, un jour qu'elle s'apprêtait à franchir les 65 km qui la séparaient de l'aéroport, elle entendit une voix qui disait :

— *N'est-ce pas une belle journée pour manger des beignets ?*

Habituée à parler à ses guides et alléchée à la perspective de mordre dans un bon beignet frais, elle répondit :

— *Oui, mais je suis en retard ce matin et je n'ai pas le temps de m'arrêter.*

Au moment où elle mettait sa valise dans sa voiture, elle entendit de nouveau :

— *N'est-ce pas une belle journée pour manger des beignets ?*

Ça l'a fait rire, mais elle répondit encore une fois :

— *Oui, c'est vrai, mais je ne peux pas m'arrêter sans me mettre en retard.*

Alors qu'elle s'engageait sur la voie de service menant à l'autoroute, elle vit un camion chargé de beignets à la pompe à essence tout près de l'embranchement.

Ses guides sont encore revenus à la charge :

— *Belle journée pour manger des beignets, non ?*

— *Bon d'accord, je me rends, mais je dois me dépêcher.*

Elle se gara derrière le camion de beignets arrêté à la station-service, retira la clé du contact et s'aperçut qu'il ne restait presque plus d'essence dans sa voiture.

« Dire que j'ai failli m'engager sur l'autoroute ! pensa-t-elle, interloquée. J'aurais très certainement raté mon vol. »

Et les guides de répliquer à l'unisson :

— *Tu vois bien que c'est une belle journée pour manger des beignets !*

Fred, un client, prenait sa douche un matin avant de se rendre au travail lorsqu'il a entendu : « *Sors de la voie rapide.* ». Il s'est imaginé que c'était une métaphore utilisée par ses guides pour lui dire de ralentir ses activités. Il ne se doutait pas de ce qui l'attendait peu de temps après. Sur l'autoroute le conduisant à son travail, il s'engagea à gauche, dans la voie rapide, pour parcourir comme d'habitude les 40 km qui le séparaient de sa destination lorsque le pneu avant droit éclata et faillit lui faire perdre la maîtrise de son véhicule.

— Heureusement, j'ai tenu le volant fermement et j'ai réussi à traverser trois voies sans me faire percuter pour enfin gagner l'accotement, me raconta-t-il. Un vrai miracle ! Je suis sorti de ma voiture, j'ai inspecté le pneu et j'ai aperçu un très mince lambeau de caoutchouc qui pendouillait de la jante. Lorsque je me suis souvenu de ce que j'avais entendu dans la douche, j'ai dit à mes guides, reconnaissant : « *J'ai l'impression que vous ne mâchiez pas vos mots, aujourd'hui.* ».

Alors qu'il se dirigeait vers la bretelle de service pour aller chercher du secours, il aperçut par terre une pièce de cinq cents et une autre de un cent. En les ramassant, il dit tout haut « Ah ! six cents » et il se rendit compte que ses guides s'amusaient avec lui.

— Six cents. Sixième sens[1]. Je comprends, maintenant. Merci encore. Je vous prie de m'envoyer maintenant du secours.

Pour apprendre le langage des guides, il faut se permettre de faire des erreurs et de garder le sens de l'humour. Les guides adorent s'amuser et essayer de vous faire rire. Plus vous riez, plus vous élevez votre vibration. Vos guides adorent sentir cette vibration émaner de vous, alors ils saisissent toutes les occasions possibles de jouer avec vous.

Dans un cours que je donnais à l'Institut Omega de New York sur la façon de communiquer avec ses guides, j'ai demandé aux participants de former des équipes de deux et d'essayer de parler directement à leurs guides. Une femme, qui s'attendait à des révélations profondes, leva la main et dit sur un ton frustré :

— Ça ne fonctionne pas du tout comme prévu. Tout ce que j'entends, c'est « Jujube ; dis à ton partenaire de s'amuser avec le jujube », ce qui est complètement ridicule.

À ces paroles, l'étudiant avec qui elle travaillait s'est écrié :

— Ça alors ! Qu'est-ce que tu viens de dire ? J'ai passé la matinée à me demander si je devais adopter un chien pour meubler ma solitude. Ma voisine, dont la chienne vient d'avoir une portée, vient de m'offrir un chiot… du nom de Jujube ! Je suppose que tu connais déjà ma réponse.

Il arrive que vos guides vous parlent en symboles. Une de mes clientes m'a demandé un jour pourquoi elle était bombardée d'images de papillon.

---

1 N.d.T. : En anglais, *sixième sens* se dit « sixth sense ».

— Ma voisine, me raconta-t-elle, m'a appelée récemment pour me demander si j'aimerais avoir un arbre à papillons pour mon anniversaire. Je ne savais même pas qu'une telle chose existait !

Je lui ai suggéré de noter avec exactitude, pendant les six prochains mois, ce qui se passait dans sa vie chaque fois qu'elle rencontrait un papillon. Après un certain temps, elle s'est rendu compte que les papillons apparaissaient une heure avant qu'elle demande à l'Univers et à ses guides si elle était sur la bonne voie. Les papillons étaient un signe que ses guides utilisaient pour lui dire que tout allait bien.

Une participante à un de mes ateliers a raconté que, chaque fois qu'elle s'apprêtait à commettre une erreur, la chanson d'Elton John intitulée *Don't Let the Sun Go Down on Me* lui venait à l'esprit. La dernière fois, elle venait tout juste de se fiancer avec un homme dont elle était très éprise — elle était du moins éprise de son argent et de son apparence, car c'était un athlète professionnel qui avait fière allure, et en allumant la radio dans sa voiture le lendemain, elle avait entendu la fameuse chanson.

Elle poussa un cri et s'empressa de fermer la radio, forcée néanmoins de reconnaître que c'était un mauvais présage. Après six mois de mésentente, son fiancé et elle finirent par annuler leur mariage. Vers la fin de leur union, alors qu'ils se disputaient pour des vétilles, il lui lança : « Ah, oui, une dernière chose… je déteste Elton John. ».

Lorsqu'ils choisissent des symboles, les guides adoptent ceux qui vous sont déjà familiers. Très jeune, ma fille Sonia adorait le livre *The Runaway Bunny* (Le lapin fugueur). Chaque fois qu'elle entrait dans la peau du personnage, je lui demandais si elle était mon petit lapin fugueur. À l'adolescence, alors qu'elle souhaitait s'affranchir, chaque fois qu'elle s'apprêtait à aller trop loin, un lapin lui apparaissait sous une forme ou sous une autre.

Un jour, elle avait envisagé de nous faire croire qu'elle allait dormir chez une copine afin d'assister à un spectacle pour lequel nous la trouvions trop jeune, et un lapin était passé devant elle en courant à la sortie de l'école. Elle décida plutôt de nous demander la permission, et mon mari et moi la lui accordâmes, à condition de la reconduire et d'aller la chercher nous-mêmes après le spectacle. Une autre fois, une confrontation monstre éclata entre elle et moi, et elle sortit en claquant la porte. Dehors, elle aperçut deux traces de lapin en deux endroits différents et elle décida de revenir s'excuser. Pendant ce temps, un lapin en bois tomba inopinément d'un rayon de ma bibliothèque, et je m'excusai à mon tour. Et tandis que ma fille réfléchissait à la possibilité de partir en voyage en compagnie d'une amie avec qui elle n'était pas certaine de vouloir passer autant de temps, Patrick est remonté du sous-sol avec en main la copie originale de *Runaway Bunny* et la lui remit. Sonia a décidé de rester à la maison.

Alors, qu'est-ce qui attire votre attention ? Ne vous inquiétez pas si vous ne pouvez pas répondre tout de suite à cette question. Il vous suffit de placer cette dernière dans votre champ de conscience et d'attendre la réponse.

Une de mes clientes, qui commençait tout juste à s'intéresser aux signes et aux symboles, m'a raconté une anecdote intéressante à ce sujet. Alors qu'elle se préparait à aller faire du shopping avec une amie, elle entendit ses guides lui souffler : « Tu ne peux pas partir avant d'avoir brassé les cartes. ».

« Quelle idée saugrenue », pensa-t-elle, et, la chassant de son esprit, elle continua de se préparer. Quelques secondes plus tard, elle entendit de nouveau la phrase, mais cette fois sur un ton enjoué. Et elle pensa au jeu de tarot qu'elle venait d'acheter et qu'elle avait regardé ce matin-là. N'ayant pas envie de brasser les cartes à ce moment précis, elle décida de ne pas tenir compte du message, prit son sac à main et se dirigea vers la porte.

Or, la voix insista : *Tu ne peux pas partir avant d'avoir brassé les cartes.*

Alertée par une drôle d'odeur qui flottait dans l'air, elle regarda en direction de son bureau séparé par une porte vitrée et vit que la pièce était remplie de fumée. Plus tôt dans la journée, elle avait allumé un lampion, et le verre était tellement chaud que le feu commençait à couver sur son bureau en bois. Elle souffla le lampion et étouffa les braises.

— La maison au complet aurait pu brûler, dit-elle tout haut.

Puis, elle aperçut son nouveau jeu de tarot juste à côté du lampion. Remplie de reconnaissance pour ses guides qui l'avaient avertie du danger, elle les remercia et ajouta ceci :

— *Dites-le-moi chaque fois que vous souhaitez que je me tire au tarot.*

Soudain, l'as de cœur, qui signifie « l'amour vous protège », tomba du jeu.

Lorsque vous commencerez à vous connecter consciemment avec le monde invisible, vous pourrez apprendre à en parler le langage. Celui-ci est rempli de symboles, d'odeurs, de devinettes, de blagues et même de sons, et chacun d'eux est choisi en fonction de vous. Ayez envers le monde des esprits la même attitude que s'il s'agissait d'une contrée exotique : admirez-en le paysage, adoptez les coutumes ancestrales encore en usage et acceptez l'hospitalité de ses habitants, vos esprits guides. En peu de temps, vous parlerez couramment leur langage.

Saviez-vous que...

... pour apprendre à communiquer avec vos guides, vous devez entre autres parler couramment le langage subtil des symboles et des signes, et réagir lorsque vous les remarquez ? En apprenant à les reconnaître, vous saurez comment les interpréter.

À vous, maintenant

Notez dans un calepin les objets, les impulsions, les images, les phrases, les mélodies, les idées et même les pensées qui se manifestent inopinément et à répétition dans vos vies. Après deux semaines, relisez vos notes. Remarquez-vous des tendances ? Avec le recul, pouvez-vous déceler dans ces messages des significations plus profondes ou des traces d'humour ? Quelqu'un essaie-t-il de vous dire quelque chose ? Scrutez vos notes pour essayer de comprendre ce qui pourrait s'y cacher.

CHAPITRE 24

Comment s'appelle-t-il ?

Au palmarès des questions qu'on me pose le plus souvent figure en bonne place « Comment mon guide s'appelle-t-il ? ». J'espère que vous savez désormais que vous êtes connecté à de nombreux guides tout au long de votre vie, pas à un seul, et qu'au moment où ils quittent leur enveloppe physique, ils cessent d'avoir un nom et un sexe pour n'exister que sur le plan énergétique. Cependant, pour nous aider à nous connecter à eux, il leur arrive d'adopter un nom et même un sexe. En général, ils prennent l'identité qu'ils avaient lors-qu'ils nous connaissaient dans une vie antérieure afin de nous aider à nous souvenir d'eux et à renouer avec eux consciemment.

Certains guides, surtout s'ils viennent d'autres systèmes solaires ou si leurs fréquences ne sont pas matérielles, choisissent le nom qui reflète le mieux leur vibration. Les voyelles et les sons ouverts ont une fréquence beaucoup plus élevée que les consonnes, ce qui explique la nature légère et même aérienne des noms de guide les plus usuels comme Ariel, Abu ou tout autre nom composé de sons courts et ouverts.

Il y a parmi les guides des êtres chers, parents ou amis, qui sont passés de l'autre côté et dont la fréquence énergétique est restée plus ou moins la même que lorsqu'ils étaient parmi nous. Ils utilisent souvent le nom qu'ils portaient sur terre pour qu'on puisse les reconnaître. Si leurs noms vous viennent à l'esprit plusieurs fois d'affilée, c'est qu'ils sont avec vous. Il est normal de penser très souvent à une personne récemment décédée. Pour savoir si vous y pensez parce que les événements sont récents ou parce que le défunt essaie réellement d'entrer en contact avec vous, voyez si vous percevez son esprit ou tout autre signe se rapportant à la personne chaque fois que son nom vous vient en tête. Le cas échéant, son esprit essaie probablement de communiquer avec vous ; sinon, c'est que vous pensez à l'être cher dans le cadre du processus de deuil.

Edith est une cliente qui a été mariée pendant 40 ans à Stanley, un homme qu'elle aimait tendrement et avec qui elle vivait dans le nord du Michigan. Elle était inconsolable depuis que son mari était décédé d'un infarctus. Plusieurs semaines s'étaient écoulées depuis les funérailles, et elle était à peine remise. Elle avait l'impression que Stanley était partout, surtout sur la galerie arrière où il aimait se bercer de son vivant. Un jour, trouvant un cardinal sur le dos du fauteuil berçant, elle lui dit :

— Mais qu'est-ce que tu fais là, sur le fauteuil de Stanley ?

L'oiseau ne broncha pas. Ma cliente s'approcha doucement et lui demanda :

— Pourquoi es-tu ici ?

Edith était perplexe, car Stanley adorait ce genre d'oiseaux. Le lendemain, elle sentit de nouveau la présence de son défunt mari et se dirigea vers la galerie arrière où elle trouva le même cardinal perché sur le bras du fauteuil berçant. Encore une fois, l'oiseau resta là.

Et cela continua pendant 10 jours, au bout desquels Edith demanda au cardinal :

— Est-ce toi, Stanley, qui essaies de me dire quelque chose ? Est-ce réellement toi ?

Ayant l'impression que c'était lui et qu'il l'écoutait, elle en profita pour s'épancher.

Ce jour-là, elle lui raconta beaucoup de choses, mais, surtout, elle lui fit ses adieux, ce qu'elle n'avait pas eu la chance de faire, car il était mort subitement. Tout de suite après, l'oiseau s'envola et ne revint plus jamais. Stanley s'était reconnecté à Edith pour l'aider à surmonter cette épreuve et à reprendre sa vie là où elle l'avait laissée.

Lors d'un atelier que j'ai donné récemment, une participante voulait désespérément se connecter à un de ses guides pour lui parler de son mariage. Dès qu'elle lui eut demandé son nom, « James » lui est venu à l'esprit, suivi de « l'éloquent aux yeux bleus ». Quelque peu troublée par la facilité avec laquelle elle s'était connectée, elle demanda au guide si James était réellement le nom qu'il portait et s'il était véritablement une force de guérison. C'est alors qu'elle reçut spontanément le message suivant : *Livre le fond de ta pensée à ton mari par écrit et non verbalement.* Elle réfléchit pendant quelques jours, puis décida de suivre le conseil de James. Elle écrivit à son mari une lettre de 10 pages expliquant en détail ce qu'elle aimait de sa relation avec lui et ce qu'elle souhaitait changer, et elle l'invitait à faire de même. Puis, elle posta la missive.

Deux jours plus tard, alors qu'elle était encore à l'atelier, elle reçut de son mari un bouquet de fleurs et une lettre dans laquelle il lui disait comprendre ses récriminations et être disposé à faire des efforts pour changer — tout cela de la part d'un homme qui lui aurait normalement opposé une fin de non-recevoir aussi bien verbale qu'émotionnelle. Elle en a conclu que son guide s'appelle réellement James, et, si l'on en juge par les conseils qu'il lui a donnés, il a plus que fait ses preuves comme force de guérison.

Lorsqu'on demande à connaître le nom de son guide, la réponse n'est pas toujours simple. Comme je l'ai mentionné, je communique personnellement avec trois guides qui forment un trio appelé les

« Trois Évêques » et je suis connectée aux Sœurs de la Pléiade, deux anges magnifiques — parfois trois et même plus — qui me parlent à l'unisson.

Ma très bonne amie Julia Cameron, alors qu'elle travaillait sur un film il y a plusieurs années, écrivait souvent à ses guides, et ces derniers répondaient toujours à plusieurs sans jamais révéler leur nom. J'ai une autre amie qui appelle ses guides « Les lumineux ».

Vous pouvez aussi demander à vos guides de se nommer lorsque vous les rencontrez dans votre lieu secret. Lorsque vous en sentez ou en voyez un, demandez-lui : « *Comment dois-je vous appeler ?* » et écoutez la réponse.

Si le nom change, c'est que votre guide s'est retiré et qu'un autre a pris la relève ou qu'il modifie sa fréquence et que sa nouvelle vibration a entraîné un nouveau nom.

Vous pouvez également décider vous-même du nom de votre guide sans altérer aucunement la connexion. Le fait de lui donner un nom que vous avez choisi le rend plus précieux à vos yeux, comme lorsqu'on donne un nom à un animal de compagnie. Shakespeare n'a-t-il pas dit dans *Roméo et Juliette* : « Qu'y a-t-il dans un nom ? Ce que nous appelons rose / Par n'importe quel autre nom sentirait aussi bon. ».

Saviez-vous que...

*... pour connaître le nom d'un guide qui n'est
ni un parent proche ni un ami ayant traversé dans
l'Au-delà, vous pouvez vous servir de la télépathie ?
Le premier nom qui vous viendra à l'esprit sera le bon.*

À vous, maintenant

Pour savoir comment se nomme votre guide, fermez les yeux, respirez profondément et concentrez-vous. Lorsque vous sentirez sa présence, demandez-lui «*Comment dois-je vous appeler?*» et acceptez le premier nom qui vous viendra à l'esprit. S'il n'y en a aucun, ne vous en faites pas. Décidez vous-même d'un nom. Ne réfléchissez pas trop longtemps et amusez-vous. Vous verrez, votre guide adorera le nom que vous lui aurez choisi.

Si vous avez l'impression de vous connecter à un groupe de guides, demandez-leur comment ils s'appellent. Fiez-vous à ce qui vous viendra à l'esprit. Lorsque vous connaîtrez les noms de vos guides, servez-vous-en. Quand vous les inviterez à se manifester, appelez-les chacun par leur nom, et ils vous répondront. Le fait de leur donner un nom rend le contact plus personnel et contribue à ouvrir davantage les canaux de haute fréquence. Le choix du nom importe moins que le fait d'utiliser toujours le même. Les noms ne sont que des cartes de visite qui symbolisent votre intention de communiquer. En restant fidèle au nom que vous lui avez attribué, vous augmentez vos chances de vous faire aider par votre guide. Profitez-en bien.

CHAPITRE 25

Les guides vous aident — ils ne font pas le travail à votre place

S i vous souhaitez avoir une expérience positive au contact de vos guides, vous devez bien comprendre le rôle qu'ils jouent dans votre vie. Ils adorent vous aider, et vous ne les dérangez jamais, mais ils ne peuvent pas — et ne veulent pas — tout faire à votre place. Je l'ai appris à mes dépens lorsque Lu Ann, ma meilleure amie, m'a aidée à rentrer chez mes parents après un an et demi d'absence pendant lequel j'avais vécu seule. Nous avons chargé la voiture et quitté Chicago en direction de Denver en plein mois de janvier.

Je venais de démarrer, lorsque Lu Ann m'a demandé si j'avais une carte routière.

— Non, répondis-je avec arrogance, je n'en ai pas besoin : mes guides vont m'indiquer le chemin.

Une heure plus tard, lorsque nous nous sommes arrêtées faire le plein, je me suis rendu compte que nous avions parcouru 144 kilomètres de trop dans la mauvaise direction. Quand j'ai demandé au pompiste si nous étions sur l'autoroute menant à Denver, il a bien ri et, moi, toute penaude… j'ai acheté une carte routière.

Peu importe qui sont vos guides et leur degré d'expertise, lorsque vous les sollicitez, vous devez savoir qu'ils sont là pour vous aider et non pour se charger de votre vie à votre place. Leur travail consiste à vous faciliter l'existence et à vous permettre de croître au meilleur de vos possibilités. Pour ce faire, ils vous fournissent des indices et vous indiquent le chemin à suivre. Il peut être tentant de souhaiter qu'ils puissent nous empêcher de commettre une erreur grave, mais cela deviendrait rapidement insupportable. Après tout, nous sommes ici pour apprendre, et l'erreur fait partie de tous les apprentissages. Vos guides ne veulent pas faire le travail à votre place. Ils souhaitent simplement que vous appreniez vos leçons le plus rapidement et le plus efficacement possible tout en ayant du plaisir.

Autrement dit, ne devenez pas paresseux (comme je l'ai été ce jour-là) en pensant que vous pouvez vivre en mode autoguidage et cesser de faire vos devoirs parce que vos guides vont s'occuper de tout pour vous. Il n'en est rien. Les guides supérieurs ne peuvent ni ne veulent prendre la maîtrise de votre vie. Leur rôle consiste uniquement à vous soutenir et à vous aider. Comme une carte routière, ils vous montreront le meilleur chemin à prendre pour arriver à destination, mais ils ne conduiront pas l'auto.

Il est de mon devoir, cependant, de vous prévenir que les entités inférieures liées à la terre et à l'ego se feront un plaisir, si vous les laissez faire, de prendre votre vie en main. Denise, une cliente, a demandé l'aide de ses guides pour se sortir de ses dettes rapidement plutôt que de suivre les étapes nécessaires. Au lieu de solliciter de l'aide pour mieux gérer son argent, elle a cru qu'un esprit guide pourrait lui en trouver rapidement. Comme première question à son guide, elle demanda si elle devrait se rendre au nouveau bateau-casino près de chez elle afin de faire un coup d'argent, comme le lui avait suggéré une amie elle aussi endettée.

Effectivement, une entité inférieure se manifesta aussitôt pour lui dire que c'était une excellente idée. Convaincue que ce conseil allait lui permettre de gagner une fortune, elle se rendit au casino semaine après semaine sur l'avis de cette entité imprudente, même si de fois en fois elle perdait de plus en plus d'argent. Non seulement ne s'est-elle pas libérée de ses dettes comme elle l'aurait souhaité, mais aussi s'est-elle enfoncée encore davantage dans son bourbier financier. En moins de six semaines, elle avait perdu sa maison, fait grimper à plus de 75 000 $ les soldes cumulés de ses cartes de crédit, en plus de la dette de 50 000 $ qu'elle avait déjà contractée.

Expliquer à son mari que c'était la faute de son guide ne l'a pas aidée du tout. Cela ne l'a pas soulagée financièrement et n'a pas empêché la perte de ses biens immobiliers, sans compter qu'elle a eu l'air d'une demeurée. Plutôt que d'admettre qu'elle était en mauvaise posture, elle s'en est remise aveuglément à une entité qui l'a manipulée jusqu'à ce qu'elle se retrouve en plus mauvaise posture encore. Et elle a fini par tout perdre.

Lorsque vous travaillez directement avec vos guides, gardez à l'esprit qu'au mieux, ils se manifesteront sous forme de petite poussée, d'inspiration ou d'idée soudaine. Il vous appartiendra ensuite de décider si vous en tiendrez compte et y donnerez suite. Peu importe la nature des conseils que vous recevrez, faites toujours preuve de bon sens et n'oubliez pas une chose : rien ne changera vraiment tant que vous ne serez pas passé à l'action. Les guides ne peuvent rien faire à votre place, changer quoi que ce soit pour vous ou faire de la magie. Ils ne peuvent que vous sensibiliser à la magie naturelle et à la bienveillance de l'Univers, et vous inciter à vous positionner de manière à en profiter.

Voici quatre questions qui peuvent vous aider à déterminer si les conseils d'un guide sont valables :

1. Ce conseil est-il réaliste et non menaçant ?

2. Me semble-t-il provenir d'une source tendre et aimante ?

3. Tient-il compte de toutes les personnes concernées ?

4. M'aidera-t-il sans que cela nuise à personne ?

Si vous pouvez répondre oui à toutes ces questions, le conseil que vous avez reçu vaut la peine d'être considéré. Sinon, il provient probablement d'une source inférieure et ne devrait pas être pris en compte.

De toute façon, ne vous laissez jamais abattre par quelque conseil que ce soit. S'il contient de l'information que vous préféreriez ne pas entendre, qui ne s'accorde pas à votre point de vue ou qui vous déçoit, prêtez quand même l'oreille. Les guides ne sont pas là pour nous flatter ou être d'accord avec nous, et leurs conseils ne font pas toujours notre affaire. Si ce qu'ils vous communiquent est de nature dérogatoire à votre endroit ou à l'endroit de toute autre personne, si vous vous sentez menacé ou attaqué, si votre esprit se sent diminué d'une quelconque façon ou que les conseils que vous recevez ne vous paraissent pas judicieux, n'en tenez tout simplement pas compte et ne vous laissez surtout pas intimider. Soit que vous avez par inadvertance laissé une entité terrestre entrer dans votre champ de conscience et s'amuser à vos dépens, soit que — ce qui est plus probable — votre faible estime personnelle a pris le dessus sur votre véritable esprit.

J'étais à Chicago récemment et je signais des livres après avoir donné une conférence devant une foule nombreuse, lorsqu'une jeune femme visiblement perturbée me raconta que son guide lui avait dit que sa meilleure amie et elle allaient bientôt mourir dans un accident de voiture. Elle voulait savoir ce que j'en pensais. Je me suis empressée de lui répondre qu'il n'y avait pas lieu de s'attarder à de telles balivernes et qu'elle devait cesser immédiatement de s'inquiéter à ce sujet. J'ai ajouté cependant qu'elle ne devait pas pour autant cesser d'être prudente au volant et que c'était une question de gros bon sens. « Ne bois pas d'alcool si tu conduis, obéis aux règlements de circulation, respecte les limites de vitesse et demande d'être protégée chaque fois que tu montes dans un véhicule, lui conseillai-je. Et détends-toi. C'est simplement une entité inférieure qui s'est amusée à te faire peur. ».

La jeune femme parut réellement soulagée, et je l'étais aussi pour elle. Se laisser alarmer par quelque chose d'aussi bêtement néfaste que de se faire dire qu'on va mourir bientôt me semblait parfaitement inutile. Aucun guide digne de ce nom ne dirait une chose pareille. La mort est une affaire privée entre Dieu et vous, et aucun guide n'interviendra jamais en la matière. Les guides de haut niveau ne se permettraient jamais de faire peur à quelqu'un en lui annonçant un événement aussi terrible. Si la femme avait couru un danger réel ou si elle s'était mise dans de mauvais draps par sa propre faute, son guide l'aurait invitée à conduire plus prudemment. Il ne lui aurait pas annoncé sa mort.

Tous les guides aux vibrations élevées vous perçoivent comme une entité divine, aimée et précieuse qui fait un dur apprentissage sur Terre. Ils comprennent vos défis, éprouvent de la compassion pour vous qui luttez et ressentent à votre égard beaucoup d'amour et de respect. Ces guides se sentent privilégiés d'avoir la possibilité de vous aider et ils le font toujours de manière constructive et respectueuse, ainsi qu'avec compassion.

Lorsque vous parlez à vos guides, ne leur demandez pas de vous dire quoi faire, mais de vous amener à prendre la décision qui servira le mieux votre âme et de vous aider à effectuer des choix mieux éclairés. Lorsque vous leur demandez comment agir, vous remettez en quelque sorte votre vie entre leurs mains, une responsabilité qu'ils refuseront toujours. Si vous les priez de diriger votre vie, ils se détacheront peu à peu de vous et se retireront de votre fréquence vibratoire, ce qui vous obligera à recommencer en neuf pour rétablir la communication.

De plus, il est important de comprendre la différence entre être guidé et prendre ses désirs pour des réalités. Les conseils donnés par un véritable guide sont subtils et tiennent compte de tout le monde, pas seulement de vous. Les guides vous dirigeront toujours vers le chemin le plus élevé menant à la responsabilité, à la croissance personnelle et à l'intégrité. Si les conseils que vous recevez vont au-delà de cela, méfiez-vous. C'est peut-être votre ego qui parle et qui essaie de vous tromper pour que vous vous soumettiez à ses désirs.

Une de mes clientes a demandé à ses guides si elle devait divorcer peu de temps après avoir rencontré dans une noce un homme séduisant qui s'était intéressé à elle. Cette femme était malheureuse et mariée à un alcoolique, mais elle souffrait de codépendance et ne pouvait s'empêcher de dépenser son argent dans les magasins. En réalité, elle cherchait une bonne raison de rompre avec son mari. Son guide est resté silencieux, mais la dame a entendu dans son cerveau : « Oui, quitte ton mari, car ce nouveau type est amoureux de toi. ». Souhaitant se convaincre elle-même d'avoir rencontré « l'homme parfait », et d'avoir obtenu la permission de quitter « l'homme moins que parfait », elle fit une requête en divorce, prête à recommencer sa vie avec le nouveau type.

Son mari, en état de choc, la supplia d'attendre et lui offrit même d'entreprendre une thérapie conjugale, mais elle avait déjà tourné la page, dressé la liste des invités qui assisteraient à son deuxième mariage et n'était nullement intéressée par sa proposition. Le divorce fut prononcé rapidement, et elle courut après l'autre homme, qui lui fit comprendre tout aussi rapidement qu'elle ne l'intéressait absolument pas et qu'il valait mieux pour elle d'aller se faire voir ailleurs. La femme que j'ai reçue dans mon bureau ce jour-là était ravagée et confuse.

— Mon guide m'a pourtant conseillé de divorcer ! me dit-elle en pleurant. Je lui ai fait confiance. Comment a-t-il pu me tromper à ce point ?

— Non seulement les guides ne peuvent pas prendre ce genre de décision, mais ils ne le veulent pas, l'ai-je rassurée. Êtes-vous certaine que ce n'est pas plutôt ce que vous vouliez ?

— Je pense que c'est réellement mon guide qui m'a conseillé de quitter mon mari, répondit-elle, penaude.

Cependant, quand j'ai posé à ma cliente les quatre principales questions permettant d'identifier un guide, elle n'a pu répondre oui à aucune.

— J'ai l'impression que ce n'était pas votre guide, ai-je conclu, car ce dernier n'aurait jamais pris une telle décision à votre place et n'aurait pas été aussi dur envers votre mari. Ce n'était peut-être pas du tout un guide, mais plutôt une intuition qui vous a indiqué une façon commode de rompre.

— C'est possible, admit-elle en réfléchissant à la rapidité avec laquelle elle avait tout envoyé balader sans prendre le temps de peser le pour et le contre, c'est possible...

Pour vous aider à faire la part des choses entre les conseils provenant véritablement d'un guide éclairé et les basses suggestions de votre ego ou d'entités inférieures, sachez qu'une aide de source réellement élevée ne correspond pas toujours à ce que vous souhaiteriez entendre, mais que vous vous sentez néanmoins en paix et satisfait. Les conseils ainsi donnés « sonnent » juste et « résonnent » très profondément dans votre corps avant de se déposer en vous. Vous savez que les choses sont fondées, indépendamment du message. Si les conseils que vous avez reçus ne proviennent pas de source sûre, ils ne se déposeront pas dans votre corps. Ils vous trotteront dans la tête comme un boulon qui n'a pas trouvé sa place. Alors, écoutez votre corps lorsque vous recevez des conseils d'un guide. Concentrez-vous sur ce que votre corps — et non votre tête — vous dit. En peu de temps, vous sentirez la différence.

Ne laissez pas la peur d'entités inférieures ou de votre ego vous empêcher de demander de l'aide chaque fois que vous vous sentez coincé. Vos guides sont là pour vous aider à renforcer votre connexion directe avec ce qui représente le meilleur pour vous et ils se feront un plaisir de vous aider. Plus vous travaillerez avec eux, plus votre boussole intérieure et votre intuition se développeront, un indice supplémentaire d'une bonne communication entre vous.

Saviez-vous que les guides supérieurs...

... vous aident, mais ne dirigent pas votre vie?

*... vous inspirent, mais ne prennent pas
les décisions à votre place?*

... font des suggestions subtiles qui ne nuisent à personne?

... ne sont jamais arrogants?

... vous aident à développer votre intuition?

*... vous procurent une sensation de paix et
vous donnent l'impression d'être soutenu?*

À vous, maintenant

Pour éviter toute confusion et faire la distinction entre vos guides et votre ego, ne posez jamais de questions commençant par « devrais-je ». Demandez plutôt de connaître les options les plus judicieuses, puis attendez patiemment et écoutez. Si vous formulez ainsi vos questions, les canaux de communication entre vous et vos guides vont s'ouvrir et se renforcer, et votre ego, de même que les autres entités indésirables, seront réduits au silence. Chaque fois que vous demandez « devrais-je? », vous invitez une force extérieure à prendre le contrôle. Les guides élevés s'y refusent, car ils y voient un manque de respect, mais votre ego se fera un plaisir de prendre la barre et de tout diriger à votre place si vous lui en donnez la chance.

Avec un peu de pratique et d'attention, vous parviendrez à transmettre vos véritables intentions à vos guides et à établir une communication fructueuse. Voici une astuce qui vous aidera à rester sur la bonne voie. Chaque matin, dites ceci à vos guides : « *Indiquez-moi les options les plus judicieuses.* » Vous leur ferez ainsi savoir que vous n'abdiquez pas votre libre arbitre. Si vous le faites pendant une ou deux semaines, vous devriez être en mesure de demander de l'aide correctement.

CHAPITRE 26

Entrer en contact avec vos guides à l'aide des oracles

J'avais 12 ans la première fois que je me suis connectée à mes guides par l'intermédiaire d'un oracle, en l'occurrence un vulgaire jeu de cartes. Bien que perçues par le plus grand nombre comme un simple amusement, les cartes descendent en fait d'un ancien oracle numérologique originaire d'une civilisation disparue : l'Atlantide. Chaque carte possède une signification qui lui est propre, comme me l'a enseigné ma mère lorsqu'elle s'exerçait à tirer aux cartes dans la salle à manger familiale.

Au début, je ne pouvais rien faire de plus que de m'attacher à la signification de chacune, mais j'ai fini par dépasser ce stade et sentir que les cartes me parlaient. Plus tard, mon maître et professeur de médiumnité Charlie Goodman m'a dit que mes guides se servaient effectivement des cartes pour s'adresser à moi, et j'ai enfin compris pourquoi l'information que je recevais allait bien au-delà de l'interprétation de base qu'on en fait généralement.

Je me souviens de la fois où j'ai tiré Vicky aux cartes. C'était ma meilleure amie, et elle était légèrement sceptique à l'époque. Pendant que j'étais concentrée sur certaines cartes, j'ai eu la nette impression que Vicky disposerait sous peu d'une nouvelle voiture. Deux jours plus tard, son père lui offrait une Road Runner 1969. Même si j'avais gâché la surprise, j'étais contente de voir que mon amie n'avait pas eu de faux espoirs. Il va sans dire qu'elle était ravie, elle aussi. Cette année-là, nous avons passé l'été à nous balader partout dans Denver.

Plus je tirais aux cartes, plus je sentais la présence du guide qui travaillait avec moi. J'ai fini par l'appeler Joseph et, dès que je commençais à brasser les cartes, je le sentais à mes côtés.

Les cartes ne sont pas le seul oracle qui vous permette de communiquer avec vos guides. Il y en a beaucoup d'autres. Les tarots, le pendule, les runes, le Yi-King et toutes les versions plus modernes d'un oracle ancien ont pour effet de connecter votre conscience à votre Moi supérieur, à votre esprit et à toutes les forces divines de l'Univers.

Les oracles sont tout aussi anciens que les premiers humains. Il existe une légende selon laquelle certains dessins préhistoriques découverts dans le centre de la France ont été gravés par l'ancienne civilisation des Lémuriens et qu'ils constituent une forme quelconque d'oracle servant à communiquer avec les cieux.

Nous n'avons pas nécessairement besoin d'oracles pour entrer en contact avec nos guides, mais ces outils nous facilitent grandement la tâche, un peu comme les petites roues arrière aident à rouler à bicyclette. De la même façon qu'il est possible de conduire la bicyclette sans elles, on peut communiquer avec ses guides sans le concours des oracles, mais leur utilisation, surtout au début, facilite grandement l'apprentissage.

Le choix de l'oracle est une simple question de préférence. Il y a les runes, le Yi-King — d'origine chinoise —, l'astrologie, les pendules et, bien entendu, mes préférés : les jeux de cartes divinatoires comme le tarot. Personnellement, j'apprécie réellement les oracles parce qu'ils offrent à nos guides une possibilité supplémentaire de communiquer avec nous. Ils leur permettent de nous orienter dans une direction particulière, de nous faire voir certains aspects d'une question ambiguë, de nous prévenir des digressions intérieures et des menaces extérieures, et de nous rappeler l'essentiel, toutes des choses qui facilitent le cheminement spirituel.

Les oracles sont précieux, car ils permettent à vos guides d'utiliser un langage que vous pouvez comprendre. Dans la mesure où vous vous en servez correctement, ils peuvent vous connecter directement à vos esprits guides et à votre Moi supérieur.

Ces merveilleux outils que sont les oracles vous aident à traduire en mots les indications de vos guides plutôt que de les ruminer sans pouvoir les formuler. Lorsque vous travaillez avec un oracle, plus vous vous interrogez à voix haute sur sa signification, plus vous puisez à même la sagesse qui nous vient des sphères supérieures.

Un médium du nom de Mary, une très bonne amie de ma mère, utilisait un simple jeu de cartes, un jeu si usé que j'avais peur de le voir s'effriter chaque fois qu'elle le prenait dans ses mains. C'était le même depuis des années. Mary avait l'habitude, lorsqu'elle tirait aux cartes, de brasser ces dernières jusqu'à ce qu'elle sente la présence de ses guides. La séance ne débutait jamais avant. Cette fervente catholique d'origine hispanique m'a raconté que ses guides étaient saint François et saint Alphonse. Elle commençait son interprétation, une carte à la fois, dès qu'elle sentait la présence de ces saints. Ses messages étaient très précis et beaucoup plus élaborés que ce à quoi on se serait normalement attendu.

Mary fut la deuxième personne, après ma mère, qui me tira aux cartes. Elle m'a confié que ses guides lui avaient dit qu'un jour, je serais connue dans le monde entier. Toute une révélation pour une jeune fille de 13 ans ! Regardant le jeu à mon tour, j'ai demandé à Mary laquelle des cartes sur la table donnait cette information, et elle a secoué la tête en expliquant que ce n'étaient pas les cartes comme telles, mais saint François qui s'était prononcé à travers elles. Je ne sais pas si l'on peut me considérer comme célèbre, mais mes livres, eux, sont connus partout dans le monde, comme l'avait prédit saint François. Encore aujourd'hui, lorsqu'un de mes ouvrages est publié à l'étranger, je remercie saint François et je pense à Mary.

Lorsqu'on travaille avec un oracle, il est important de ne pas poser la même question deux fois simplement parce qu'on n'a pas aimé la première réponse. Si vous essayez de manipuler l'oracle au lieu de laisser sa sagesse couler librement, les guides se retireront, et l'oracle perdra son énergie. Cela ne fonctionnera tout simplement pas.

En résumé, on pourrait dire que pour travailler fructueusement avec les oracles, il faut être sincère et utiliser son gros bon sens. Soyez prêt à apprendre et respectez les résultats que vous obtenez. Charlie, mon professeur, m'a déjà dit ceci : « Les oracles sont d'un grand secours pour celui qui a atteint la maturité spirituelle, car ils éclairent son chemin dans la nuit. La personne spirituellement immature risque pour sa part d'être possédée par des énergies inférieures qui se moquent d'elle et s'amusent à ses dépens. ».

De nombreux médiums recourent à d'autres oracles que les jeux de cartes pour se connecter à leurs guides. J'ai connu une femme, aujourd'hui décédée, qui pouvait diagnostiquer des maladies à l'aide d'un simple pendule au bout d'une chaîne. Cette médium, une femme du nom d'Hanna Kroeger qui vivait à Boulder, au Colorado, n'avait qu'à tenir le pendule immobile au-dessus de quelqu'un pour savoir ce qui n'allait pas sur le plan tant physique qu'émotionnel et pour déterminer le traitement approprié.

Lu Ann, mon mentor et amie depuis 30 ans (celle-là même qui a fait le voyage à Denver avec moi), se sert souvent des cartes pour se connecter à ses guides. C'est toutefois le Yi-King, cet art divinatoire ancien qui provient de la Chine, qui tient la plus grande place dans son cœur et dans sa pratique. Elle le consulte chaque matin avant de commencer la journée et l'utilise ensuite auprès de ses clients. Elle note dans un journal toutes les séances de voyance qu'elle effectue à l'aide du Yi-King et en discute chaque matin avec ses guides.

Joan Smith, mon autre mentor et meilleure amie de Lu Ann, préfère quant à elle l'astrologie. Bien qu'elle se fie surtout aux cartes du ciel, elle s'est mise au fil des ans à recevoir de l'aide de ses guides, surtout lorsqu'il lui est impossible autrement de déterminer des circonstances, des événements ou des dates précises. Alors, peu importe l'oracle ou les oracles que vous choisissez de consulter, si vous êtes sincère, vous serez merveilleusement bien guidé.

Il y a un phénomène que je m'explique mal. Il semble que différents types d'oracles attirent différents types de guides. J'ai remarqué en effet que le Yi-King, les runes, le tarot et les cartes de divination attirent surtout des guides élevés qui offrent beaucoup de conseils quant à la conduite des affaires personnelles.

Le pendule, par contre, donne des résultats moins uniformes. Il peut attirer par ailleurs des guides aussi bien supérieurs qu'inférieurs. Je crois personnellement qu'il est facile à manipuler et qu'il en résulte de la confusion. Cela dit, le pendule peut constituer, lui aussi, un excellent outil de communication avec vos guides. Sachez simplement qu'il est plus capricieux et que vous devrez faire preuve d'un grand sérieux et de beaucoup de concentration pour attirer les meilleurs guides.

Pour ma part, je suis une grande adepte de l'astrologie et de la numérologie, car ces sciences font appel aussi bien à l'intuition qu'aux grandes lois de la logique et qu'elles attirent souvent de merveilleux guides lorsque l'utilisateur est ouvert à cette possibilité. Cependant, les canaux de perception intuitive de l'utilisateur doivent être suffisamment ouverts, ce qui n'est pas toujours le cas. Ces oracles peuvent donc vous conduire à vos guides, mais pas nécessairement.

À vous, maintenant

Peu importe l'oracle choisi, rappelez-vous qu'il s'agit d'un outil qui renforce les canaux reliant votre cœur à votre Moi supérieur. Les oracles sont tous neutres, un peu comme le téléphone ; vous transmettez la demande, et l'Univers répond. Les règles en sont simples :

- Apprenez à connaître votre oracle ;

- Pour le protéger, rangez-le si possible dans une pochette ou un étui de soie ;

- Ne laissez personne d'autre s'en servir ;

- Soyez sincère ;

- Écoutez, apprenez et exercez votre jugement ;

- Ne posez jamais la même question deux fois d'affilée ;

- Confiez l'analyse des résultats à votre Moi supérieur ;

- Ayez du plaisir.

Saviez-vous que…

… le tarot, le Yi-King, l'astrologie, la numérologie, les pendules, les cristaux, les runes, le Ouija et les cartes de divination sont les oracles les plus populaires ?

En suivant ces règles de base, vous aurez en main un merveilleux outil de communication avec vos guides, peu importe l'oracle. J'utilise les oracles depuis maintenant 37 ans et je continue d'apprendre à leur contact.

Si vous vous sentez attiré par eux, essayez-les. Dans la mesure où votre attitude et vos intentions sont louables, ils fonctionneront pour vous aussi. Pour en apprendre davantage sur les oracles, je vous recommande la lecture de mon premier livre, intitulé *The Psychic Pathway*. Comme je l'ai déjà mentionné, on peut très bien communiquer avec ses guides sans utiliser d'oracles, mais les outils de ce genre sont amusants, surtout les cartes. C'est d'ailleurs mon oracle préféré, et j'y ai consacré le chapitre qui suit.

CHAPITRE 27

Les cartes divinatoires

L es cartes divinatoires de type jeu de tarot constituent d'excellents moyens de communication avec vos guides. Ils comportent généralement de 44 à 72 cartes ayant chacune une signification qui lui est propre, dont l'interprétation varie suivant la question du demandeur. Certains jeux, comme le tarot classique, sont complexes et très perfectionnés. Ils aident notre âme à croître, tandis que d'autres, comme les cartes gitanes de bonne aventure, sont beaucoup plus simples et servent à répondre à des questions telles que « Mon voisin est-il un ami ? »

Pour utiliser un jeu divinatoire, il suffit de brasser les cartes en pensant à une question, à un problème ou même à quelqu'un. On choisit ensuite des cartes au hasard et on les étale suivant la configuration qui convient le mieux au type de demande.

Il existe des centaines de jeux divinatoires, y compris le simple jeu de cartes que nous connaissons tous. La plupart comportent des divisions correspondant aux quatre éléments — l'air, l'eau, le feu et la terre — associés aux plans physique, mental, émotionnel et spirituel.

Les cartes divinatoires ont une longue et riche histoire qui remonte au Moyen Âge, voire — si l'on en croit les rumeurs — à l'époque de l'Atlantide. Les métaphysiciens des temps anciens ont préservé les enseignements spirituels des maîtres en créant un ensemble de symboles universels illustrés sur des cartes dont le visage varie suivant l'époque.

Le plus traditionnel des jeux est le tarot, dont les cartes sont presque toujours divisées en deux groupes distincts : les arcanes (ou cartes) majeurs, au nombre de 22, et les arcanes mineurs, au nombre de 56, reflétant chacun un message différent de votre Moi supérieur et de vos guides. Les arcanes majeurs représentent les lois spirituelles que nous devons tous apprendre, tandis que les arcanes mineurs symbolisent les mille et une formes que prendra notre apprentissage de ces lois.

Le tarot renferme des trésors d'information et de conseils, mais sa maîtrise exige beaucoup d'efforts. Chaque carte symbolise et signifie quelque chose de différent. Bien que j'étudie ce jeu divinatoire depuis plus de 30 ans, j'ai l'impression de commencer à peine à en saisir les subtilités et à approfondir la signification de chaque carte. Vous pouvez toutefois utiliser cet oracle sans connaître par cœur la signification des cartes. Il existe sur le sujet une foule de livres dont il suffit de suivre les instructions. Comme les Forces universelles de la lumière souhaitent que nous puisions le plus rapidement possible aux sources de la sagesse spirituelle, de nombreux voyants et artistes (y compris moi) ont été sollicités pour créer des versions modernes de l'ancien jeu de tarot. Il existe donc une multitude de jeux divinatoires très faciles à interpréter comme celui qui accompagne ce livre, le jeu *Demandez à vos guides*, composé uniquement des arcanes mineurs du tarot traditionnel.

Peu importe le type de jeu, pour vous connecter à vos guides, vous devez poser une question et choisir les cartes qui fourniront la réponse. Il existe de nombreuses façons d'interroger les cartes. D'abord, on peut choisir une seule carte en réponse à une question précise. Il suffit de poser la question ou de penser à la situation que l'on souhaite éclaircir, puis de choisir une carte. Pour approfondir le sujet, vous pouvez prendre plusieurs cartes et les disposer selon une configuration précise.

Personnellement, j'ai eu d'excellents résultats avec les cartes divinatoires et je les considère comme de merveilleux canaux de transmission. Elles sont particulièrement utiles lorsque la situation à éclaircir est de nature émotionnelle et qu'il vous est impossible de rester neutre, comme lorsque vous voulez savoir si vous devez continuer à voir une personne que vous venez tout juste de rencontrer et qui vous plaît, mais en qui vous n'avez pas nécessairement confiance, ou si vous devez acheter une maison que vous aimez, mais qui semble trop chère pour vos moyens. Les cartes vous permettent de contourner la partie subjective de votre cerveau qui souhaite entendre la même chose que vous, de manière à vous brosser un tableau plus objectif de la situation. Cela dit, j'estime qu'il n'est pas sage de consulter un oracle ou d'essayer de communiquer avec vos guides lorsque vous êtes très émotif. Vous risquez, si vous êtes dans tous vos états, de mal interpréter les résultats ou, dans le cas d'un oracle, de ne pas tenir compte des conseils que vous recevez. Toutefois, si vous êtes ouvert à l'intervention d'une influence supérieure objective, les cartes fonctionneront très bien.

Encore une fois, cela dépend toujours de vos intentions. Cherchez-vous des réponses ou souhaitez-vous principalement entendre ce que vous voulez? Si vous désirez réellement des conseils, les cartes vous en donneront. Si vous cherchez une solution facile ou de la sympathie, elles ne fonctionneront pas.

Le tarot a l'avantage d'utiliser des images et non des mots. Il s'adresse ainsi directement au subconscient et le met en communication directe avec notre conscience supérieure. Il établit un dialogue entre vous et l'Univers, et suscite la créativité. Le grand psychologue Carl Jung a dit un jour que s'il devait croupir en prison et devoir choisir un seul objet, il prendrait un jeu de tarot parce qu'il s'agit du berceau de la sagesse universelle.

Si vous avez envie d'explorer différents jeux divinatoires, assurez-vous d'en prendre un qui plaît à votre esprit. Vous pouvez même en choisir plusieurs, car dialoguer avec l'esprit est un art et non une science exacte. Personnellement, je les collectionne, et ils me servent tous.

Certains semblent orienter la conversation dans un sens précis, alors que d'autres traitent de différents sujets. Le Rider-Waite, par exemple, est un jeu de tarot classique qui convient à l'approfondissement de questions spirituelles, mais qui aurait du mal à répondre à une question aussi banale que « Devrais-je faire ce voyage ? » Un jeu inspiré des anges pourrait réellement aider quelqu'un, sur le plan de l'âme, à régler une question de nature émotionnelle, mais se révéler beaucoup moins efficace dans la prise d'une décision concernant un emploi.

J'ai moi-même créé plusieurs jeux divinatoires tenant compte de différents besoins. Mon jeu *À l'écoute de vos vibrations* est conçu pour vous aider à prendre des décisions et à renforcer vos muscles intuitifs, alors que *Demandez à vos guides* vise à renforcer directement votre dialogue avec vos guides. J'ai également créé un jeu pour vous aider à déterminer la mission de votre âme et les leçons que vous devez tirer sur Terre. Il sera bientôt sur le marché, et il est possible que j'en conçoive d'autres.

Une cliente du nom de Betsy m'a téléphoné un jour pour me dire qu'elle avait utilisé mon jeu *À l'écoute de vos vibrations* pour écrire un livre pour enfants. Elle était très excitée de m'apprendre que chaque fois qu'elle s'était sentie coincée ou découragée, le fait de tirer une carte lui avait permis de poursuivre sa rédaction pour finalement terminer son œuvre. Lorsque vint le temps de trouver une maison d'édition, elle a aussi utilisé mes cartes *Demandez à vos guides*. Juste avant de communiquer avec un éditeur ou un agent potentiel, elle tirait une carte pour savoir si cette personne était susceptible de croire en son livre. Quelle ne fut pas sa surprise lorsqu'au troisième essai, l'agent à qui elle avait soumis son manuscrit l'a accepté. Elle était ravie, car il ne lui avait fallu que deux mois pour trouver preneur. Elle était persuadée que, sans les cartes, elle aurait fort probablement perdu courage et abandonné son projet. Grâce à elles, elle pouvait célébrer sa victoire.

Un autre de mes clients, prénommé Marcus, parle directement à ses guides tous les matins. Il leur demande de lui dire «quel temps il fera» sur sa journée en tirant une seule carte de tarot. Un jour, il tira la Tour, un arcane majeur annonçant un bouleversement et la destruction. La même journée, il apprit que la firme pour laquelle il travaillait avait été achetée et qu'il perdrait son emploi à la fin du mois. En temps normal, cette annonce l'aurait plongé dans l'anxiété la plus profonde, mais la carte l'avait suffisamment préparé pour lui permettre de bien réagir.

Lors d'un tirage subséquent, l'Étoile est apparue. Cette carte indique des surprises provenant de l'Univers. Or, un peu plus tard, Marcus a reçu un appel de son beau-frère lui proposant de se lancer en affaires avec lui et d'ouvrir un restaurant mexicain dans l'Iowa. Conformément à ce que l'Étoile annonçait, cette offre est venue de nulle part et elle n'aurait pas pu mieux tomber. Aux dernières nouvelles, Marcus avait accepté la proposition d'affaires et continuait chaque matin de consulter ses guides par le truchement des cartes.

Pour être guidé par les cartes divinatoires, vous devez essayer différents jeux et voir celui qui fonctionne le mieux pour vous, vous en servir pendant un certain temps et apprendre à le connaître. Un nouveau jeu de cartes, c'est un peu comme un nouvel ordinateur qui vous permet d'entrer instantanément en contact avec le reste du monde. Les cartes, elles, vous donnent l'occasion de communiquer avec l'Univers tout entier.

On me demande parfois s'il est nécessaire de mémoriser la signification de chaque carte, et je dois dire qu'en la matière, je ne suis pas d'accord avec les nombreux experts en divination qui pensent que oui. J'estime toutefois que vous devriez essayer d'interpréter la carte avant de consulter votre guide. Qu'y voit votre esprit ? Que dit la petite voix à l'intérieur de vous ? Rien ne vous empêche de travailler avec le livre qui accompagne le jeu, mais faites-vous confiance également. Et soyez à l'écoute de vos guides. Vous pouvez aller jusqu'à leur demander comment interpréter une carte si vous n'en avez aucune idée ou que vous n'arrivez pas à en saisir toutes les subtilités. L'interprétation des cartes divinatoires est un processus organique. Essayez différentes méthodes pour trouver celle qui vous convient le mieux.

Soyez toujours sincère lorsque vous utilisez les cartes. Ne riez pas et ne vous moquez jamais d'un oracle. Vous risqueriez d'attirer non pas des guides de haut niveau, mais des entités inférieures transmettant des messages brouillés et perturbants qui risquent de vous mêler et de vous contrarier. Généralement inoffensive, cette racaille n'en constitue pas moins une forme d'interférence et ne doit pas être invitée par mégarde.

J'espère que ces précautions ne vous empêcheront pas de prendre plaisir à tirer aux cartes. Au contraire, je vous y invite. On y trouve très certainement du réconfort et des indications quant au chemin à suivre. Il suffit d'être sincère, et le tour est joué.

Lorsque MK, une cliente, a utilisé mon jeu de cartes pour demander quelle était sa mission de vie, les cartes ont parlé d'écriture et d'enfants. Or, à l'époque, cela ne lui disait absolument rien et n'avait même aucun sens pour elle. Un an plus tard, elle fut réveillée en pleine nuit par une idée : écrire un livre pour adultes dont le format s'apparenterait à celui d'un livre pour enfants. Dans les semaines qui ont suivi, rien n'a pu la distraire de la rédaction de son ouvrage. Six mois plus tard paraissait *Will You Dance ?... A Children's Story for Adults* (Voulez-vous m'accorder cette danse ?... Une histoire pour enfants à l'intention des adultes), dont elle se sert maintenant pour donner des ateliers de valorisation de soi partout au pays à l'intention des adultes, exactement comme les cartes l'avaient prédit.

Vous pouvez, si le cœur vous en dit, consulter un jeu divinatoire chaque jour, mais ne posez jamais deux fois la même question. Seul un changement de circonstances vous autorise à le faire. L'an dernier, par exemple, lorsque j'ai consulté les cartes pour savoir si je devais inscrire ma fille dans une certaine école, j'ai été amenée par mes guides à considérer la possibilité de lui enseigner à la maison. Même si les cartes indiquaient que l'établissement en question aurait convenu à ma fille, les nouvelles circonstances justifiaient que je les consulte de nouveau et, cette fois, elles ont clairement parlé en faveur de l'école à la maison. À la lumière de ce que les cartes avaient dit, j'ai choisi la deuxième option, et ma fille m'a dit que c'était la première fois qu'elle aimait apprendre.

J'utilise régulièrement mes cartes divinatoires, car elles sont efficaces et amusantes. La sagesse de leurs réponses va de pair avec la sincérité de mes intentions. Il est excitant et agréable de recevoir un feedback instantané, et cela ménage les forces de l'esprit. Sachez cependant que l'efficacité de l'art divinatoire que vous utilisez ne dépend pas de l'outil, mais de vous. Plus vous serez réceptif, plus vous aurez de succès avec le moyen utilisé dans l'établissement d'un contact avec vos guides.

Saviez-vous que...

... tous les jeux de cartes divinatoires sont pertinents et qu'il s'agit uniquement d'une question de préférence ?

À vous, maintenant

Brassez bien vos cartes avant de les utiliser pour qu'elles s'imprègnent de vos vibrations personnelles, de manière à attirer vos guides plus facilement. Apprivoisez-les, apprenez à les sentir lorsque vous les brassez. Ne laissez personne d'autre s'en servir. Gardez-les en lieu sûr, préférablement dans de la soie ou du satin pour les protéger et préserver la pureté de leurs vibrations. Habituez-vous à votre jeu, traitez-le en ami et avec respect. C'est un outil que vous finirez par aimer si vous vous en servez correctement.

Lorsque vous êtes prêt à consulter vos cartes, brassez-les en pensant à chacune de vos questions ou préoccupations. Choisissez ensuite celles que vous voulez et interprétez-les à l'aide du manuel qui accompagne le jeu. Évitez de demander «Devrais-je?» comme lorsque vous communiquez avec vos guides. Optez plutôt pour une formule du genre : «Montrez-moi mes options et tout ce que j'ai besoin de savoir sur le sujet.». Interrogez ensuite les cartes pour obtenir des éclaircissements et savoir quelle direction prendre.

Servez-vous de vos cartes divinatoires comme d'un tremplin menant vers une connexion directe avec vos guides et soyez ouvert à ce qui émerge même si l'information vous semble obscure au moment où vous la recevez. La situation s'éclaircit généralement avec le temps. Les oracles vous rendent conscient de ce que vous devriez savoir et qui loge dans votre inconscient.

Maintenant que vous connaissez les secrets d'une communication optimale avec vos guides, voyons comment vous pouvez intégrer harmonieusement dans votre quotidien ce que vous venez d'apprendre.

SIXIÈME PARTIE

Vivre guidé par les esprits

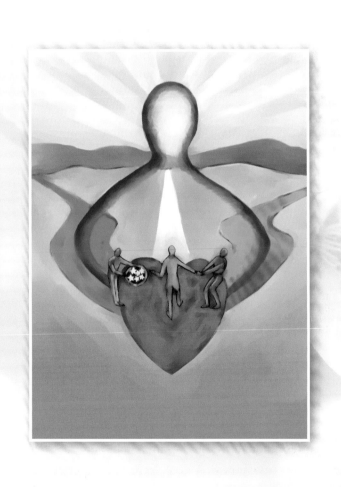

CHAPITRE 28

Votre Moi supérieur, le plus grand des guides

D e tous vos guides, le plus important est votre Moi supérieur. Il est la voix et la fréquence de votre moi divin, pleinement réalisé et éternel, ainsi que votre lien direct avec votre Créateur, Dieu lui-même. Il s'agit de la connexion la plus puissante, concrète, aimante et immédiate que vous avez avec tout ce que vous désirez, tout ce qu'il vous reste à apprendre et tout ce que vous êtes venu donner.

Vos autres guides ainsi que vos anges ont pour mission première de renforcer votre connexion avec votre Moi supérieur afin que ce soit lui et non votre ego, avec ses limites et ses peurs, qui dirige votre vie. Ils sentent qu'ils ont réussi lorsque votre Moi supérieur voit à travers vos yeux, interagit avec les autres, prend vos décisions et évalue votre progrès.

Lorsque vous écoutez la voix de votre Moi supérieur, vous entendez votre moi le plus authentique. Quand vous vous y connectez, toutes les autres voix se taisent. Une seule chose vous importe : devenir le plus créatif et le plus joyeux possible. Les préoccupations de votre ego sont écartées, et votre cœur prend toute la place.

Vos autres guides deviennent des messagers et des mentors qui vous aident dans la vie de tous les jours tout en vous guidant vers votre moi véritable. Votre Moi supérieur, quant à lui, n'est pas un messager, mais l'expression la plus haute de ce que vous êtes réellement. Vos guides sont les intermédiaires, tandis que votre Moi supérieur est la source de votre véritable essence, et, si vos guides ont pour mission de vous connecter à votre Moi supérieur, celui-ci a pour mission de vous connecter à Dieu.

Lorsque vous travaillez avec vos guides, vous ne devez pas vous en remettre entièrement à eux et leur confier la gouverne de votre vie. Par contre, lorsque vous vous connectez à votre Moi supérieur, vous ne devez pas hésiter à remettre votre vie entre ses mains, car il s'agit d'une source de sagesse interne et non externe : il est VOUS.

Un client m'a demandé un jour à quoi servaient les autres guides si notre Moi supérieur est si puissant. Je lui ai alors expliqué que nous n'en avons pas réellement besoin et que leur rôle se limite à nous aider, à nous soutenir, à nous tenir compagnie et à nous faire plaisir. Ils nous aident tout au long du voyage que constitue notre vie, mais ils ne sont pas indispensables. Par contre, nous avons besoin de notre Moi supérieur, sans qui nous serions perdus et rongés par la peur et l'anxiété, comme peuvent en attester ceux qui en sont coupés ou qui n'y ont jamais été connectés. Votre ego prend alors le dessus, et vous êtes en proie au doute et à l'insécurité. Votre ego a beau s'évertuer à trouver des stratégies pour éviter la mort, il ne réussira jamais. Même si vous devenez riche, célèbre et puissant, vous ne pourrez y échapper. Plus votre ego s'acharne à le faire, plus vous vous sentez mal.

L'ego cherche toujours à tout contrôler. Les histoires, les projections et les jugements concernant les autres et vous-même ont pour effet de vous isoler. Votre ego fera tout en son pouvoir pour vous empêcher de vous sentir vulnérable et de demander conseil à vos guides. Qui plus est, ses manœuvres sont si épuisantes et si futiles qu'elles vous laissent très peu d'énergie pour apprécier tout ce que la vie a de merveilleux à vous offrir. Vous devenez très vite faible, fatigué, malade et vieux. Il n'y a pas d'échappatoire. Votre ego est limité et régi par la peur. Si vous lui laissez tout le pouvoir, il ruinera à coup sûr votre vie.

Le seul antidote à cette fatale maladie de l'âme consiste à vous connecter à la voix et à la vibration de votre Moi supérieur et à laisser ce dernier vous guider. Ce moi ne meurt pas ; il vit éternellement et simplement.

Pour vous connecter à votre Moi supérieur, vous devez commencer par faire taire la voix de votre ego. Vous savez, celle qui tempête, blâme, défend, juge, justifie, rechigne, refuse de pardonner, n'oublie jamais, s'attend au pire et ne fait confiance à personne. Tant que cette voix ne se taira pas, vous n'entendrez pas celle de votre Moi supérieur.

Or, cette voix est plus subtile que celle de tous vos autres guides, du moins au début lorsque vous vous connectez à elle. Une fois la communication établie, le signal s'amplifiera jusqu'à ce qu'il vous devienne impossible de ne pas en tenir compte. C'est comme la première fois que vous goûtez au sucre ; c'est tellement irrésistible que vous en voulez toujours plus.

Pour entendre la voix du Moi supérieur et étouffer celle de l'ego, rien ne vaut la méditation. Prenez de 10 à 15 minutes chaque jour pour calmer votre mental, dissoudre vos peurs et réaligner consciemment vos pensées. Ce n'est pas difficile. Il vous suffit d'interrompre votre connexion avec le monde extérieur et de plonger à l'intérieur de vous en vous concentrant sur votre respiration. Inspirez en comptant jusqu'à quatre et expirez lentement en comptant aussi jusqu'à quatre. C'est tout.

Si vous vous mettez à penser à autre chose qu'à votre respiration, ne vous en faites pas. Continuez simplement à respirer de manière rythmée. Il s'agit d'un exercice simple, mais qui nécessite de la discipline et de la pratique. Le mental n'aimant pas être contrôlé, il se rebiffera. Vous devez vous préparer à cette éventualité et ne pas déroger à votre routine. Pratiquez cette technique tous les jours, préférablement à heure fixe. Plus vous respecterez votre horaire, plus ce fera facile. Votre subconscient s'adaptera à la nouvelle routine et emboîtera automatiquement le pas à vos intentions. Si vous persistez dans votre pratique, en deux semaines seulement vous y aurez pris goût.

Deuxièmement, adonnez-vous à des activités méditatives : marchez, tricotez, pliez du linge, jardinez, peignez ou faites toute autre chose qui empêche votre mental de se livrer au verbiage : cela vous soulagera un peu.

La méditation et les activités qui s'y rattachent auront toujours pour effet de vous connecter à votre Moi supérieur. Elles vous aideront à le sentir et à lui faire confiance pour qu'un jour, vous soyez prêt à prendre votre vie en main, à en assumer l'entière responsabilité et à cesser de donner votre pouvoir à d'autres ou de blâmer quiconque vous dit quoi faire.

Lorsque vous serez connecté à votre Moi supérieur, vous ne pourrez plus vous en éloigner sans vous en rendre compte. Vous le saurez parce que votre corps vous le dira, à moins que ce ne soit votre cœur, votre cerveau ou encore votre ventre. C'est ainsi que votre Moi supérieur agira pour vous empêcher de vous sentir bien et en paix avec vous-même. Comme un caillou dans votre chaussure ou une écharde dans votre doigt, votre Moi supérieur prendra tous les moyens possibles pour vous irriter et vous empêcher d'être à votre aise dès que vous ne serez pas à la hauteur de votre moi authentique, aimant et éternel.

Malheureusement, beaucoup de gens choisissent de vivre avec cet inconfort en faisant tout pour l'oublier et ils déploient énormément d'énergie à se créer toutes sortes de préoccupations, voire de dépendances, pour s'en distraire.

Cependant, le jour où vous cesserez de faire semblant de ne pas percevoir ces signaux, où vous serez prêt à faire le nécessaire pour

retrouver votre chemin, votre connexion à votre Moi supérieur fonctionnera à pleine vapeur. Et lorsque vous remettrez votre ego entre les
mains de votre Moi supérieur, tout ira mieux.

Une autre façon de vous connecter consiste à exercer votre
subconscient à contourner votre ego et à s'en remettre entièrement à
votre Moi supérieur. Pour ce faire, vous pouvez simplement dire tout
haut : « Subconscient, conduis-moi maintenant à mon Moi supérieur
et fais en sorte qu'il en soit toujours ainsi. ». Lorsque vous vous sentez
anxieux, contrarié, inquiet, en colère, blessé, confus, que vous cherchez à vous venger ou que vous avez l'impression ne n'être rien du
tout, répétez cette phrase.

Pour renforcer encore davantage la connexion, chaque matin
avant même d'ouvrir les yeux, dites : « Subconscient, laisse mon Moi
supérieur, et seulement lui, me guider aujourd'hui. ».

Mon ami Nelson s'est servi de cette technique alors qu'il mettait
fin à un mariage acrimonieux. Même si sa femme et lui s'entendaient
sur la nécessité de poursuivre séparément leur chemin, l'ego de chacun
continuait à faire des siennes. Le plus difficile pour eux fut de décider
de vendre la maison et de se séparer l'argent à parts égales. Le jour
même où ils ont mis la maison en vente, ils se sont vu offrir le prix
demandé, en espèces, à deux seules conditions : accepter l'offre dans
les 48 heures et quitter les lieux dans les 30 jours. Nelson était plus
que ravi, car il était prêt à tourner la page, mais sa femme a dit non et
refusé toute collaboration.

Il était furieux, car c'est elle qui avait demandé le divorce. Il
avait peur que les acheteurs retirent leur offre, et son ego voulait
s'en prendre à sa femme. C'est alors qu'il m'a appelée et que je lui
ai conseillé de remettre la question entre les mains de son Moi
supérieur.

— Je n'ai pas le temps, argua-t-il, nous devons donner une
réponse demain au plus tard. C'est tout à fait louable comme suggestion, mais mon Moi supérieur ne peut pas forcer mon ex-femme à
signer l'acte de vente.

— Remets tout cela entre les mains de ton Moi supérieur, lui répétai-je.

Il demeura silencieux pendant cinq bonnes minutes.

— Qu'en dit ton Moi supérieur? lui demandai-je.

— Il me dit de ne rien faire, répondit-il.

— T'en sens-tu capable? m'enquis-je. Après tout, cela me paraît sensé. Il n'y a rien que tu puisses faire. Ta femme doit en arriver par elle-même à accepter la situation.

— Cela me paraît plutôt sage, avoua-t-il. Je n'ai jamais pu pousser ma femme à faire quoi que ce soit avant, comment pourrais-je penser que j'en suis davantage capable maintenant?

Alors, il ne fit rien, conformément aux conseils de son Moi supérieur. Dix minutes avant la fin des quarante-huit heures, sa femme l'a appelé, lui a dit «J'accepte», puis a raccroché. Les papiers ont été signés dès le lendemain, et la maison a été vendue sans aucune autre manifestation de colère de la part de l'un ou de l'autre. Le Moi supérieur de Nelson avait eu raison.

Lorsque Mary Ellen, une cliente, est venue me consulter, elle se trouvait dans une situation extrêmement délicate au travail. Elle venait de découvrir que son patron et deux autres employés volaient de l'argent à la société de placements qui les employait. Elle adorait son travail, mais elle était la dernière arrivée. De plus, elle était la seule femme du bureau et elle n'était pas très aimée de ses collègues. Elle ne disait rien par crainte de représailles, mais risquait en gardant le silence d'être impliquée dans cette affaire douteuse.

Elle était donc dans tous ses états — à la fois inquiète, contrariée, indignée et craintive — et ne savait que faire.

— Que suggère votre Moi supérieur? lui demandai-je.

— Je n'en sais rien, répondit-elle. Il ne me parle pas. Si j'accule mon patron au pied du mur, je perdrai mon emploi, je serai perçue comme une dénonciatrice et plus personne ne voudra m'embaucher.

— Mettez vos peurs de côté, lui suggérai-je, et dites-moi ce que votre Moi supérieur vous conseille de faire.

Après un long silence, elle répondit :

— Mon Moi supérieur me dit de remettre ma démission par écrit dans une lettre expliquant mes motifs à mon patron et au sien, sans incriminer qui que ce soit, et d'avoir confiance en ma capacité de trouver un autre emploi.

Elle passa encore un mois à taire les vols commis sous ses yeux et, un jour, n'y tenant plus, elle remit sa démission. Elle quitta son poste sans aucune indemnité de départ ni lettre de référence, n'osant demander ni l'une ni l'autre.

Trois mois plus tard, son ancien employeur a communiqué avec elle. Son patron d'alors ainsi que ses deux acolytes avaient été congédiés, et on lui proposait de la réembaucher et même d'augmenter sa rémunération. Il ne fut mention ni de sa démission ni des accusations qu'elle avait portées.

Lorsque vous commencez à faire confiance à votre Moi supérieur et à contourner votre ego, vous avez l'impression au début de vous jeter du haut d'un précipice les yeux bandés. Votre ego fait en sorte que vous éprouviez de la peur afin qu'il puisse rester aux commandes, mais, lorsque vous décidez de foncer malgré tout, vous découvrez qu'en tant qu'esprit vous pouvez voler. Vous êtes libéré des peurs que vous inspirait votre ego et commencez à vivre comme le souhaite votre esprit.

À vous, maintenant

Pour être en contact avec votre Moi supérieur, rien ne vaut la méditation, et cette technique s'apprend. Commencez par respirer profondément. Allez-y, faites-le. Avez-vous remarqué que plus vous respirez, plus vous devenez conscient ? Cette fois, inspirez en comptant jusqu'à quatre, retenez votre souffle un instant, puis expirez en comptant également jusqu'à quatre. Ne vous pressez pas. Prenez votre temps. Continuez de respirer de la sorte jusqu'à ce que vous ayez trouvé votre rythme. Vous pouvez, si vous le souhaitez, écouter de la musique. La musique baroque en particulier aide à calmer l'esprit, car son rythme (temps par minute) s'accorde parfaitement à celui du cœur lorsque le corps est plongé dans une méditation profonde.

Continuez ainsi jusqu'à ce que votre rythme ait ralenti. À l'inspiration, dites « Je suis », et à l'expiration, « en paix ». Lorsque votre mental se mettra à vagabonder, ne vous en faites pas. C'est tout à fait normal. Revenez simplement à votre souffle et reprenez les termes du début : « Je suis » (inspirez) « en paix » (expirez). C'est tout ce que vous avez à faire. Consacrez-y 15 minutes par jour et vous verrez qu'au bout d'une semaine, vous aurez hâte de méditer pour apaiser votre mental. Et lorsque le mental se tait, nous entrons peu à peu en contact avec notre esprit.

Saviez-vous que...

... lorsque vous choisissez d'écouter votre Moi supérieur, vous devenez plus libre que vous ne l'auriez jamais cru possible ? Votre vie devient authentique, remplie d'amour et dénuée de peur. Rien ne vous donne autant de pouvoir. Il vous suffit de décider que votre Moi supérieur gère votre vie et de l'affirmer sans hésiter. C'est le moyen le plus direct de réaliser tous vos rêves.

CHAPITRE 29

Suivre l'avis de vos guides : pas toujours facile !

Lorsque vous travaillerez avec vos guides, votre plus grand défi consistera à accepter ce qu'ils vous diront et à leur faire confiance, surtout si rien ni personne autour de vous ne va dans le même sens. Il faut du courage pour vivre sa vie en suivant son intuition, son sixième sens et ses guides. Ceux-ci vous indiqueront la meilleure voie à suivre pour réaliser votre mission de vie et vous faciliter la vie au quotidien, mais c'est à vous qu'il appartient de décider si vous suivrez leurs conseils.

J'ai eu un client nommé Paul, un merveilleux médium et voyant, qui travaillait le jour dans une boulangerie du New Jersey. Père de deux enfants, il était heureux dans son mariage mais extrêmement malheureux au travail. Ses guides lui ont conseillé de déménager en Ohio, où sa sœur habitait, et d'ouvrir un bureau de consultation professionnelle en voyance. Cette perspective l'enchantait et le terrorisait à la fois.

« L'emploi de mes rêves ! pensait-il. Quelle merveilleuse façon d'aider les autres ! Mais comment vais-je payer mon assurance ? Et comment pourrai-je acheter une maison ? »

Dans son entourage, on le croyait fou de faire une chose pareille et on cherchait à l'en dissuader, mais sa femme lui dit : « Tentons notre chance. ». Alors, sans aucune garantie devant lui, il démissionna en expliquant à son patron qu'il était voyant et qu'il devait suivre une autre voie. Non seulement celui-ci accepta-t-il gracieusement la démission de Paul, mais aussi en devint-il le premier client. Après seulement quelques mois de pratique, Paul eut la chance de passer à la radio, et son succès fut tel qu'on le réinvita maintes et maintes fois. Peu après, les gens se mirent à entrer en contact avec lui pour obtenir des consultations en voyance, et sa carrière démarra. Au bout d'un an, il se rendit compte qu'il travaillait à temps plein comme voyant. En raison de son insécurité, Paul avait eu beaucoup de mal à suivre les conseils que lui avaient donnés ses guides, mais il avait décidé d'aller de l'avant et de leur faire confiance et l'avenir lui a donné raison.

Jocelyne, une cliente, avait des guides merveilleux qui s'adressaient à elle chaque jour. Une fois, à l'approche des Fêtes, ils ont conseillé à cette veuve de partir en croisière avec des amies au risque de grever son budget. Ses fils n'étaient pas du tout d'accord et ne se sont pas gênés pour l'accuser de frivolité et d'irresponsabilité.

Craignant qu'ils aient raison, elle se prépara à annuler sa réservation lorsque ses guides se sont écriés : « Non ! ». À la dernière minute, elle décida de passer outre à l'avis de ses rabat-joie de fils et refusa même que ces derniers viennent la conduire à l'aéroport.

Sur le bateau elle rencontra un homme merveilleux qui vivait à seulement cinq kilomètres de chez elle : un chiropraticien veuf, retraité depuis peu. Ils se plurent immédiatement et ils continuèrent à se fréquenter une fois rentrés au pays. Deux ans plus tard, ils se marièrent, et, le plus étonnant, c'est que les fils de Jocelyne se sont graduellement pris d'affection pour le nouveau conjoint. Cet homme ne leur a apporté que de bonnes choses. De temps à autre, pour taquiner ses garçons,

Jocelyne leur rappelle qu'à l'époque, ils ont essayé de l'empêcher de partir, mais ils ne l'admettent jamais.

Saviez-vous que...

... travailler avec ses guides est un style de vie ?
Lorsqu'on choisit d'accepter pleinement l'aide provenant
de sources supérieures, on laisse derrière soi son ancienne
vie faite de peur et de manque de maîtrise. D'après ce
que j'observe, ceux qui font ce choix connaissent beaucoup
plus de bonheur, de synchronisme, d'abondance et de joie.

À vous, maintenant

Il peut être difficile et même alarmant de suivre les recommandations de ses guides lorsque tout et tous se liguent contre vous. Je n'ai qu'un conseil à vous donner : faites confiance à ce que vous ressentez, écoutez votre cœur et ne demandez l'avis de personne. Après tout, les conseils des guides proviennent des sources les plus élevées, et rien n'est comparable. Si vous avez des doutes, demander l'opinion des autres ne fera qu'embrouiller les cartes. Lorsque vous faites confiance à vos guides, de merveilleuses choses commencent à se produire — peut-être moins rapidement que vous le souhaiteriez, mais cela viendra. N'en doutez jamais.

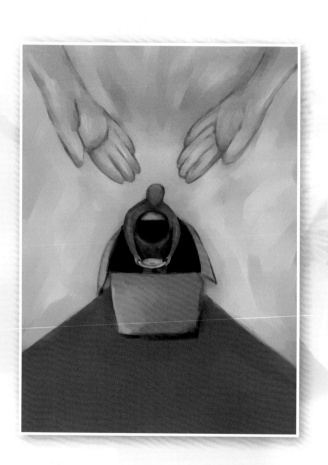

CHAPITRE 30

Choisir entre les bonnes nouvelles
et les conseils de vos guides

orsque vous travaillez avec vos guides, il est de la plus haute importance d'être ouvert aux messages que vous recevez et de ne pas tenter de les modifier à votre convenance. Nous demandons à être éclairés dans l'espoir que les choses se passent bien, mais le processus menant à cette heureuse fin n'est peut-être pas celui auquel nous nous attendions. Demander de l'aide laisse entendre être ouvert à tout ce qui pourrait nous faire voir les choses autrement afin de pouvoir prendre des décisions plus éclairées. Or, si vous voulez simplement que vos guides ou votre Moi supérieur soient d'accord avec vous ou entérinent votre façon de penser actuelle malgré le fait qu'elle soit faussée, cela ne fonctionnera pas.

Le plus difficile est d'accueillir les conseils ou l'information que l'on reçoit même s'ils sont douloureux à entendre ou à accepter. Lorsqu'une de mes clientes a consulté ses guides à propos de son mariage à l'aide d'un jeu de divination, les cartes ont parlé de perte, de fourberie et de tromperie.

Agacée, elle a lancé son jeu de cartes. Son mari travaillait dans les placements et, selon elle, il était la dignité même. Elle était persuadée que jamais il ne la décevrait. Il était impossible qu'il ait une maîtresse, car il rentrait tous les soirs à la maison et que, de toute façon, elle le savait fidèle. Imaginez sa déconvenue lorsque, quelques mois plus tard, son mari fut arrêté pour délit d'initiés et détournement de fonds, puis condamné à cinq ans de prison.

Humiliée et profondément blessée de voir qu'il s'était couvert de honte et qu'il avait du même coup éclaboussé — et ruiné — sa famille, elle m'a dit « Ce foutu jeu de cartes m'avait prévenue ; je n'aurais jamais dû m'en servir », comme si les cartes étaient responsables de la dégringolade de son mari.

— Comme c'est intéressant, répondis-je, j'ai plutôt l'impression que vos guides ont essayé de vous prévenir. Pourquoi vous fâchez-vous contre l'avertissement que vous avez reçu ? Vos guides essayaient d'attirer votre attention sur les agissements de votre mari et vous invitaient à discuter avec lui de vos inquiétudes, et vous avez tout jeté par-dessus bord. N'avez-vous jamais soupçonné quoi que ce soit ?

— En fait, oui, avoua-t-elle honteusement. Mon mari était stressé plus que de coutume, sortait souvent de ses gonds et se montrait plutôt renfermé, ce qui ne lui ressemblait pas du tout. C'est d'ailleurs ce qui m'a amenée à interroger les cartes. Je sentais que quelque chose ne tournait pas rond et j'ai voulu en savoir plus.

— Eh bien, à en juger par votre réaction, je dirais que vous êtes tombée dans le piège classique : vous avez tiré sur le messager lorsque vous avez balancé le jeu de cartes et que vous avez fait fi des conseils de vos guides.

— J'ai réfléchi à la situation, mais j'avais peur. À vrai dire, je ne voulais pas trop savoir ce qui se passait. Nous vivions au-dessus de nos moyens, mais je n'avais pas envie de me priver, alors je préférais ne pas poser de questions. Aujourd'hui, je le regrette.

— Maintenant que votre mari fait face à une peine d'emprisonnement, je suppose qu'il aurait aimé que vous cherchiez à en savoir davantage sur la situation.

Lorsque vous demandez de l'aide — et cela ne s'applique pas seulement aux oracles —, la règle d'or consiste à ne pas poser de questions si vous n'êtes pas prêt à entendre la réponse. Et si celle-ci ne fait pas votre affaire, ne tirez pas sur le messager.

Lorsque vous consultez vos guides, attendez-vous à obtenir la vérité, rien que la vérité. Ce que vous en faites n'appartient qu'à vous. Si la réponse n'est pas de bon augure, interrogez-vous avant de réagir. Agissez-vous de manière à vous attirer des ennuis? Quelqu'un de votre entourage veut-il vous faire du tort? Y a-t-il quelque chose que vous refusez de voir, une situation que vous n'évaluez pas correctement ou dont vous choisissez de ne pas tenir compte? Passez-vous du temps avec quelqu'un qui bouleverse ou afflige votre esprit? Si oui, soyez sur vos gardes. C'est du moins ce que vous conseillent vos guides.

En 37 ans de pratique, je puis affirmer qu'il ne m'est jamais arrivé de surprendre totalement mes clients en leur annonçant une mauvaise nouvelle de la part de leurs guides. Nous sommes beaucoup plus conscients que nous voulons bien l'admettre et nous avons tendance à occulter ce qui ne nous convient pas. Par contre, les guides n'agissent jamais de cette façon. Si vous leur posez une question, vous pouvez vous attendre à une réponse objective qui ne correspondra pas nécessairement à ce que vous vouliez entendre.

Une cliente venue me consulter m'a dit un jour : « Quoi que vous fassiez, ne me donnez surtout pas de mauvaises nouvelles. Je serais incapable d'y faire face. ».

J'ai donc omis de lui dire qu'elle allait bientôt perdre son emploi (ce que j'avais vu) et je l'ai plutôt encouragée à suivre sa voie et à chercher au plus tôt l'emploi rêvé en expliquant que les circonstances s'y prêtaient. Dix jours plus tard, elle était remerciée. Elle m'appela aussitôt en vociférant que j'aurais dû la prévenir.

— J'ai bien essayé, lui avouai-je, mais je devais aussi me conformer aux restrictions que vous m'aviez imposées. Nous avons discuté de votre travail en long et en large, et vos guides vous ont conseillé de chercher un nouvel emploi. Vous comprenez maintenant pourquoi.

Trois semaines plus tard, je recevais une carte postale dans laquelle elle m'apprenait qu'elle avait décroché un nouvel emploi formidable et s'excusait d'avoir réagi de façon excessive.

Il est très tentant d'écarter les conseils qui ne sont pas flatteurs ou qui sont contraires à sa façon de voir les choses, surtout lorsqu'on fait appel à un oracle. J'ai vu des clients brasser les cartes, faire leur choix, puis rejeter l'interprétation parce qu'ils ne l'aimaient pas. Lorsque Gina, une cliente, a tiré trois cartes pour savoir si elle devait ouvrir un restaurant, elle a été prévenue du danger d'agir de manière précipitée et de former un partenariat d'affaires instable avec le mauvais associé, mais ce n'était pas ce qu'elle voulait entendre. Sa décision était prise bien avant qu'elle ne consulte les cartes, et elle était contrariée au plus haut point de constater que ses guides lui conseillaient de changer ses plans.

Cela ne l'empêcha pas d'aller de l'avant : elle signa un bail au premier emplacement visité et se lança en affaires avec un homme qu'elle connaissait à peine.

Le restaurant ferma ses portes au bout de sept mois, et elle dut intenter des poursuites contre son associé, qui lui avait refilé les dettes. Lorsqu'elle est revenue me voir, elle était démoralisée et n'en revenait pas de ce qui lui était arrivé.

— Vous aviez été prévenue, lui rappelai-je. Vous avez simplement refusé d'entendre les avertissements que vous ont donnés vos guides.

— Je sais, se lamenta-t-elle. Je n'étais pas prête à les écouter. Je voulais seulement entendre de votre bouche que j'étais brillante et que j'allais réussir.

C'est pourquoi mon professeur Charlie me disait toujours de ne pas demander de recommandations si je n'étais pas réellement prête à entendre la réponse. Si vous recevez des conseils et que vous ne les suivez jamais, vos guides penseront que vous n'êtes pas sincère, et ils s'éloigneront, comme dans l'histoire *Le garçon qui criait «Au loup!»*.

Saviez-vous que...

... si vous désirez communiquer avec vos guides, votre principal obstacle risque d'être le manque d'ouverture face aux conseils qu'ils vous prodigueront? Après tout, il est difficile d'être ouvert aux suggestions lorsque nous avons déjà pris notre décision.

À vous, maintenant

Pour entretenir des rapports harmonieux avec vos guides et faciliter la communication, suivez les quatre recommandations suivantes.

- **Premièrement :** Soyez ouvert aux conseils que vous recevez. Commencez toujours la journée en ouvrant votre cœur et votre esprit à l'intervention de vos guides.

- **Deuxièmement :** Attendez-vous à être guidé. Comme pour tout le reste d'ailleurs, plus vous vous attendez à quelque chose, plus vous l'attirez.

- **Troisièmement :** Ayez confiance en vos guides. Dans la mesure du possible, répétez à voix haute les conseils que vous recevez et soyez à l'écoute de votre réaction. (Bien que ce ne soit pas tout à fait pareil, vous pouvez également les noter par écrit afin de favoriser le courant entre vous et vos guides.) Même lorsque vous recevez un avertissement ou de mauvaises nouvelles, le seul fait de les dire à voix haute vous permet de sentir s'ils sont exacts et d'éprouver un certain soulagement. Si les conseils sont judicieux, vous le sentirez dès que vous les formulerez à voix haute, alors ne vous en privez pas.

- **Quatrièmement** : Commencez à mettre en pratique les conseils de vos guides dès que vous les recevez. Cela, pensez-vous, équivaut à se jeter du haut d'un précipice, mais il n'en est rien. Il est beaucoup plus terrifiant, je crois, de faire fi de l'avis de vos guides et d'aller dans la mauvaise direction que d'en tenir compte. Cependant, vous n'obtiendrez peut-être pas de résultats au début. Prenez votre temps et ayez du plaisir. Faites de tout petits pas, jusqu'à ce que vous commenciez à faire confiance à vos guides et à obtenir de bons résultats, puis passez à des questions plus graves. Vos guides feront bientôt partie de votre vie, et celle-ci se déroulera dans l'harmonie et la fluidité. Faites-moi confiance : cette technique fonctionne vraiment.

CHAPITRE 31

Trouver une oreille attentive

Il est toujours plus facile de faire le voyage à deux lorsqu'on entreprend une démarche visant à intégrer ses guides dans sa vie. Il s'agit ici de trouver quelqu'un qui ne juge ni ne remet en question les conseils que vous recevez, mais qui vous appuie. Cette personne doit avoir l'esprit ouvert, comprendre votre démarche et vous encourager à donner suite aux conseils que vous recevez tout en vous connaissant suffisamment bien pour débusquer les pièges qui risquent de brouiller les ondes.

Personnellement, j'ai eu la chance de pouvoir parler librement de mes guides à ma mère et à mes frères et sœurs sans que personne se moque de moi ou me fasse taire. Lorsque l'intervention de mes guides ou les craintes de mon ego me rendaient anxieuse, craintive ou confuse, le seul fait d'en parler à ma mère ou à un de mes frères et sœurs suffisait à m'éclairer.

J'ai également reçu des encouragements de mon professeur Charlie, qui ne vérifiait pas tant mes perceptions qu'il ne m'encourageait à y donner foi, aussi subtiles et vagues fussent-elles, et à accepter tout ce qui me parvenait par mes nombreux canaux de perception intuitive.

Je suis également entourée d'amies comme mes mentors Lu Ann et Joan, ma meilleure amie, Julia Cameron, et mon amie la shaman Debra Grace. Il y a bien sûr Patrick, mon mari, ainsi que mes filles, Sonia et Sabrina. Nous discutons tous les quatre de nos guides aussi naturellement que si nous parlions de la température. Le fait que j'aie la possibilité de parler de mes guides contribue largement à consolider ma relation avec eux et m'aide à me connecter à eux tous les jours.

Si vous connaissez déjà des gens avec qui vous pouvez partager vos expériences avec vos guides, vous savez à quel point cela est précieux.

Cependant, si c'est la première fois que vous prenez contact avec le merveilleux monde des guides et que vous n'avez personne avec qui partager vos expériences, demandez à vos guides de mettre quelqu'un sur votre chemin. Pour accélérer le processus, je vous conseille de laisser votre jeu de cartes *Demandez à vos guides* à la vue de tous, de manière à faire savoir à vos parents et amis que le sujet vous intéresse. Ceux qui peuvent vous encourager et vous soutenir dans cette voie le feront sans tarder. Quant à ceux qui tourneront la chose en dérision, inutile d'essayer de les convaincre, vous n'y arriverez jamais. Allez plutôt vers ceux qui sont déjà convaincus.

Consulter ses guides est quelque chose de très personnel. Les opinions en la matière sont généralement bien arrêtées. Avant de parler à quelqu'un de votre relation avec vos guides, faites preuve de discernement. N'allez pas saboter le lien énergétique subtil que vous avez établi avec eux en laissant quelqu'un vous bombarder d'opinions négatives.

À vous, maintenant

Je crois tellement en l'importance de partager ses expériences avec d'autres que j'ai mis sur pied, dans le cadre de mes cours en ligne, des groupes de discussion ouverts à quiconque sur la planète désire raconter son expérience avec ses guides et j'ai constaté que cela aidait énormément les gens à vivre de manière plus harmonieuse, en accord avec leur sixième sens.

De plus, j'anime une émission de radio hebdomadaire où les gens sont invités à parler de leur relation avec leurs guides. Il suffit d'aller au www.hayhouseradio.com™ ou sur mon site Web, au : www.trustyourvibes.com.

Mon site comporte un volet où il est possible de publier ses expériences avec ses guides au bénéfice des lecteurs. Je vous invite à utiliser tous ces moyens de communication.

Ce ne sont là que quelques-unes des façons de trouver une oreille attentive et de lever le voile énergétique entre la troisième et la quatrième dimensions. La communication avec vos guides deviendra plus facile et plus naturelle. Vous trouverez peut-être risqué de chercher ouvertement du soutien, mais le jeu en vaut la chandelle, car vous retirerez énormément du fait de pouvoir échanger avec des personnes qui ont les mêmes intérêts que vous.

Saviez-vous que...

... vous pouvez obtenir du soutien en parlant ouvertement de votre expérience avec vos guides, de ce que vous ressentez comme de ce que vous recevez. Tout est dans la manière dont vous en parlez. Si vous êtes pragmatique, positif et reconnaissant — un peu comme si vous parliez d'un nouvel ami —, vous serez convaincant et susciterez l'intérêt chez les bonnes personnes. Ne perdez pas de temps à discuter avec les gens qui ne sont pas intéressés.

ÉPILOGUE

Remercier vos guides

orsque vous travaillez avec vos guides, vous devez sans
faute leur manifester votre reconnaissance et les remercier
de tout ce qu'ils font pour vous.

Ils apprécieront énormément vos marques de gratitude, car ils
sauront qu'ils ont réussi à vous soutenir et à faciliter votre cheminement. Cependant, rien ne leur plaira davantage que de constater que
vous prenez le temps de leur manifester votre reconnaissance pour
l'aide qu'ils vous apportent, car cela voudra dire que votre cœur s'est
ouvert à leur amour et au soutien divin. Et plus vous les remercierez,
mieux ils seront disposés à votre égard et plus ils vous aideront.

Il existe de nombreuses façons de remercier ses guides. La plus
facile à mettre en œuvre est de simplement dire tout haut : « Merci,
mes guides ! » chaque fois que vous constatez qu'ils sont intervenus.
Encore mieux : remerciez-les d'avance. Au royaume des esprits, un
simple merci a de vastes répercussions. Il témoigne de la présence

et du concours de vos guides dans votre vie et contribue à la mise en œuvre du plan divin visant par tous les moyens à soutenir votre âme.

Personnellement, j'ai constaté que nos guides sont particulièrement ravis et réceptifs lorsque nos remerciements sont un peu plus cérémonieux.

Chaque fois que mes guides me font la grâce d'une intervention particulièrement importante, même si elle se limite à me détourner de soucis trop accaparants ou à m'inspirer une nouvelle idée, j'aime bien leur manifester ma reconnaissance en allumant un bâton d'encens en leur honneur tout en prononçant ces paroles : « J'ai allumé cet encens en témoignage de mon immense gratitude pour tout ce que vous faites pour moi. ».

Il m'arrive aussi de leur offrir des fleurs, comme je l'ai vu faire lors d'un voyage en Inde il y a 20 ans. Aux portes des temples se tenait toujours une femme qui vendait des fleurs à offrir aux dieux, à l'intérieur. Ces superbes guirlandes voulaient leur rendre hommage et, comme elles devaient servir uniquement à faire plaisir aux dieux, celui qui les offrait devait s'abstenir d'en respirer le parfum. Les offrandes de fleurs ne m'étaient pas étrangères. Ayant été élevée dans la religion catholique, j'offrais des fleurs à Marie tous les 1er mai en reconnaissance de son amour et de son soutien.

J'ai donc transposé cette tradition qui m'était chère aux remerciements que j'offre à mes guides. Je m'assure de toujours avoir des fleurs coupées dans un vase sur mon bureau à l'intention de mes guides, surtout de ceux qui m'aident lors de mes séances de voyance. Comme les fleurs sont là pour faire plaisir à mes guides, je me retiens d'en respirer le parfum, même si je profite de l'odeur qui embaume mon bureau.

Je les remercie également en allumant des bougies parfumées, une autre tradition qui m'est chère et qui me vient de mon éducation catholique. Enfant, j'avais l'habitude de prélever 25 cents de mon allocation hebdomadaire pour allumer une bougie à l'église en l'honneur de sainte Thérèse, que je prenais pour Rose, un de mes guides préférés.

Je continue encore d'allumer des lampions de 7 et de 14 jours pour marquer ma reconnaissance envers mes guides.

Pour manifester votre gratitude à vos guides, vous pouvez aussi interpréter une chanson ou une pièce musicale d'une grande beauté. Les chansons et la musique instrumentale créent une vibration harmonique élevée dans laquelle les guides adorent pénétrer.

Vous pouvez également élever un autel en leur honneur et y déposer des images, des photos ou des icônes de tout ce que vous aimez. J'avais 12 ans lorsque j'ai élevé mon premier autel. Situé au pied de mon lit, on y trouvait le rosaire qui m'avait été offert à ma première communion, une photo de ma famille prise à Noël, une copie d'un bulletin exemplaire reçu en troisième année, un dessin de Rose, mon guide, des pétales de lilas séchés provenant de notre jardin, un petit lampion blanc dans un bougeoir en verre, ainsi qu'une cloche dont je me servais pour convier mes guides.

Je continue d'entretenir un autel. Ce dernier, situé dans mon bureau, occupe presque tout un mur. On y trouve des objets sacrés glanés au fil des 35 dernières années. Plus qu'un autel, c'est maintenant un sanctuaire rempli d'images saintes et d'illustrations de moments heureux, d'œuvres d'art et de divers autres objets qui me rappellent les fois où la grâce est descendue sur moi. Je n'ai qu'à me tenir debout devant cet autel pour attirer mes guides et renforcer ma connexion personnelle avec le Christ, Marie et Dieu.

Pour élever un autel à l'intention de vos guides, vous n'avez qu'à placer une table ou toute autre surface plane dans une pièce que vous fréquentez souvent, là où vous savez que rien ne sera dérangé. Faites-en votre autel dédié aux esprits et placez-y des objets symboliques, des photos et toute autre chose invoquant le bonheur, la paix et l'amour. Expérimentez jusqu'à ce que vous trouviez les objets qui élèvent votre vibration, ouvrent votre cœur et vous plongent dans un profond sentiment de reconnaissance. Essayez différentes photos, sacrées ou profanes, des cloches, des fleurs, des bougies et même un petit miroir pour sa capacité à réfléchir la lumière et votre propre image.

Vous pouvez aussi faire en sorte que votre maison soit propre et en ordre. Si c'est trop exiger, efforcez-vous à tout le moins d'entretenir le coin où est situé votre autel. Témoignez du respect à vos guides en leur réservant un endroit paisible et dégagé dont vous bénéficierez vous aussi, car il vous sera plus facile de vous connecter à eux si l'endroit est propice. L'autel devient un lieu de rencontre pour vous et vos guides et plus il sera propre et paisible, plus la communication sera limpide.

Lorsque vos guides se sont vraiment montrés d'un grand secours, récompensez-les en donnant un banquet en leur honneur. Réunissez des bougies, des fleurs, des photos, des clochettes, des images saintes et une prière de remerciement, et placez le tout bien en évidence sur votre autel. Dites bien à vos guides qu'un banquet a été organisé en leur honneur et invitez-les à venir en profiter. Vous verrez que cela rehausse considérablement la vibration dans votre maison, comme une offrande perpétuelle. Vous sentirez les énergies divines se manifester pour recevoir votre offrande, et elles laisseront dans leur sillon de l'amour et des bénédictions.

Saviez-vous que...

... mon professeur, Dr Tully, m'a dit que la meilleure chose que vous puissiez faire pour les autres, vous-même et le monde entier consiste à être heureux? C'est le plus beau témoignage de reconnaissance que nous puissions donner pour les bienfaits reçus et le soutien accordé par nos guides.

À vous, maintenant

Pour rendre hommage à vos guides et les remercier, ainsi que tous les auxiliaires divins, efforcez-vous d'avoir du bonheur dans votre cœur, de considérer l'avenir avec optimisme et de remettre vos peurs entre leurs mains. De cette façon, non seulement acceptez-vous vos grâces divines, mais aussi devenez-vous vous-même un guide et une bénédiction pour les autres.

Puisse Dieu vous bénir et vos anges vous protéger.

Puissent vos coursiers vous dépanner, vos auxiliaires vous aider, vos guérisseurs vous soutenir, vos enseignants vous éclairer, vos guides de la joie vous réjouir, les esprits de la nature vous rééquilibrer, vos guides animaux vous rappeler votre âme, et votre Moi supérieur vous conduire vers une vie remplie de paix, de grâce, de créativité, de générosité, d'amour et de rire tout au long de votre voyage personnel sur terre.

Avec tout mon amour et mon soutien,
Sonia

REMERCIEMENTS

J'aimerais remercier ma mère, Sonia Choquette, pour avoir levé le voile sur le monde des esprits et m'avoir appris à aimer ce qui venait des cieux; mon père, pour avoir été mon ancrage dans le monde hautement spirituel qui est le mien; mon mari, Patrick, ainsi que mes filles Sonia et Sabrina, pour leur amour constant, leur patience et leur intérêt pour le travail de ma vie; Lu Ann Glatzmaier et Joan Smith, pour avoir été mes compagnes de voyage et mes sœurs d'âme d'aussi loin que je me souvienne; mes professeurs, le docteur Tully et Charlie Goodman, pour avoir partagé avec moi leur sagesse et leurs techniques visant à établir la communication la plus élevée possible avec les esprits guides.

Je remercie également Reid Tracy, mon nouvel ange terrestre, et l'ensemble du personnel chez Hay House, pour leur dévouement et leur inlassable soutien. Julia Cameron, ma « boîte de réception de projets créatifs » et ma tendre amie, pour m'avoir soutenue lors de la rédaction de ce livre; mes éditeurs Bruce Clorfene et Linda Kahn, pour m'avoir aidée à transformer le contenu de cet ouvrage en un manuscrit présentable; et tous mes clients, pour avoir bien voulu que je raconte leur histoire. Cependant, j'aimerais par-dessus tout remercier Dieu et tous les êtres bénis de l'Univers pour leur amour, leurs conseils et les efforts soutenus qu'ils ne cessent de déployer pour me guider dans mon cheminement. Je suis votre humble et reconnaissante servante.

onia Choquette est connue dans le monde entier pour son travail d'écrivaine, de conteuse, de guérisseuse et de maître spirituel en développement du sixième sens. Elle est très recherchée pour ses conseils, sa sagesse et sa capacité à guérir les âmes. Auteure de huit best-sellers, dont *Journal d'un médium* et *À l'écoute de vos vibrations*, ainsi que de plusieurs livres-audio et de jeux de cartes, Sonia a étudié à l'université de Denver et à la Sorbonne, à Paris. De plus, elle détient un doctorat en métaphysique de *l'American Institute of Holistic Theology*. Elle habite à Chicago avec sa famille. Vous pouvez consulter son site Web à l'adresse suivante : www.soniachoquette.com.

www.ada-inc.com
info@ada-inc.com

www.facebook.com/editionsada

www.twitter.com/editionsada